СЛЕДСТВИЕ ВЕДЕТ
ПРОФЕССИОНАЛ

ТАТЬЯНА СТЕПАНОВА

Колесница времени

Москва

2015

УДК 821.161.1-312.4
ББК 84(2Рос=Рус)6-44
   С 11

Оформление серии *С. Груздева*

Степанова, Татьяна Юрьевна.

С 11   Колесница времени : роман / Татьяна Степанова. — Москва : Эксмо, 2015. — 320 с. — (Следствие ведет профессионал. Детективы Т. Степановой).

ISBN 978-5-699-79454-6

Разве могла Катя Петровская, сотрудница Пресс-службы ГУВД Московской области, представить себе, какие жуткие события впереди связаны с таким простым на первый взгляд убийством шофера из богатого дома на темной аллее у железнодорожной станции? Но в ОВД «Прибрежный» майор Лиля Белоручка не считала это дело простым, что-то ее настораживало. Два убийства, произошедшие не так давно в Москве. Казалось бы, никакой связи, кроме того, что все три жертвы были застрелены из пистолета «ТТ» и гильз на месте преступления так и не нашли. А когда выяснилось: убитый водитель работал у Жени Кочергиной, с которой Катя дружила в детстве, капитан Петровская решила помочь Лиле в расследовании. И вот уже Катя как бы случайно сталкивается с подругой детства, и та за чашкой чая приглашает ее на выходные в загородный особняк, где должна собраться вся семья. Но почему все члены семьи беззастенчиво врут о том последнем дне, когда был застрелен их шофер?..

УДК 821.161.1-312.4
ББК 84(2Рос=Рус)6-44

ISBN 978-5-699-79454-6

Глава 1

ЗИМНЕЕ ВРЕМЯ

Зимнее время...

Утро осеннего дня. За окном, как и ночью, — огни, огни, реклама.

Огромный город и пригороды не спят — как определить, «уже не спят» или «еще не спят»? Как определить?

Народ торопится на работу, штурмует автобусы и маршрутки, поток людей течет в метро — это утром. А вечером — та же картина: люди спешат с работы домой в темноте среди ярких огней большого города.

Порой так страстно и жадно ждешь утренней зари.

Но все какие-то сумерки — осень, осень с дождями и туманами.

А так нужен, физически нужен рассвет.

Хоть какое-то окно, хоть какая-то передышка.

Сумерки лишают воли и сил.

В сумерках клонит ко сну, но спать нельзя.

Нельзя же все время спать — из мрака ночи — в сумерки дня — и опять во мрак ночи!

Вставать на работу и мчаться домой с работы во тьме при ярком электрическом свете, в потоке машин, в нескончаемой пробке, под грохот поездов метро, под гудки электричек на подмосковных перронах...

Светлого времени суток совсем мало.

Осенний туман и дождь за окном. Даже в полдень мы включаем лампу, чтобы почитать что-то на досуге.

Что-то интересное почитать — про жизнь, про смерть, про страсть, про любовь, про одиночество, про быт, про связь времен и про борьбу света с тьмой.

Какую-нибудь интересную, захватывающую историю, полную тайн, интриг, неожиданных поворотов сюжета.

Такие истории из книг спасают от одиночества и тоски.

И повседневные дела и заботы тоже вроде как спасают.

Но порой мы садимся у окна, устав от окружающей нас темноты, и смотрим — туда, туда, вдаль.

Когда первые лучи окрасят облака в золотисто-розовый цвет.

Нежная заря — Аврора — улыбнется нам с прокисших осенних небес.

И вся эта невозможная хмарь, сумеречная жуть будет сметена свежим утренним ветром.

Каждое утро я просыпаюсь в надежде, что это произойдет.

Время в принципе ведь ничего не значит.

Это просто иллюзия.

У нас ведь у каждого свои собственные биологические часы внутри. И это — благо. Это наша индивидуальность.

Это наша личная внутренняя свобода.

Свобода, о которой мы все так мечтаем, хотя порой и не признаемся в этом сами себе. И не говорим этого вслух.

У времени ведь нет границ. И обозначить его «летним» или «зимним» можно лишь условно.

Все равно ведь рассветет. И солнце покажется из-за туч. И Аврора — заря — нежная и яркая, всегда новая, как в первый день творения, нам всем улыбнется.

Глава 2
ВЫСТРЕЛ

Крутить педали велосипеда — одно удовольствие. Легко, проворно. Только надо соблюдать осторожность, потому что путь пролегает по загородному шоссе к железнодорожной станции. И по шоссе то и дело свистят, громыхают, проносятся, пролетают мимо авто.

Если держаться так, чтобы транспорт шел навстречу, то ничего, только вот фары машин глаза слепят. И вроде час еще не поздний, всего около девяти. Но это октябрь, точнее, последние дни октября — темнеет рано и кругом так сыро и полно луж, потому что дождь минуту назад перестал и вот уже припустил снова.

Ехать на велосипеде под зонтом кто пробовал? Неудобно это, никуда зонт не приторочишь, поэтому — капюшон куртки на голову пониже, саму куртку застегнуть поплотнее и нагнуться к рулю и крутить педали.

Легко, свободно...

Мокнуть под этим осенним дождем.

Вообще-то тепло на улице, и воздух такой приторный немножко, влажный, насыщенный прелью листвы и бензином.

Скоро, совсем скоро с загородного шоссе откроется поворот на тихую аллею, по ней можно доехать до железнодорожных путей, а там и станция. И электрички долго не придется ждать. На этом перроне останавливаются все поезда, потому что это совсем рядом с Москвой, хоть уже и загород.

А вон там, подальше, еще один поворот с шоссе, там Москва-река и яхт-клуб. И вокруг фешенебельная зона — коттеджные поселки, бывшие старо-дачные места, застроенные особняками.

Очень приличное по городским меркам место — богатое, комфортное для проживания, экологически чистое.

Когда-нибудь и я поселюсь в таком месте...

Так думал парень двадцати двух лет, крутивший педали велосипеда, спешивший по загородному шоссе к станции, к электричке, что помчала бы его и верный велосипед с Москвы-реки в саму Москву, к метро, где поезд подхватил бы его в свою утробу и повлек в спальный район. Там парень снимал койку в двухкомнатной квартире, где помимо него жили еще пять человек.

Все приезжие. Каждый занимался своим делом в столице и в проблемы, чаяния и надежды других жильцов особо не вникал. Потому как постояльцы просыпались рано, уходили из квартиры, а возвращались кто как — кто вечером, кто ночью, а кто и вовсе через сутки, потому что таковы правила рабочей смены.

Фархаду Велиханову, приехавшему в столицу из Уфы, — так звали велосипедиста, приходилось тоже вставать рано, а возвращаться когда как. Все дни он крутился как белка в колесе. Сейчас вот, например, работал. Точнее, подрабатывал водителем в богатой семье.

Но это все временно, это чтобы сколотить немного деньжат и где-то с середины ноября вновь вернуться к платному курсу обучения по специальности сценическая графика и компьютерный дизайн театральных постановок и шоу.

Фархад учился этой специальности уже два года в Москве, но все с перерывами, потому что надо было деньги зарабатывать, платить за угол в квартире и за само обучение, ну и за еду, конечно.

Он старался не упустить никаких источников дохода, заработка. Так уж жизнь сложилась. Сегодня ты — бедный студент. Но кто знает, что произойдет завтра? Быть может, счастье улыбнется тебе во всю пасть...

Фархад крутил педали велосипеда и прикидывал в уме — если все сложится, то... этот семестр и следующий он просто проучится — спокойно и без особых проблем. Он получил ведь некие намеки и гарантии, что такое возможно.

Ради того, чтобы просто учиться и не дергаться по поводу работы, Фархад был готов на многое.

Некоторые парни с периферии смогли так вот устроиться. Чем он хуже?

Ничем. Он лучше, да, он лучше многих.

Недаром ведь его выбрала в водители Хозяйка.

Фархад вздохнул, закрыл на секунду глаза и...

Резкий сигнал — навстречу промчался внедорожник на огромной скорости, обрызгал его всего грязью.

Вот так, надо держать ухо востро, даже если едешь и не в час пик по загородному шоссе.

По соседней полосе медленно двигалась машина, Фархад не обращал на нее внимания. Вот она обогнала его. Красные габаритные огни впереди. Кажется, иномарка.

По шоссе с ревом неслась бетономешалка, а за ней шел, гремя и лязгая, тихоход-трактор. Строительная техника — куда-то в сторону новых земель, на новые угодья фешенебельной застройки.

Фархад свернул на узкую боковую аллею в сторону железнодорожной станции.

Тут всегда темно, потому что нет фонарей, но дорожное покрытие сносное и луж нет. Только вот дождь все сильнее, сильнее. К ночи разойдется в настоящий осенний ливень.

Ну да ночью он, Фархад, уснет сном младенца на съемной койке под грохот телевизора за стеной.

Можно палить из пушки — его не разбудишь.

Уже не разбудишь никогда.

Можно палить из всех стволов...

Он уснет, как праведник, как человек, много грешивший, несмотря на свой юный возраст, но чья совесть чиста, потому что он грешил ради дела, — так сказать, вносил инвестиции в свое будущее.

В богатый комфортабельный дом на берегу реки, и не там, в Уфе, где мать и две сестры, а...

Неожиданно он узрел перед собой лицо матери — она месила тесто для беляшей и улыбалась ему, вытирала пот со лба запачканной мукой рукой.

Мать улыбалась, а он, Фархад, внезапно ощутил, что теряет все точки опоры.

Педали велосипеда крутились сами собой, больше он их не чувствовал под ногами.

Он не слышал выстрела, прозвучавшего в ночи, потому что выстрел (который, кстати, не слышал никто на дороге) заглушил грохот строительной техники — бетономешалки и трактора.

Выстрел раздался в тот самый момент, когда Фархад думал о том, что «можно палить — его не разбудишь».

Велосипед звякнул и поехал в одну сторону, а тело Фархада — в противоположную.

Пуля попала ему под левую лопатку, в темноту ударил фонтан крови.

Велосипед съехал в кювет и опрокинулся.

Фархад упал ничком в мокрую колючую осеннюю траву.

Его пробитое сердце уже не билось.

Но еще пару секунд его глаза, нет, мозг — затухающий, как искра, видел мать. Она стряхивала муку с пальцев и бросала беляши, начиненные ливером, на раскаленную сковородку.

Глава 3
ОТЕЛЬ «МЭРИОТТ — АВРОРА»

На запруженной машинами Петровке напротив Столешникова переулка остановился мотоцикл «Харлей». Мотоциклист втиснул его в парковочную щель между «Ягуаром» и «Ауди» и неспешно направился к центральному входу отеля «Мэриотт — Аврора».

Центральный вход в отель как раз со стороны улицы, а вход в лобби-бар рядом с магазином «Кристиан Диор», что смотрит витринами в переулок.

В этот час раннего вечера — шесть всего на часах — уже смеркается, но улица Петровка полна народа. Яркие огни, сырой воздух последних дней октября.

Мотоциклист, затянутый в черную кожу, — высокий, стройный, широкоплечий, снял с головы шлем, пригладил светлые волосы рукой и прошел весьма уверенно сквозь вертящиеся стеклянные двери отеля — мимо швейцара в позументе и охранников с рацией.

Удивительно, но в гулком, роскошном, отделанном сияющим мрамором вестибюле отеля оказался он единственным гостем. В этот еще не поздний вечер конца октября огромный «Мэрриотт» пуст и тих, как сказочный замок Фата-Морганы.

Но нет, где-то играет негромко музыка. Звуки арфы, невидимой глазу.

Мотоциклист быстро пересек холл, глянул на себя в зеркало мимоходом — молод, хорош собой, яркий блондин с голубыми глазами. Только вот на скуле зажившая ссадина, а на нижней губе свежая рана кровоточит.

Коридорный в форме, скучавший возле автомата для чистки обуви, окинул мотоциклиста оценивающим взглядом, но ничего не сказал. Этот парень... в общем, он порой заезжает в роскошный отель «Мэриотт» и тут его знают.

Мотоциклист поднялся по ступенькам мраморной лестницы, ведущей в ресторан под куполом.

Это и ресторан, и зимний сад. Это гордость и краса отеля. Именно тут играет невидимая глазу арфа по вечерам. Столики, покрытые крахмальными белыми скатертями, все сплошь свободны. Нет ни одного гостя в ресторане. А над головой, высоко, далеко, как хрустальное небо, — прозрачный великолепный купол.

А если повернуть голову налево и глянуть вверх, — там галерея — зимний сад. Много зелени — сплошные тропики, и там такие уютные диваны и кресла и еще...

Там иногда мелькает призрак Оперы... Да, да, помните того кудесника — ведущего с телеканала «Культура», — всегда в смокинге, всегда с улыбкой, интеллигент и великий знаток прекрасного, он знал о мире музыки и мире оперы все. Именно там, в галерее под куполом в отеле «Мэриотт — Аврора», он устраивал встречи со своими гостями, среди них — мировые знаменитости: певцы, музыканты, дирижеры, критики, композиторы.

Кудесник в смокинге умер так неожиданно, скоропостижно, что в это трудно было поверить всем. Даже этому вот молодому мотоциклисту — блондину с разбитой губой.

Но порой, если приглядеться, надравшись в баре отеля, то можно еще увидеть... Да, тень... тот образ... призрака Оперы с прошедших времен, которые никогда уже не вернутся, потому что смерть...

Да, смерть сильна...

Однако блондин с атлетическими плечами и тонкой талией, затянутый в кожу, словно в средневековые рыцарские латы, не собирался сейчас здесь, в пятизвездочном отеле «Мэриотт — Аврора», думать о смерти. И что-то там вспоминать и кого-то там жалеть.

Он просто скучающим взором оглядел пустой роскошный ресторан, лишенный посетителей, несмотря на то что сезон вроде бы и начался уже.

Он не увидел в ресторане ту, которую хотел здесь встретить.

К нему сразу же с вежливой улыбкой на лице обратилась хостес, но он покачал головой — нет, спасибо, меню знаю наизусть, а вот выпить предпочту в лобби-баре.

Он легко спустился по мраморной лестнице, еще раз оглянулся на зеленую галерею... звуки арфы — и только. И никаких привидений с телеэкрана...

В великолепном лобби, отделанном светлыми дубовыми панелями, — тоже небольшой ресторан.

И вот тут мотоциклист увидел ее.

Она сидела за столиком в полном одиночестве. На скатерти перед ней сервирован чай в лучших традициях английских отелей — белый фарфор чайника и чашек и тарелка с десертом.

Она была в платье из кашемира вишневого цвета и высоких замшевых сапогах.

Она тоже блондинка. И даже весьма миловидная, хотя немножко усталая.

Он, пожалуй, был ярче, красивее. Да и выше ее на целую голову.

Его звали Данила. А ее звали Евгения. И вот уже несколько лет они носили разные фамилии, потому что она, его младшая сестра, вышла замуж.

Евгения Савина — Женя, как ее звали все домашние, поднесла к накрашенным розовой помадой губам чашку чая и увидела Данилу Кочергина — своего брата.

Он направился к ее столику и сел напротив, улыбаясь, явно довольный встречей.

— Привет.

— Привет. — Женя отпила глоток чая. — Только что о тебе подумала.

— Правда, сестренка? — Он встал и отошел к стойке бара.

Бармен не стал даже спрашивать у него заказ — все, как всегда: скотч.

Со стаканом виски Данила вернулся за столик к сестре.

— Я знал, что ты тут сегодня, — сказал он.

— Мог бы и позвонить.

— Некогда. Ты же знаешь, у меня строгий учитель латыни.

Латынь и переводы с нее — вот уже год как Данила брал у профессора МГУ уроки по этому предмету. В свое время он два года проучился на классическом отделении филфака университета, но потом учебу забросил. А вот теперь возобновил уроки латыни и литературы в частном порядке. Его сестра относилась к этому спокойно, в отличие от других членов их семьи. Ее тревожило другое.

— Только не ври мне, — сказала она.

— Да я не вру, я прямо с урока.

— Ага, только вот весь рот разбит.

— Это мелочи. — Он отпил виски и поморщился. — Ах, черт, правда щиплет.

— А в тот раз дали в глаз. Слушай, я не понимаю...

— Все ты понимаешь, сестренка.

— Нет, я не понимаю. Ну тот ужас с автомобильными гонками... Я на коленях тебя умоляла прекратить это. И ты, кажется, внял. Понял, как я боюсь... Понял, что я маму каждый раз вспоминаю. Ты прекратил. А теперь вот этот твой бокс.

— Да это просто спорт. Для здоровья, — усмехнулся Данила.

— Это подпольные договорные матчи на деньги. Тебя там покалечат.

— Я сам кого хочешь покалечу.

— Тебя там покалечат! — Женя повысила голос. — Данила, ну я прошу тебя.

— Ну хорошо, хорошо. Сегодня была только тренировка. А потом я поехал читать Катулла и Авсония с профессором. «До чего все забавно получилось — тут мальчишка с девчонкой забавлялся. Шалуна, так велела мне Венера, поразил я копьем своим торчащим».

Женя пододвинула к себе десерт.

— Стишки переводишь для тети специально? — спросила она.

— Угу, — он кивнул. Допил виски и снова отошел к стойке бара — повторить. И опять вернулся, сел, вытянул ноги в тяжелых «берцах».

— Тетю хватит удар, — сказала Женя.

— Не хватит. — Он улыбался. — Тетя у нас здоровая как лошадь. А насчет перевода Катулла, так там вообще мягкий перевод. «Целию мил Амфилен, а Квинтий пленен Амфиленой. Сходит с ума от любви юных веронцев краса... Этот сестру полюбил, тот брата — как говорится. Вот он, сладостный всем, истинно братский союз. Неудержимая страсть у меня все нутро прожигала...»

— Тетю хватит инфаркт, — повторила Женя.

Ее брат пил свой виски.

— Ладно, — сказал он, — когда станет нам совсем невмоготу, то выручит нас старая добрая латынь и римская классика. Ты тут Генку ждешь?

— Да, я ему отправила эсэмэску. У них в департаменте совещание, но он приедет. Скоро.

— Муж за женой, как нитка за иглой, — усмехнулся Данила, — жаль, что ты теперь без машины осталась.

— Ничего. Я пока такси обхожусь.

— Поехали домой со мной.

— На мотоцикле? Да ты напился уже.

— Ничего я не напился. Pisces natare oportet... Рыба посуху не ходит, сестренка.

— Ты же знаешь, что я всего этого страшусь. Что ты ездишь пьяный, что ты гоняешь на бешеной скорости. Выходишь на ринг на этих подпольных матчах, как будто ты в деньгах нуждаешься!

— Зато муж Генка у тебя тихий, ответственный товарищ, — усмехнулся Данила. — Служит вон в департаменте.

— Я и за Генку тоже тревожусь.

— Ну, у тебя планида такая — за всех переживать. — Данила пил свой виски. — Ты вот тут в лобби «Авроры» сидишь и от всех прячешься. Что я, тебя не знаю, что ли?

— Тут хорошо, — Женя вздохнула, — я здесь покойно себя чувствую. Тут какая-то стабильность во всем.

— Ну да, и ни души во всем «Мэриотте». Никто к нам не приезжает. Никому мы не нужны стали. — Данила указал глазами на тарелку с десертом: — Мильфей все такой же потрясный?

— Да, мильфей очень вкусный. Закажи себе что-нибудь. Нельзя же просто пить на голодный желудок.

— Салат «Цезарь» с их фирменным соусом все еще в меню? Или даже здесь уже нет голландского салата?

— Закажи шницель по-венски. Тут это фирменное блюдо.

Данила сидел неподвижно. И его сестра сама позвала официанта и сама заказала для брата шницель по-венски.

— Странно ощущать покой и стабильность в совершенно пустом отеле, — сказал Данила, — но так уж ты устроена, сестренка. Nunc est bibendum... Как говаривал старикан Гораций, — теперь пируем, точнее, пьянствуем.

— Поешь горячего, — посоветовала ему на это Женя, — и потом закажи крепкого чая. Вымой хмель из башки.

— Ладно. — Данила улыбался официанту, ставящему перед ним блюдо с венским шницелем и корзиночку с фирменными дарами отеля — булочками и ароматизированным маслом. — А Генка скоро приедет за тобой?

— Я же говорю, у него совещание. Не раньше восьми, наверное.

— Сейчас только шесть. Так и будешь тут бдить на своем посту?

— Это не пост. Это мой вечерний чай. Традиционный чай в отеле «Мэриотт», — ответила Женя. — Ой, у тебя губа кровоточит!

Она взяла крахмальную салфетку и, протянув руку через стол, приложила ее к губам брата.

Данила выпрямился. Потом забрал салфетку из рук сестры. Промокнул разбитую на боксе губу. А затем взял руку сестры и поцеловал.

Музыка арфы внезапно умолкла.

Глава 4
«УТРО СТРЕЛЕЦКОЙ КАЗНИ»

В просторном офисе, расположенном на втором этаже гостиницы «Москва», ярко горели все лампы. Окно офиса с опущенными жалюзи смотрело прямо на центральный подъезд Государственной думы.

Даже в летние солнечные дни в офисе при выключенном освещении всегда царил полумрак, потому что огромное здание отеля «Москва» отбрасывало тень именно сюда, в сторону метро «Театральная», и тут, как в глубоком ущелье между двумя монолитами зданий, господствовал постоянный сквозняк-ветродуй.

Мимо, мимо от Манежа к Лубянке проносились сотни автомобилей. А тротуары под окнами отеля всегда пустовали. Пешеходов и туристов влекли Тверская, Дмитровка, сквер перед Большим театром, Петровка, а сюда никто не ходил. Тут лишь останавливались дорогие лимузины тех, кто арендовал офисы в отеле «Москва».

Под образами в кожаном кресле за огромным письменным столом, лишенным какой-либо компьютерной техники, но заваленном папками с бумагами и почтовой корреспонденцией, переданной из секретариата на ознакомление, восседала Раиса Павловна Лопырева.

Ей исполнилось пятьдесят семь, а выглядела она на пятьдесят восемь — крепкая, ширококостная, однако не полная, с не очень хорошим цветом лица и тусклой пористой кожей.

Волосы она красила в рыжий цвет. Прежде она каждое утро заезжала в салон красоты и делала укладку у парикмахера. Но с некоторых пор утренние поездки в салон стали ее утомлять. Она сделала очень короткую стрижку и покрасила волосы в рыжий цвет. Это не помогло ей омолодиться, как она просила парикмахера, однако словно добавило еще больше уверенности.

Раиса Павловна не пользовалась косметикой и духами. Светлые брови свои и ресницы она не красила. Изредка баловалась неяркой помадой цвета кармина. Она одевалась в строгие деловые костюмы. Сейчас вот была в новом, песочного цвета, от Марины Ринальди. Вокруг увядшей шеи — жемчужное колье, единственная вольность стиля. Да на пальце — обручальное кольцо.

Напротив нее, по другую сторону стола, тоже в кожаном кресле для посетителей, сидел мужчина в синем дорогом костюме и белой рубашке без галстука.

Широкоплечий брюнет лет тридцати пяти с модной стрижкой, благоухающий безумно дорогим парфюмом и с гордостью носивший умопомрачительные мужские лоферы из кожи игуаны. На запястье его поблескивал золотой «Ролекс».

Он изучал какой-то документ под пристальным вниманием молчавшей Раисы Павловны.

Прочитал, а потом изрек:

— Кляуза.

— Вы все прочитали? До конца? — спросила Раиса Павловна Лопырева.

— Это несерьезно.

— Герман, это, на мой взгляд, очень серьезно.

Мужчину в лоферах из кожи игуаны звали Герман Дорф. У него на все имелось свое личное мнение. И часто это мнение отличалось от взглядов Раисы Павловны. Но она это Герману Дорфу прощала, потому что нуждалась в его деловых советах.

— Тут идет речь о картине Сурикова «Утро стрелецкой казни», — хмыкнул Герман.

— Вот именно, о картине из Третьяковской галереи. И к нам поступил сигнал общественности.

— Кляуза, — снова хмыкнул Герман.

— Сигнал. — Лопырева подняла вверх указательный палец. — К тому же один из моих внештатных помощников оказался тому свидетелем. Я не знаю, что там проводилось — урок прекрасного среди учащихся старших классов или просто экскурсия в Третьяковку. Но представьте такую картину: около «Утра стрелецкой казни» собралась толпа школьников — им всем уже по пятнадцать-шестнадцать, это будущие студенты, уже своей головой начинают думать. И вот учитель или экскурсовод начинает распространяться насчет этого самого полотна. Вы помните саму картину Сурикова?

— Помню. Стрельцы после неудавшегося бунта... Лобное место на фоне Василия Блаженного, казнь вот-

вот начнется. Царь Петр мрачный, как демон, смотрит со стороны на свой народ. Вот-вот вешать начнут или головы рубить, только там это не нарисовано.

— Там это не нарисовано, — подтвердила Лопырева, — а вот учитель или экскурсовод перед школьниками начинает эту тему развивать. Подавление, мол, инакомыслия... Петровская элита по приказу царя должна быть повязана кровью, круговой порукой. Экскурсовод пассажи из романа «Петр Первый» начал цитировать — мол, как царь заставлял своих любимцев — а ведь все это прогрессивные, положительные персонажи российской истории, от Меншикова до генерал-фельдмаршала Головина, — самолично брать в руки топор и сечь стрельцам головы на плахе. И опять — про подавление инакомыслия, про репрессии.

— Но ведь это все история, правда.

— Да зачем школьникам, будущим студентам об этом говорить? — повысила голос Лопырева. — Зачем акцентировать на этом внимание сейчас? Что, других картин в Третьяковке, что ли, нет? Зачем собирать вокруг этой картины экскурсию и начинать будировать совершенно ненужные вопросы? Подавление инакомыслия... Это не вопросы средней школы! Я считаю, нам надо на это среагировать.

— На что? — спросил Герман. — На художника Сурикова, жившего в девятнадцатом веке, или на позицию школьного учителя, экскурсовода? По поводу Сурикова скажу — его потомки до сих пор здравствуют, и они сильны и могущественны. Вы рискуете нарваться на неприятности. Вообще все это несерьезно и не ко времени.

— Нет, как раз это очень ко времени, — возразила Лопырева, — и наш инициативный комитет хотел бы заняться...

— Да никто из депутатов и ни одна фракция не станет пиариться на картине Сурикова, — ответил Герман, — это не та тема.

— Не заинтересуются?

— Думаю, нет.

— Но сигнал в наш комитет...

— Но ваш инициативный комитет не обязан реагировать на всякую ахинею. Раиса Павловна, вот вы же не стали на тот случай с куклами-голышами реагировать? И правильно. Кто-то там усмотрел пропаганду сексуальности среди детей в виде продажи кукол-голышей. Но вы же не зацепились за это, потому что...

— Ой, там так все половинчато, — Раиса Павловна махнула рукой, — куклы для детей... дети же играют, примеряют куклам новые платья, а значит, раздевают кукол. А потом одевают. И как тут провести грань — если дети раздевают кукол, почему нельзя голышей продавать? Там же нет никаких половых признаков, просто тельце из пластика. Да у меня у самой в моем детстве имелась кукла-голыш. Причем мальчик. Отлично я ее помню, купалась с этой куклой в ванне вместе. Голыш без половых признаков, там даже попка особо не была обозначена, ну, в смысле двух половинок. Так, общая гладкость.

— Ну вот, инициативный комитет не стал реагировать на голышей. И это тоже оставьте.

— Но тут идет речь о подавлении инакомыслия. И в юные головы в ходе экскурсии закладывается идея...

— Сильная картина, висит в Третьяковке, а Суриков — великий русский художник, — сказал Дорф. — Раиса Павловна, я вам так скажу, — моя профессия — пиар и масс-медиа. Пропиарить можно что угодно, даже эту вот вашу идею. Но игра не стоит свеч. Много шума будет и — ничего.

— Вы так думаете, Герман? — Лопырева взглянула на часы — антикварные, в дубовом футляре, стоявшие в углу кабинета.

— Я в этом уверен. А вы что, куда-то торопитесь?

— Да нет, хотя так, какая-то усталость. — Раиса Павловна поднесла руку к глазам.

— Да, я сам как лимон выжатый, — кивнул Герман Дорф. — Я вообще-то страшная сова — у меня к вечеру как раз пик активности наступает. А тут что-то начал сдавать.

— Вы так молоды, вам ли это говорить, — Раиса Павловна откинулась на спинку кресла. — Ну так какой ваш окончательный совет?

— Забить.

— Забить?

— Такая организация, как ваш Инициативный комитет, не должна размениваться на всякие мелочи.

— Но работа с подрастающим поколением — это не мелочь.

— Ну а какие можно выдвинуть инициативы? Что, убрать «Утро стрелецкой казни» в запасники? Или не проводить со школьниками экскурсии в Третьяковке? Или не рассказывать о содержании и смысле картин?

— Не акцентировать...

— А они будут акцентировать. Вопреки. Вы что, предложите штрафы за это вводить, как вот предлагали штрафовать за употребление иностранных слов? Или в тюрьму сажать?

— Нет, но...

— Мой совет — все это положить под сукно, эту кляузу, — сказал Дорф.

Раиса Павловна Лопырева поджала тонкие губы. Потом снова глянула на часы в углу кабинета.

Герман Дорф вытянул ноги и рассматривал свои дорогие лоферы из кожи игуаны. На лице его была написана скука.

Раиса Павловна вздохнула и швырнула документ в мусорную корзину.

Глава 5

МАРТА

В пыльной и облезлой съемной однокомнатной квартире, расположенной на первом этаже хрущевки в районе метро «Динамо», жизнь била ключом.

Квартиру снимала Марта — женщина, уже не молодая, но весьма и весьма энергичная. Когда она появлялась в своей съемной квартире, то там все так и кипело — вещи летели в разные стороны, одежда падала на пол, в ванной, катастрофически лишенной ремонта, шумел душ.

Марта мылась в душе и напевала: ла-ла-ла...

У нее полностью отсутствовал слух, да и голоса не было, но это ее никогда не смущало.

Ла-ла-ла-ла...

А город пил коктейли пряные...

Виновата ли я...

Ай-яй, в глазах туман, кружится голова...

Ромашки спрятались, поникли лютики...

Лаванда, горная лаванда...

И еще десяток песенок, точнее отрывочных куплетов, потому что кто их, эти песни, до конца поет, кто знает все слова?

На полу, давно не метенном, жаждущем пылесоса и уборки, валялась одежда, нижнее белье.

Это словно помеченная тропа от входной двери к душу. Марта всегда раздевалась на ходу. Деловито пританцовывая.

Останавливалась на секунду возле зеркала в прихожей, шарила в косметичке, доставала разные губные помады и начинала красить рот — пробовать, какой цвет лучше, какой ярче.

Так и не выбрав, она шла в душ мыться. Смывала там, стирала помаду с губ, чтобы затем начать все сначала.

Вечер, вечер, вечер в квартире у метро «Динамо»...

Вечер ведь только начинался.

После душа Марта включала электрический чайник на крохотной грязной кухне, заваривала чай — покрепче. И ела шоколадные конфеты. Пусть от нее пахнет шоколадом и ванилью. Она ведь...

Да, она ведь — слаааааааа-ааад-кая женщина...

Страааааааа —ааааааа-анннная женщина...

Эта женщина в окне...

Милая моя, солнышко лесное...

А ты такой холодный, как айсберг в океане...

Ты — морячка, я — моряк...

Сердце, тебе не хочется покоя...

После чая и конфет Марта открывала стоявший в комнате старый шкаф и начинала одеваться, прихорашиваться.

Дверь гардероба заслоняла ее и от комнаты, и от окна. Никого не было в квартире, но так уж повелось, так она привыкла.

Затем она отступала от шкафа и шла в прихожую смотреться в большое зеркало.

Крупная, с очень широкими боками и толстым задом, с тяжелой выпирающей грудью, — она была облачена в черную короткую комбинацию.

Возле зеркала, поставив ногу на маленькую скамейку, она начинала свой вечерний ритуал — надевание чулок.

Чулки всегда черные, иногда гладкие, иногда в сеточку.

Марта любовно и бережно доставала их из пакета, почти каждый раз новую пару. Встряхивала, потом засовывала внутрь руку, щупая и наслаждаясь фактурой.

Затем, кряхтя, потому что бока и грудь мешали, она наклонялась, ставила ногу на скамейку, просовывала ступню внутрь чулка и...

Ох, волшебный момент!

Нет, не нога скользила внутрь, это чулок скользил вверх по ноге, обтягивая широкую щиколотку и крепкую ляжку.

Марта долго, с чувством, любовалась на свою ногу в черном чулке, а потом ритуал повторялся.

Надев чулки, она еще долго вертелась перед зеркалом — и так, и этак, гладила себя по полным крутым бокам, втягивала живот.

Под такие чулочки, конечно, нужны туфли на умопомрачительных шпильках. Этак сантиметров двенадцать. Но не девочка ведь уже, не двадцать лет. Порхать на каблуках при таких габаритах тяжко.

А потому туфли выбирались на каблуке низком, устойчивом, удобном. Ходить придется и стоять. Лучше уж полностью полагаться на проверенные комфортные вещи, на обувь, что не натирает ноги.

После чулок и обуви наступал еще один трепетный момент возле зеркала.

Марта начинала краситься.

Она долго колдовала над лицом, сначала накладывала «базу» под тональный крем для гладкости кожи. Затем уверенными движениями наносила на лоб, щеки и размазывала круговыми движениями саму «тоналку».

Съедала еще пару конфеток, давая тональному крему впитаться. Затем густо и обильно пудрилась.

После этого подводила брови. Придирчиво выбирала тени для глаз — почти всегда перламутровые — и накладывала их широкими щедрыми мазками.

Не штукатуриться, а краситься...

Вот так, вот так, вот так...

Накладные ресницы она красила тушью густо-густо и очень-очень долго. Взмах, взмах... И вот ресницы почти совсем как кукольные — такие длинные, такие густые.

Марта с удовольствием взирала на свои пухлые щеки и тыкала пальцем в баночку с румянами — чуть-чуть оттенить вот тут на скулах, а то щеки толстые, хотя и нельзя назвать их обвисшими.

После Марта надевала парик. Свои волосы — это свои, от них, конечно, никуда не денешься, но вот этот белокурый парик, это просто чудо что такое.

Свои волосы закрыты специальной сеткой, чтобы парик сидел как влитой.

Вот так надеваем и...

А вот теперь из зеркала на мир смотрит настоящая Марта — та, которую знают в клубе.

Это Марта Монро, почти что Мэрилин...

О, Мэрилин, незабвенная Мэрилин Монро... Ах, до твоего идеала, конечно, далеко, но общий узнаваемый тренд соблюден.

Точь-в-точь...

Белокурая Марта Монро в парике наконец-то делала завершающий штрих: она бралась за помаду — ту, что перед душем отбраковывала, и густо, с наслаждением и любовью красила свои губы.

Яркие губы...

Ах, они созданы для поцелуев.

Затем она натягивала платье с блестками — порой розовое, порой серебряное — и брала с вешалки жакет из белого искусственного меха, так похожего на перья.

Марта Монро.

Она глядела на себя в зеркало.

Жизнь...

Ах, жизнь, что ты делаешь со мной...

Знакомый таксист — она платила ему щедро — уже ждал, звонил от подъезда: такси подано.

Марта легко поворачивалась на своих устойчивых каблуках, брала с зеркала туго набитую сумку и...

Вот тут ей всегда приспичивало в туалет на дорожку.

Это было что-то чисто психологическое, она не могла покинуть квартиру и сесть в такси без того, чтобы не зайти в туалет.

А с этим целая проблема, потому что, когда вы полностью уже собраны, одеты в платье и меховой жакет, выясняется одна очень интересная деталь.

Под платьем надето боди.

Тут надо пояснить, что сначала Марта хотела надеть вниз только утягивающее белье — такие панталоны, облагораживающие пышность форм. Но с чулками и платьем это неудобно.

Совершенно неудобно.

И вот тогда ее осенила идея с боди. Но он же как сплошной купальник!

И ходить в туалет в нем — сущее наказание.

Марта снова заходила в ванную — это же совмещенный санузел — и вставала, раскрылатившись над унитазом.

Чуть приседала, затем, чертыхаясь вполголоса, оттягивала утягивающий плотный боди, закрывавший промежность, чуть в сторону и...

Ооооооооооооо! Какое наслаждение...

Тугая золотая струя...

И нет того извращенца, любителя золотого дождя, который это оценит.

Сделав свое маленькое важное дело, Марта, не помыв рук, цокала каблучками назад в прихожую.

Порой она даже забывала спустить воду в унитазе.

Ее мысли были заняты уже предстоящим вечером в клубе.

А мочевой пузырь опорожнен.

Глава 6
ИНВАЛИДНОЕ КРЕСЛО

Легкий ароматный дым гаванской сигары поднимался к вечернему небу, затянутому тяжелыми дождевыми тучами. Смеркалось, и автоматическая подсветка вдоль дорожек на участке зажглась.

Петр Алексеевич Кочергин курил сигару на свежем воздухе в патио своего большого дома. Патио по-модному отделано плиткой, украшено морозоустойчивыми хвойными в больших керамических горшках. Но все горшки сдвинуты так, чтобы максимально освободить все проезды и все повороты — из патио на участок и к крыльцу открытой веранды дома.

Возле ступеней крыльца оборудован широкий, очень удобный пандус — это чтобы инвалидное кресло Петра Алексеевича...

Да, Петр Алексеевич Кочергин, отец Данилы и Жени, курил сигару в своем инвалидном кресле, из которого не вставал уже много лет.

Кресло — чудо современной медицинской техники — оборудовано электроприводом, сенсорными кнопками. Но для движения по дому всем этим Петр Алексеевич не пользовался. Крутил колеса кресла руками и перемещался тихо, почти неслышно.

Да, да, очень тихо в доме. И пуст он, дом этот, в вечерний час. Все в разъездах, все по делам. И лишь Петр Алексеевич праздно вот так совсем от нечего делать курит сигару и прислушивается.

Горничная в доме, где-то в самых его недрах. Горничная-филиппинка. Ее посоветовали взять знакомые жены Петра Алексеевича. Знакомые — дипломаты. Сейчас, мол, это модно и удобно — горничная-филиппинка. По-русски она знает плохо. Но насчет работы по дому — оооооооооо! Целыми сутками она фанатично и истово убирается, убирается. Словно невидимый молчаливый робот. Глянешь — и нет ее совсем, словно и не существует она на свете, эта горничная-филиппинка. А в доме чистота, ни соринки.

Петр Алексеевич крепче прикусил сигару зубами. Вот так... Смеркается. Осень, темнеет рано.

Для прогулки на свежем воздухе Петр Алексеевич одет тепло — в куртку, вокруг шеи шерстяной шарф, на голове шерстяная кепка. Горничная-филиппинка помогает ему одеваться и раздеваться.

А прежде помогал тот парень... Ну, когда не водил машину.

Но теперь осталась лишь горничная...

Петр Алексеевич неспешно начал объезжать патио, двигаясь в направлении большой клумбы, засаженной последними осенними астрами, декоративной камнеломкой и мхом. Что тут только не делали, на этой клумбе — и японский садик, и альпийскую горку.

А теперь вот засадили все камнеломкой. Она и под снегом зеленеет. И подстригать ее, как газон, не нужно.

Огоньки подсветки на дорожках участка...

Участок немаленький, с фруктовым садом, за которым мало ухаживают, с туями у забора.

Сразу за забором — крутая тропинка в лес, и ведет она к высокому берегу Москвы-реки. Сын Данила летом любит бегать там по утрам. Когда дочь Женя приезжает с мужем Геннадием, он и его пытается увлечь на пробежку.

Но Геннадий к спорту не слишком расположен. И за то, что он не бегает... да, за то, что он вот так демонстративно не выпячивает свою физическую форму, свою энергию, свои возможности, свою свободу, наконец, бегать, прыгать, ходить, да, ходить... Вот за это за все Петр Алексеевич ему благодарен.

Зять исполнен чувства такта. Так считает Петр Алексеевич. А вот сын Данила такта напрочь лишен.

Да и жалости, сочувствия — тоже.

Ох, нет, только не подумайте, что Петр Алексеевич, глава и хозяин этого большого, очень дорогого дома, нуждается в жалости и сочувствии из-за своего инвалидного кресла.

О нет...

Может, лишь в самые первые годы после того, как это случилось с ним. Но тогда дети его — сын и дочь — были еще так юны. Молодость вообще толком не способна к истинному сопереживанию трагедии.

Поддержку Петр Алексеевич получил сполна только от жены. Да, от своей второй жены. С ней он в браке и по сей день.

Но жены сегодня вечером с ним рядом тоже нет. Жена — деловой человек, она очень занята.

А Петр Алексеевич вот тут, дома...

Он курит сигару.

С великим наслаждением он курит великолепную душистую гавану. И ощущает каждой клеточкой своего тела мир, что его окружает.

Патио, где оборудовано все для семейного барбекю. Эту вот вечернюю сырость. Этот ветер с реки, что шумит в саду. Эти огоньки подсветки, что моргают, точно подмигивают ему со стороны дорожек.

Петр Алексеевич медленно крутит колеса кресла руками, потом все же нажимает сенсорную кнопку. И кресло — его домашний трон — медленно и осторожно едет из патио по дорожке в сад.

Он едет один и курит сигару. Сумерки все гуще, осенний вечер накатывает, как океанская волна.

В доме на веранде и в холле внизу включается электричество.

Скоро ужин.

Возможно, к ужину из семьи кто-то приедет. Возможно, все сразу, а может, и никто, потому что все задерживаются в Москве — по делам, и в пробках, и просто так.

Жить за городом вот в таком элитном поселке у Москвы-реки, конечно, престижно. Но тут очень остро чувствуется одиночество.

От этого спасает лишь хорошая сигара.

Петр Алексеевич кружит в инвалидном кресле по дорожкам сада. Это его прогулка. Это его ежевечерний моцион. Это — традиция.

Хорошо, что пока нет дождя.

Глава 7
БЕЛОРУЧКА И ПУЗЫРЕК ЗЕЛЕНКИ

То, что Белоручка получила звание майора и повышение, не стало для Кати — Екатерины Петровской, криминального обозревателя Пресс-центра ГУВД Московской области, сенсационной новостью.

Больше удивило другое — Белоручка покинула МУР, Петровку, 38, и перешла на работу в областной главк.

Не Белоснежка... Белоручка... Лилечка... Катя именно так называла всегда ее про себя — Лилечка.

Вместе они работали лишь однажды — по московскому делу об убийствах на бульварах[1]. Но с тех пор крепко

---

[1] Подробно об этом деле читайте в книге Степановой «ДНК неземной любви», издательство «Эксмо».

подружились. Хотя виделись очень редко. И вот новость средь бела дня — Лиля Белоручка, теперь уже майор полиции, ушла из отдела убийств МУРа, чтобы работать в Подмосковье. Она назначена начальником криминальной полиции в ОВД Прибрежный.

Они с Катей не встречались очень давно. И многое с момента их встречи изменилось. Но вот неожиданно выпал шанс увидеться и поработать вместе — так думала Катя по пути в Прибрежный ОВД за рулем своей маленькой машины «Мерседес-Смарт».

Она даже не стала звонить Лиле Белоручке, решила нагрянуть как снег на голову после того, как прочла в сводке происшествий об *этом убийстве*.

Она не ожидала от этого дела ничего экстраординарного. Просто — потешить репортерское любопытство и заодно встретиться со старой подругой, поздравить ее с новым назначением.

Да, она не ожидала от этого дела ничего такого... Она даже не могла представить себе, какие события впереди, связанные с этим вроде бы таким простым бытовым убийством на аллее у железнодорожной станции.

Что греха таить, по пути в Прибрежный ОВД Катя считала, что она там, в компании Лили Белоручки, слегка развеется и отвлечется.

От чего отвлечется? Так от этой тяжкой осенней апатии. От усталости, давящей словно камень. От всего этого опостылевшего ритма — дом, работа, дом...

Она приезжала на работу в Пресс-центр к девяти. Вставала в семь утра в полной темноте. Октябрь не баловал погожими днями, а конец месяца вообще утонул в нескончаемом дожде, в сумраке, в тучах.

На работе Катя всегда задерживалась, а это означало, что и домой она возвращалась тоже в темноте.

Включала свет в своей квартире на Фрунзенской набережной и часто подолгу сидела на кухне, пила крепкий чай. Смотрела в окно на Москву-реку, на набережную, сияющую огнями.

Все, все, чем она прежде так гордилась и что спасало ее в самые трудные моменты жизни — любопытство, азарт, бойкое перо, настойчивость, — все это словно обесценилось. Представлялось таким смешным и никчемным, никому не нужным...

Был ли то некий душевный кризис? Катя об этом старалась не думать. Она все чаще ловила себя на мысли, что и работу свою — написание криминальных статеек в интернет-издания в качестве криминального обозревателя Пресс-службы ГУВД — она исполняет все более и более формально.

Все чаще подбирает слова...

Все чаще пишет на нейтральные темы.

Многие вещи, о которых она прежде не задумывалась, становились важными и, как бы это сказать, звучали совсем по-иному.

Порой Катя ощущала безмерную опустошенность в душе и безграничную апатию.

Но она старалась брать себя в руки...

Нужно взять себя в руки! Слышишь, ты! Надо, надо брать себя в руки. Ты сможешь, ты сильная.

Получалось или не получалось — об этом Катя опять же судить не могла. Чтобы хоть как-то поднять себе настроение, она...

Что мы делаем, когда нам плохо, скверно? Мы обращаемся к друзьям.

Так поступила и Катя. И это коротенькое сообщение в сводке об убийстве у железнодорожной станции в Прибрежном пришлось как нельзя кстати. Ну, если такое можно сказать об убийстве.

Катя решила написать о раскрытии этого дела для криминальной полосы интернет-версии «Вестника Подмосковья». И не стала звонить подружке Лиле Белоручке загодя.

Решила просто приехать сама в Прибрежный.

ОВД находился на берегу Москвы-реки. И почти рядом со столицей. Раньше это было просто отделение милиции Прибрежное. И туда словно в ссылку отправляли тех, кто... Ну, в общем, не имел особых служебных перспектив — оперов и участковых, грешивших алкоголем, которым до пенсии оставалось год-полтора. Их просто жалели увольнять за пьянство. А также строптивых, тех, кто имел с начальством какие-то конфликты. Или тех, кто просто не сработался с основным коллективом района.

Такие места в полиции — своеобразный отстойник. Нет, нет, не подумайте, что там все сплошь грешники и злодеи, нет, скорее даже наоборот. В подобных местах — в заповедниках — порой бытует особая атмосфера, отличная от общей генеральной несгибаемой линии ведомства.

Если где-то собрать слишком много профи — пусть и алкашей, и строптивых, и бунтарей, то атмосфера не может не измениться.

Там, внутри.

Катя думала по пути в Прибрежный ОВД, что майору Лиле Белоручке достался непростой, очень непростой коллектив. И то, что она, женщина, возглавила криминальный отдел, это... возможно, знак судьбы. Пусть маленький, незначительный, но все же положительный знак.

В это утро, решив посвятить себя командировке в Прибрежный, Катя впервые за долгое время встала не в семь, а в начале девятого.

А это означало, что она проснулась при свете дня. Пусть серого, ненастного, но все же дня — а не в полной темноте.

Добралась до ОВД она без приключений, оставила позади Москву и тут же въехала в микрорайон Прибрежный, застроенный многоэтажками.

Отдел полиции располагался возле парка на берегу реки. У здания ОВД — все как обычно, только очень много полицейских машин.

Но вот внутри...

— Один звонок сделаю! Щас адвокат приедет — так я один звонок сделаю с его мобильного, и вас всех тут не будет! Вас всех уволят!

— Руки покажите, пожалуйста.

— Нечего меня осматривать, вы не имеете права!

В дежурной части патрульные, помощник дежурного и эксперт-криминалист пытались утихомирить задержанного — молодого мужчину, рыжего, сытого, с глазами навыкате и красными пятнами на лице. Он брызгал слюной на эксперта-криминалиста и орал:

— Лига кротких против Содома! Он — иззззвращенец бородатый, трансвестит в женском платье! Лига кротких не потерпит!

— Покажите руки, — настаивал эксперт.

— Да чего руки. Да ты знаешь, кто я?! Один звонок — и тебя, всех вас уволят без пенсии!

— Руки покажите, я сказал.

Катя, подойдя, увидела, что руки молодца, кричавшего про лигу кротких, все в зеленых пятнах.

Она отозвала в сторонку помощника дежурного, предъявила удостоверение и спросила:

— Что тут у вас?

— Дурдом, — дежурный покачал головой.

— Я к вашему начальнику майору Белоручке.

— Она в пятом кабинете, потерпевшими занимается.

Катя пошла по коридору, ища пятый кабинет. Постучала, открыла дверь и..

— Закройте дверь, я занята!

Резкий женский голос. Катя увидела свою подругу. Лиля была в форме. Она обернулась к двери, взмахнула рукой — мол, не сейчас. И тут глаза ее встретились с глазами Кати.

— Это я, — сказала Катя.

— Это ты?

— Это я, — повторила Катя. — Извини, что без звонка и, кажется, не вовремя.

— Заходи! Катя, что же ты так давно не приезжала, не звонила.

Катя смотрела на подругу. Лиля слегка раздалась вширь. Она всегда была маленькой женщиной, невысокого роста, но очень сильной, ловкой, подвижной, дружившей со всеми видами спорта. А тут слегка потолстела. Хотя лицо ее осталось худым, с резко очерченными скулами. Катя отметила, что возле уголков рта Лили залегли морщинки, их раньше не наблюдалось. И все черты как-то заострились, посуровели. Даже когда она улыбалась...

Сейчас лицо Лили было каким-то серым.

За столом в пятом кабинете на стульях для посетителей сидели двое: женщина-карлик — очень миловидная крашеная блондинка, такая крохотная, точно Дюймовочка, с маленькими аккуратными ножками и ручками, в брюках и яркой, почти детской розовой курточке, испачканной зеленым.

А вот второй человек за столом...

Катя подумала, что это переодетый мужчина в женском платье. Так ей сначала показалось. Потом она пригляделась — нет, фигура женская, округлая, но...

Ах, памяти незабвенной Кончиты Вурст — бородатой певички с Евровидения, — у человека в женском платье имелась густая каштановая борода. Каштановые волосы струились по плечам. Пестрое платье из джерси спереди разорвано и все тоже залито зеленым.

— Грудь болит вот здесь. Он прямо в грудь меня бил ногой специально. Я когда упала...

Голос... голос — женский, очень мягкий, немного низковатый, исполненный боли и страдания.

Катя сразу поняла — перед ней женщина.

— Пишите заявление, Кора, — сказала Лиля Белоручка. — Марина, и вы тоже. — Она подвинула к женщине-карлику лист бумаги и дала шариковую ручку.

— Лиля, что у вас тут происходит? — спросила Катя.

Лиля лишь глянула на нее, скулы очертились еще резче под тонкой кожей.

— Может, не надо писать никакого заявления? — спросила Кора.

— Пишите заявление, мы возбудим уголовное дело о нападении на вас.

— На меня дважды уже нападали до этого. Я не обращалась в полицию. Один раз вечером в переходе на лестнице так толкнули сзади. Я грохнулась, боялась, что ногу сломаю. А сегодня мы с Маришкой вышли из такси... Я даже не видела их — как они на нас налетели. Один что-то про Лигу кротких против Содома орал и ударил меня. Я упала на колени. А он меня ногой в башмаке в грудь вот сюда... Грудь болит... и еще в промежность ударить пытался, думал, наверное, что у меня там яйца, как у мужчины. — Та, которую звали Корой, рассказывала все это медленно, словно с усилием. — Я согнулась, а он меня сверху ударил склянкой с зеленкой. Вот теперь вся зеленая буду. Орал, что я трансвестит бородатый... А я женщина — такая же, как вы и вы.

Кора обернулась к Кате. Глаза — темные, полные муки и слез. Борода...

— Я знаю, — сказала майор Белоручка, — пишите заявление о том, как на вас напали.

— Я женщина. Я никаких операций себе не делала. И пол не меняла. Он, тот, кто бил меня, наверное, решил, что я пол меняла. А я — никогда. Таких, как я, прежде в цирках показывали в шоу уродов...

Катя смотрела на бородатую женщину по имени Кора.

— Да, в шоу уродов, — повторила та, — это ведь уродство... Я раньше все эпиляцию делала. Все пыталась избавиться. Но уж очень густо растет. Это генетика такая жуткая, наследственность... Косметолог сказал, что бороться невозможно. Раздражение пошло по всему лицу на коже сильнейшее. Так и до рака кожи может дойти. Так что я эпиляции забросила. И теперь хожу вот так. Уж какая есть. — Кора прижала руку к груди. — Ох, болит сильно... Да, я хожу такая, какая есть, как меня природа-мать создала-изуродовала. А он... этот, из Лиги, бил меня ногами... А я все равно не стану бороду сводить, потому что эпиляция не помогает. И еще по одной причине.

— По какой? — спросила Лиля Белоручка.

— По той, что... ну надо же как-то всему этому сопротивляться. Противостоять.

В пятом кабинете наступила пауза.

— Пишите заявление, пожалуйста, — в который уж раз попросила Лиля, — и я сделаю все, что смогу.

Карлица по имени Маришка склонилась над листом бумаги. Бородатая Кора тоже взялась за авторучку.

— А как писать? — спросила она.

— На имя начальника ОВД. Заявление. Пишите в произвольной форме, все подробности, как на вас напали. А потом вас, Кора, отвезут в больницу на освидетельствование. Надо снять и зафиксировать наличие побоев. — Лиля внешне казалась бесстрастной.

— Меня не били, но зеленкой облили, — тоненьким детским голоском сообщила карлица Маришка. — Это когда я его от Коры оттащить пыталась. Он совсем озверел, этот мужик. Что-то про либерастов-педерастов орал. Хорошо, что Кора в этот раз серьги не надела. А то бы из ушей вырвали, мочки бы разорвали к черту.

Лиля кивнула Кате — пойдем выйдем, пока потерпевшие будут писать заявления.

Катя молча повиновалась подруге.

Они прошли в дежурную часть. Рыжий парень из Лиги кротких сидел на стуле под охраной патрульного. В глазах — бешенство.

— Вы что тут себе позволяете? — прошипел он. — Вы начальник, да? Я спрашиваю — вы начальник?

— Я начальник, — Лиля выпрямилась во весь свой маленький рост.

— Я протестую! За что меня задержали? Это их надо задержать за непотребство! В таком виде — в платье средь бела дня разгуливает трансвестит-извращенец! Это оскорбление чувств, это разврат! Это торжество Содома и Гоморры!

— Прекратите кричать.

— Щас мой адвокат явится, так вот один звонок — самизнаетекуда, — и вас всех тут не станет. Всех без пенсии выгонят!

— У него на пальцах следы зеленки, — Лиля обратилась к дежурному, — фактическое доказательство. В камеру его.

— Меня в камеру? Извращенцев покрываете! — заорал рыжий истошно. — Лига кротких против Содома! Один звонок — и вас всех вон, вон бездельников, взяточников. Мы за порядок, мы за идеальный порядок и за торжество морали. А вы берете под защиту этого развратника, этого грязного вонючего трансвестита...

— И трансвестита я возьму под защиту против вас, — сказала Лиля, — только она — потерпевшая, на которую вы напали, избивали и облили зеленкой, она не трансвестит. Она женщина.

Рыжий из лиги поперхнулся слюной.

— Она женщина, — повторила Лиля, — ты на женщину напал. У женщины физический недостаток. Фактически она инвалид. Ты напал на женщину. Никакой адвокат тебе не поможет. Я тебя посажу. Слышишь ты, подонок, я тебя посажу!

— Лиля, Лиля, спокойнее, — Катя взяла подругу за локоть, — держи себя в руках.

— В камеру его, — приказала майор Белоручка, — а потерпевших на освидетельствование в больницу. И не сметь при них ухмыляться или пялиться на ее внешность. Слышите вы?

— Да мы и не пялимся, — вздохнул дежурный, — охо-хо...

— Тот, второй задержанный, бывший десантник, где?

— Он в уголовке, мы пока его не допрашивали.

— Я сама его допрошу, — сказала Лиля и снова кивнула Кате: пойдем со мной, моя подруга.

Моя милая подруга, что предостерегает и советует держать себя в руках...

Они поднялись по лестнице на второй этаж, в отдел уголовного розыска. В одном из кабинетов под присмотром хмурого пожилого опера, годившегося майору Белоручке в отцы, еще один задержанный. Толстый, здоровенный мужчина в спортивной куртке-бомбере. Под курткой — тельняшка. В пудовом кулаке смятый голубой десантный берет.

— Ваша фамилия Мамин? — спросила Лиля.

— Мамин я, Олег. Слушайте, давайте во всем разберемся нормально, по-хорошему, — сказал парень в тельняшке басом.

— Давайте по-хорошему. — Лиля присела на краешек стола. — Вы потерпевших вроде как не били.

— Я их пальцем не коснулся.

— Ну да, в сторонке стояли, наблюдали.

— Вы поймите меня. Я вообще ничего такого не хотел. Думал, у нас просто пикет от Лиги кротких. Они обращаются иногда, ну, за поддержкой. Они вроде как такие богомольные там, правильные все из себя. Он, этот, из Лиги, как увидел их, стал орать про непотребство, про то, что трансвестит ребенка совращает, с ребенком среди дня разгуливает, переодетый в женское платье. Я сначала не врубился, думал, правда — девчонка. Потом пригляделся, а это женщина взрослая, только карлица.

— Покажите руки, — попросила Лиля.

Парень в тельняшке вытянул вперед ладони.

— Чистые. — Лиля кивнула.

— Да не трогал я их.

— Вы в армии служили?

— Да.

— В десанте?

— Ну, так.

— Защитник слабых, герой.

— Да я...

— Она женщина, — сказала Лиля, — она не трансвестит. Она женщина с физическим недостатком. У женщины избыточный волосяной покров на лице, борода растет. Она вон говорит — раньше таких уродов в цирке показывали. Думаете, легко ей это говорить? Жить с внешностью такой?

Парень в тельняшке моргал глазами.

— Женщина? — спросил он тупо.

— Женщина с физическим недостатком, по сути и так жестоко наказанная природой, жизнью. А вы на нее напали. Унизили публично, избили, облили зеленкой этой поганой!

— Да я думать не думал...

— Вот что, Мамин, я к вашей совести взываю и к вашему сердцу. — Лиля смотрела на парня. — Я не знаю, кого вы там поддерживаете, какую Лигу кротких... Я к вам обращаюсь сейчас как к нормальному человеку, как к мужчине. Этот из Лиги несколько раз ударил женщину с физическим недостатком ногой прямо в грудь. Фактически бил инвалида. Вы это видели?

Парень в тельняшке молчал.

— Я еще раз обращаюсь к вашей совести, Мамин. Совесть у вас есть?

Парень комкал в руке голубой берет.

— Да, — произнес он хрипло, — я видел.

— Вы дадите показания? — спросила Лиля. — Мне нужно, чтобы вы дали показания как свидетель.

Парень кивнул. Но тут же отвел глаза.

— Тогда я вас сейчас допрошу на протокол. — Лиля взяла у оперативника папку с протоколами.

Катя вышла из кабинета. Не надо им сейчас мешать. Допрос непростой. Она спустилась вниз и открыла дверь пятого кабинета — как там дела у потерпевших?

Карлица Маришка и Кора сосредоточенно писали заявления. Обе подняли головы. Катя смотрела на Кору — платье все в зеленке и разорвано спереди, теперь на помойку пойдет.

— Тут прохладно, фрамуга открыта, — сказала она. — У вас есть пальто или куртка? Накиньте.

Кора заворочалась на стуле, и тут же лицо ее исказила гримаса боли. Она снова приложила руку к груди.

— Ох, больно... дышать тяжело.

— Вас врач осмотрит в больнице.

— Я вообще-то Надежда по паспорту. Кора — это для клуба, для сцены.

— А вы что, в ночном клубе?.. — спросила Катя.

— Ага, — карлица Маришка кивнула, — на Ленинградском проспекте. Клуб «Шарада». Там все собираются. Иногда гей-вечеринки устраивают, но в общем там все. Нам предложили. А что? А куда еще таким, как мы, идти? Кора поет, а я официанткой. Там разный народ — и трансвеститы тоже, и натуралы, и просто парочки веселые.

— Вы поете? Голос хороший? — Катя улыбнулась Коре.

— Под караоке только, — та покачала головой, — нет у меня голоса. Это идея администрации клуба, ну, после Кончиты с Евровидения. У нас, мол, в «Шараде» тоже своя женщина-борода.

Женщина-борода...

Катя увидела, как на глаза Коры опять навернулись слезы.

— Вам надо быть осторожнее, Кора.

— А как? Паранджу, что ли, носить? — Женщина горько усмехнулась. — Я решила — будь что будет. Уж какая есть, какая в этот мир пришла.

— А вы тоже осторожнее, — тихо сказала Маришка. — Я вон слышала, когда нас сюда привезли в полицию, этот, из Лиги, орал как бешеный, что, мол, у него связи, что позвонит, и вас всех уволят. Майора, вашу подругу... Спасибо ей, защитила нас. И патрульные вмешались. Мы хоть и уроды, хоть и не такие, как все, другие, — Маришка смотрела на Катю, — а добро помним.

— Вы дадите показания как потерпевшие. И есть еще один свидетель нападения на вас, — сказала Катя, — майор Белоручка поедет к судье. Будет добиваться, чтобы этого типа взяли под стражу. Я надеюсь, судья во всем разберется.

Карлица и бородатая женщина молчали. Потом склонились каждая над своим листом бумаги — писать заявление дальше.

Катя покинула пятый кабинет — пусть пишут одни. Стояла у окна в коридоре, ждала Лилю.

Та появилась не быстро.

— Пойдем ко мне, — сказала она.

Кабинетик оказался маленьким и тесным. Несмотря на то, что майор Белоручка получила повышение, не разжилась она просторными служебными хоромами.

— Рада тебе ужасно, — Лиля слабо улыбнулась, — только вот не думала, что встретимся в таком бардаке.

— Мамин дал показания? — спросила Катя.

— Дал. Но ты сама знаешь — сегодня дал, завтра отказался... Но я это дело до конца доведу. — Лиля постукивала маленьким кулачком по коленке.

— Тебе форма очень идет, — сказала Катя, — форма красивая.

— Новая форма красивая, — согласилась Лиля, — но некоторые все равно увольняются.

Катя молчала.

— Как дома дела? — спросила она потом.

— Ничего, все путем.

— Муж твой все в экспертах?

— Нет, — Лиля покачала головой, — как раз он уволился. Теперь в одной частной фирме медицинской. Услуги определения отцовства по ДНК. Он в этом дока, ты же знаешь.

— Я помню его, — Катя улыбнулась. — Я думала — вот вы с ним поженитесь, и у вас будет куча детей.

— Мы тоже так считали. А теперь... Нет, насчет детей я сейчас что-то уже не загадываю.

Катя и на это не знала, что сказать.

Если только то, что и она представляла свою встречу с подругой и коллегой совсем не так.

— Потерпевших сейчас в больницу повезут фиксировать побои, — сказала Лиля. — Слышала, что эта Кора говорила?

— Да, что на нее не раз уже нападали.

— Она говорила, что надо противостоять. Я вот одного не понимаю. Почему где-то все проходит в форме карнавала, прикола — перформанса, пусть и эпатажного, и может, странного на первый взгляд и не совсем пристойного, но веселого, черт возьми, как с этой бородатой певичкой Кончитой... А у нас все сразу превращается в мрачный кровавый мордобой, в разборку, когда женщину бьют ногами в грудь и трансвестита бьют в промежность, — Лиля закрыла глаза. — Эта Кора сказала, что пытается сопротивляться. А я подумала — я сейчас все Анну Ахматову читаю... Она считала, что человек в некоторых вопросах, если они истины касаются, должен оставаться твердым. Помнишь ее стихотворение Сталину после того, как ее сына арестовали? Она написала стихотворение о том, как к падишаху, отведавшему на пиру ягненка, явилась в образе черной овцы — матери ягненка, и спросила: по вкусу ли был тебе мой ребенок, о падишах? Знаешь, я вот подумала, что женщины иногда выбирают своеобразный путь, чтобы противостоять тирании. Одна является к тирану во сне в образе черной овцы-матери. Другая отращивает бороду и ходит так по городу, не удаляет волосы в салоне эпиляции, несмотря на то, что на нее нападают и бьют.

Катя слушала подругу. Лилька Белоручка читает Ахматову, находит время на стихи.

— Тебе не стоит об этом случае писать, Катя, — сказала Лиля. — Я сама уж как-нибудь тут буду сражаться.

— Честно говоря, я приехала совсем по другому делу, — ответила Катя. — Вообще-то я очень хотела с тобой увидеться после твоего перехода сюда с Петровки. И просто искала повод. Прочла в сводке об убийстве: тут у железнодорожной станции велосипедиста застрелили. Вот я и поехала к тебе. Наверное, не бог весть что за дело, бытовуха или грабеж, да?

— Да нет, на бытовуху или грабеж это не похоже. Парень имел с собой деньги, их не взяли. Всегда знала, что у тебя есть оперативное чутье.

— Нет, что ты, Лиль, я просто... А что с этим убийством, что-то не так?

Лиля внимательно глянула на Катю.

— Да как сказать... — ответила она.

Глава 8

УБИЙСТВО ВОЗЛЕ СТАНЦИИ

— Лиля, я только в общих чертах знаю, что в сводке прочла, — сказала Катя. — Там написано, что некий Фархад Велиханов, уроженец Уфы, ехал вечером на велосипеде тут у вас в Прибрежном к железнодорожной станции и схлопотал пулю в спину.

— Две пули, — ответила майор Белоручка, — согласно судмедэкспертизе смерть наступила от первого выстрела, пуля в сердце попала, но ему уже мертвому еще и в голову выстрелили.

— То есть контрольный выстрел?

— Контрольный, чтобы уж наверняка.

— Я решила, что это нападение с целью ограбления, — сказала Катя.

— Деньги при нем остались, то есть не наличные, а карточка банковская. Ни ее, ни бумажник у него не взяли.

— А он вообще кто? Гастарбайтер? На строительстве в Прибрежном работал?

— Парень снимал в Москве что-то типа койко-места в квартире с другими приезжими. Мы проверили. — Лиля открыла сейф и достала тоненькую папку. Потом оттуда же из сейфа достала флешку и подключила ее к ноутбуку. — Вроде как учился в Москве то ли дизайну, то ли искусству. Как вечный студент. А на учебу деньги зарабатывал. Он работал в Прибрежном водителем в одной богатой семье. От них в тот вечер как раз и возвращался. Торопился на электричку в Москву. Пока не много у меня информации, неделя еще не прошла с тех пор, — Лиля включила ноутбук. — Вот что узнать удалось: он водил машину «Ауди» в качестве личного шофера некой Евгении Савиной. А в тот вечер он забрал «Ауди» из сервисного центра, там какой-то ремонт делали небольшой, и перегнал ее сюда в Прибрежный, в их дом, и поставил в гараж. А сам на своем велосипеде отправился к станции. И по дороге был убит.

— Хулиганы местные? Напали на гастарбайтера? — предположила Катя.

— Возможно, только хулиганы с битами, с кастетами. А тут у нас пули от пистолета «ТТ». Гильз мы так и не нашли.

— Ну понятно, там же лесная дорога к станции, просека?

— Аллея. — Лиля открыла в ноутбуке файл с фотографиями с места происшествия и повернула экран к Кате. — Вот, смотри. Тело обнаружили только в половине шестого утра, пассажиры шли с первой электрички из области. И наткнулись. Всю ночь шел дождь. Мы осмотр делали сначала рано утром при свете фар от наших машин, потом уже днем. Искали гильзы с металлоискателем — и ничего не нашли.

Катя смотрела на снимки в ноутбуке.

Велосипед в кювете...

Асфальтовая дорожка — вся в глубоких лужах.

Тело...

Мертвец, лежащий в луже ничком.

А вот его перевернули в ходе осмотра — молодой, темноволосый. Смерть не красит.

— А вот так он выглядел на фото паспорта, — Лиля показала новый снимок.

Молодой, темноволосый, серьезный, как на фото для документов, но очень симпатичный парень.

Фархад из Уфы.

— А эти его богатые работодатели что говорят? — спросила Катя.

— Я Евгению Савину сюда вызывала в ОВД. Беседовали мы с ней. Она очень расстроена смертью своего водителя. Хвалила его — мол, такой исполнительный, вежливый, аккуратный. Сказала, что его нашел и нанял ее муж — через Интернет. Она сама за руль не садится из-за какой-то старой истории с автомобильной аварией. В день убийства она его не видела, он просто забрал машину из сервисного центра и перегнал к ним домой.

— А муж ее что сказал?

— Его я пока не допрашивала. Я к ним в дом приехала, но там лишь горничная-иностранка. Филиппинка, — Лиля усмехнулась, — совсем по-русски почти не понимает. Я лишь добилась от нее, что этот Фархад-шофер действительно в тот вечер пригнал к ним в гараж машину из сервисного центра. И сам поехал на велосипеде домой. От ужина отказался, взял на кухне только бутерброд с мясом. Я про время спросила — когда он точно приехал на машине. Так она на часах мне цифру восемь показала. А убит он был спустя полчаса-час, то есть где-то в районе девяти. Но тело обнаружили, как я уже сказала, лишь наутро, а это нам дополнительные сложности создало во всем. Там еще в доме находился хозяин... Отец семейства. Но меня к нему горничная не пустила — его как раз то ли врач семейный консультировал, то ли медсестра уколы делала в тот момент. Он инвалид, прикован к креслу. С ним в другой раз побеседовать придется.

— Слушай, Лиль, на парня просто напали. Или хулиганы, или грабитель. То, что карточку не взяли, кредитку, так их спугнуть мог кто-то. Вроде как рядовое дело, — сказала Катя. Она внимательно смотрела на подругу. — Нет?

Лиля прищурилась.

— А что не так-то? — не унималась Катя.

— Мы искали гильзы с металлоискателем. И мы ничего не нашли.

— И? — Катя недоумевала. — Это же лесная аллея, дождь шел, могло смыть.

— Могло смыть, только...

— Лиль, я же вижу, ты это убийство отчего-то простым не считаешь. Какие основания-то?

— Никаких оснований, — Лиля покачала головой, — и доказательств никаких. И фактов нет.

— Тогда в чем проблема?

— В некоем фантоме.

— В каком фантоме?

— В предчувствии.

— В предчувствии?

— Моем, личном предчувствии, что это не простое дело.

Катя смотрела на подругу. Да, да, как и в том случае с убийствами на бульварах, когда они работали с Лилей вместе. Но там происходило все так демонстративно, устрашающе, громко. А тут так тихо...

Вечерняя аллея, дождь, велосипедист — гастарбайтер-шофер...

— Тогда объясни мне толком, — попросила Катя, — что тебя настораживает в этом деле?

— Два других случая в Москве.

— Два других убийства?

— Ага, — Лиля кивнула, — я о них узнала через МУР. Никто никакой связи не видит, никаких параллелей не проводит. Дела уголовные расследуются автономно, никто их объединять не собирается. Одно убийство совершено 3 сентября, второе 29 сентября. В разных районах Москвы. Первое на парковке на Ленинградском проспекте около двух часов ночи. Второе около девяти вчера во дворе многоэтажного дома на Ленинском, почти у самой МКАД, там стройки везде и дом новый, лишь наполовину заселен, квартиры не раскуплены.

— А кто убит?

— Первая жертва — сын богатых родителей, некто Василий Саянов, девятнадцатилетний студент.

— Как и этот Фархад-водитель.

— Ну что ты, нет. Саянов в Лондоне учился. Потом вернулся, поступал в театральный вуз, но не прошел, попал в сентябре на какие-то актерские курсы. А 3 сентября его убили в собственной машине «Инфинити» — два выстрела с близкого расстояния в упор.

— А вторая жертва?

— Некая Анна Левченко двадцати семи лет, известный блогер. Писала на разные актуальные темы, иногда политические. Участвовала в митингах и пикетах. Ее тоже застрелили в ее собственной машине «Кашкай». Два выстрела в упор с близкого расстояния. Причем заметь — в доме том, на Ленинском, она не проживала, она в Кузьминках жила, с матерью и бабушкой.

— С шофером Фархадом вроде как ничего общего у этих людей.

— Вот именно. Ничего общего. Хотя я пока не проверяла, — Лиля открыла новый файл, — лишь две вещи все это объединяет, пусть и очень шатко.

— Какие?

— И Саянов и Левченко убиты из пистолета «ТТ». И в их машинах гильз тоже стреляных от пистолета не найдено. Хотя по всему гильзы в таком малом закрытом пространстве, как автомобиль, должны были быть. Если только кто-то их специально не забрал, чтобы усложнить идентификацию оружия.

— А ты в МУРе с кем-то из бывших коллег связывалась после убийства на аллее? — спросила Катя.

— Нет. Тут и в главке-то нашем областном мало кто этим убийством заинтересовался. Никто из начальства не приехал. Следователь, я и наши из отдела — вот и вся опергруппа. Водитель-гастарбайтер... Цаца не великая.

— И я на это убийство обратила внимание лишь потому, что оно тут у вас в Прибрежном и ты теперь здесь. Как повод, — вздохнула Катя. — Только это тебя настораживает?

— Только это пока. А проверять будет непросто.

— Почему?

— Ну эта девушка, Евгения Савина, хозяйка машины «Ауди», она вроде вообще никто — мужнина жена, нигде не работает. Но, как я узнала, она племянница госпожи Лопыревой.

— Кого? — спросила Катя.

— Раиса Павловна Лопырева — дама, приближенная к политике. Порой по телику мелькает.

— Видела ее как-то по телевизору. Так Савина ее племянница?

— И падчерица одновременно. Потому что эта ее тетка Лопырева сейчас замужем за ее отцом — Кочергиным.

Катя откинулась на спинку стула.

— Девичья фамилия Евгении — Кочергина?

— Да, а что?

— У тебя есть ее фотография?

— Видеозапись допроса, она же сюда ко мне приезжала, а у нас тут камеры, сама знаешь. — Лиля нашла в ноутбуке новый файл.

Катя смотрела на кадры видеозаписи.

Хрупкая блондинка в синем платье из кашемира с дорогой сумкой.

Вот она сидит на этом самом стуле в кабинете Лили Белоручки. Звук отключен.

— Хочешь прослушать ее допрос? — спросила Лиля. — А что тебя в ней так заинтересовало-то?

Блондинка отвечает серьезно и обстоятельно. Вот она качает головой, убирает со лба упавшую челку.

Жест — такой знакомый, из прошлого...

Черты лица — повзрослевшего...

Мираж?

— Женя Кочергина, — медленно произнесла Катя. — Слушай, она хромает, да?

— Точно хромает. Ходит так, припадая. Вроде симпатичная молодая женщина, а вот с ногой...

— Она такая родилась, — сказала Катя. — Это Женя, моя школьная подруга. Мы учились с первого по восьмой класс. А потом она перевелась в другую школу и мы потеряли друг друга.

Лиля Белоручка смотрела в ноутбук.

— Я тебе помогу с этим делом, — сказала Катя уверенно, — только нам надо подумать, как мне встретиться с одноклассницей самым естественным, не вызывающим подозрения образом.

Глава 9
СОВЕТНИК

Он был титулярный советник, она генеральская дочь.
Однажды в любви ей признался, она прогнала его прочь.
Пошел титулярный советник и пьянствовал целую ночь...

Нет, нет, ничто не правда в этой старой песне относительно Геннадия Савина, мужа Катиной одноклассницы Жени — Евгении. Лишь то, что Геннадий Савин служил советником (о титулярности забудем) в департаменте благочиния и благоустройства при столичной мэрии.

Женя не родилась в семье генерала, однако отец ее — богатый человек. Даже сидя в инвалидном кресле он не утратил капитала и связей, благодаря своей второй жене.

А в любви Геннадию Савину Женя призналась сама. Как-то спонтанно это вышло — они встречались до этого не слишком часто, в основном на вечеринках у общих друзей. Потом в один клуб йоги вместе ходили. У Жени с рождения физический недостаток, одна нога короче другой, и две операции, сделанные в детстве, не помогли. Она прихрамывала, припадала на короткую ногу.

Геннадий ничего такого сначала вообще о ней, об их отношениях не думал. Просто — приятели, милая девушка, из хорошей влиятельной семьи со связями. Такие в Москве на вес золота.

А вот Жене он понравился сразу. Чуть ли не с первого взгляда, как она потом ему сама не раз признавалась.

И в тот вечер...

Если бы она не выпила лишнего на той вечеринке, может, ничего бы и не произошло.

Но произошло. Она сказала это — «Я люблю тебя...».
Я ведь люблю тебя... Я без ума от тебя.

И Геннадий Савин подумал — а что? А почему нет? В конце концов, надо жениться, иначе...

Да уж, лучше жениться. И если Женя сама этого хочет и любит его, то...

Она покладиста характером, она не похожа на столичных властных стерв, от которых бросает в дрожь.

Она станет ему хорошей женой, если только...

Ну, что об этом «если только» сейчас думать. Она влюблена в него и, возможно, поймет.

И Геннадий Савин сделал свой выбор. Свадьбу они сыграли на острове Родос. И почти сразу дела Геннадия на службе пошли в гору.

И вот он уже несколько лет занимал пост советника департамента благоустройства и благочиния при мэрии. Работа поначалу ему чрезвычайно нравилась — ох, столько было планов, столько планов. Такое строительство, такой инвестиционный бум.

Но внезапно все словно остановилось и замерло. Точно что-то сломалось в четко отлаженном механизме.

Геннадий Савин вспоминал день, когда он приехал на бульвар к знаменитому на всю столицу кафе «Жан-Жак». Прежде оформленное в стиле парижских бульваров, украшенное красными щитами кафе — ну точь-в-точь как на бульваре Оссманн в Париже — претерпевало изменение имиджа.

Департамент благочиния распорядился вернуть зданиям первоначальный вид и освободить их от вывесок и рекламы. Геннадий Савин лично приехал наблюдать, как с фасада «Жан-Жака» снимали красные щиты. Рабочие трудились молча. За происходящим, тоже молча, наблюдала группка завсегдатаев кафе.

Они вполголоса говорили, что никогда уже бульвар не будет прежним. Чтобы ничто, ничто не напоминало о Париже...

Кафе потом открылось и заработало как встарь, но...

Нет, Геннадий Савин, контролировавший распоряжение со стороны департамента, не сожалел, что знаменитое кафе утратило свой первоначальный облик. Он решил, что... Ну а что он мог сделать? Возражать? Там, где он служил — в департаменте, — возражений не терпели и не принимали.

Наблюдая и другие перемены, всю эту жизнь, что клубилась вокруг, он с некоторых пор решил вообще ни во что не вмешиваться. Он советник, простой исполнитель, он — чиновник. Он получил это место в департаменте благодаря женитьбе на хрупкой хромой девушке, нежно и преданно любившей его.

К тому же ведь много, много перемен произошло и к лучшему. А что, неправда? Улицы благоустраивались. Круглые сутки — и ночью и днем — ползали по ним оранжевые уборочные машины коммунальных служб. Точно оранжевые гигантские жуки-скарабеи, пожиравшие, утилизирующие чужую грязь и чужой навоз.

Все лето и начало осени постоянно проводились какие-то фестивали, шумные уличные праздники. Эти вот маркеты уличной еды — сначала и правда такие вкусные, рекламировавшие еду и деликатесы со всего света. А потом все более и более скромные, ориентированные уже в основном на среднеазиатскую еду, пропахшую бараньим салом, жирную, которую сам Геннадий Савин, например, есть брезговал.

Насчет пьянства, упомянутого в знаменитой песенке про титулярного советника, — тоже все неправда.

Геннадий Савин спиртное пить избегал. Ну, почти. Прежде не так просто было уклоняться. Потому что товарищи и сослуживцы частенько собирались — особенно в четверг и пятницу на Петровке в секретном баре «Менделеев».

Занятный такой, фешенебельный и одновременно лаконичный, без фишек, бар — с Петровки заходишь сначала в кафе, где подают лапшу, этакий нудлхаус. И там все просто. Но надо пройти через зал и спуститься по лестнице.

И попадаешь в бар «Менделеев» в сводчатом подвале — место, известное лишь узкому кругу деловой элиты, столичных снобов и чиновничества.

Там потрясные коктейли и весьма интересные разговоры. Бесконечный треп, позитивный сошиалайзинг. Типа — ну ты понимаешь, старичок, как надо поступать...

Там нужны крупные инвестиции...

Надо сделать один звонок — только один...

А это интересная идея, стоит подумать...

Но и в уютном баре «Менделеев» тоже как-то все потихоньку постепенно начало меняться. И разговоры зазвучали совсем другие.

Плетью обуха не перешибешь...

Я ничего не могу сделать...

Нет, об этом теперь не может быть и речи...

Понятия не имею — когда...

Не стоит звонить...

Позитивный треп все глох, глох, глох. Но в бар «Менделеев» по-прежнему продолжали приходить. И Геннадий Савин заглядывал тоже — словно на службу в свой отдел департамента. Раньше он никогда не замечал, чтобы тут, в таком фешенебельном баре, кто-то напивался бы до свинячьего визга.

А теперь все чаще попадались пьяные. Очень хорошо одетые господа, с внушительным IQ, прописанном чуть ли не на лбу, — и пили, пили, пили.

Бармен, повторить...

Бармен, повторить...

Повторить, повторить, еще, еще...

Нет, сам Геннадий Савин не пил. Может, пропускал один коктейль. Просто слушал, набирался опыта. Из бара «Менделеев» он выходил трезвый, садился в свое служебное авто и ехал сотню метров до отеля «Мэриотт — Аврора».

Туда к пяти вечера порой приезжала его жена Женя пить свой вечерний чай со знаменитыми десертами «Мэриотта». Ее привозил шофер Фархад. Ну, тот самый, который...

Этот эпизод Геннадию Савину как-то совсем не хотелось вспоминать. Жену вызывали в полицию, в местный ОВД, из-за того, что шофера Фархада убили. И случилось это совсем недалеко от их дома, когда он по обыкновению спешил на своем велосипеде на московскую электричку.

Жена держалась в полиции молодцом. И про допрос все-все рассказала ему, своему мужу. Или почти все.

Геннадию хотелось думать, что жена с ним во всем откровенна до конца. Это ведь так важно — искренность близкого человека. Он устал от всеобщей фальши, что словно паутина затягивала окружающую его действительность все больше и больше. Эти уклончивые ответы, эти рассеянные улыбки, когда люди тут же отводят глаза и делают вид, мол, — что вы, что вы, все путем.

Да все совершенно нормально.

История с шофером Фархадом как раз вписывалась в эту картину уклончивости и фальши. Но Геннадию не хотелось об этом думать.

Он гнал от себя некоторые мысли. Например, те, что витали порой вокруг стойки бара «Менделеев», когда он внезапно ловил на себе чей-то долгий оценивающий взгляд.

Взгляд вскользь из-под длинных ресниц...

Шофер Фархад был тоже красивый парень...

Интересно, ценила ли его восточную породистую красоту жена?

Но об этом он Женю не спрашивал. Просто заезжал за ней в отель «Мэриотт», и они ехали домой.

Они купили квартиру возле метро «Кунцевская» в новом жилом комплексе, и там сейчас шел грандиозный ремонт. Так что жили пока у Жени в Прибрежном — в особняке ее отца и тетки, ставшей мачехой.

Ничего, к весне ремонт закончится, и они переедут в свой дом. И сразу станет легче.

Так думал Геннадий. Без помощи родни жены разве сумел бы он купить такую квартиру на Кунцевской? Нет, конечно. Так что приходилось терпеть. И порой наступать на горло собственной песне.

Да, давить в себе то, что так и рвалось наружу.

В баре «Менделеев» грезили о свободе и поощряли свободные нравы. Но Геннадий не мог себе позволить этого. Вот этого самого — полной вожделенной свободы.

И не жена в том виновата, нет, нет, она как раз понимала его и жалела. Да, Женя жалела его. И он ценил это в ней, как великую драгоценность, как подарок судьбы.

Он вспоминал один случай из их жизни. Когда он метался в жару, схлопотав сильнейшее воспаление легких. И жена, нежная и верная, не отходила от него ни на шаг. Обнимала его в их супружеской постели, обнимала, чтобы унять его жар, чтобы помочь ему выкарабкаться. Он постоянно чувствовал ее возле себя — ее голову у себя на плече. Она поила его теплым чаем и давала лекарства. А потом ложилась рядом снова, обнимала и тихонько начинала рассказывать какую-то бесконечную сказку. Он не помнил, не вникал, сжираемый температурой, лишь крепче прижимался к жене, веря, что это исцелит его и не даст умереть.

Словно мать, которую он плохо помнил, так как остался рано сиротой, так вот... словно мать, жена Женя ухаживала за ним тогда. И то были лучшие, сладчайшие их супружеские объятия.

Другими вечерами, уже после болезни, когда жизнь наладилась, когда время миновало, все у них с женой проходило по-иному.

Они возвращались вечером в дом в Прибрежном. Уходили в свою спальню, беседовали о повседневных делах. Жена ложилась в постель, отодвигалась к краю, включала свет и долго читала. Он лежал на своей половине кровати и притворялся спящим.

Утром он порой смотрел на книги, что читала жена на ночь — в основном бульварные любовные романы в ярких обложках.

Глава 10
БОРОДА

К происшедшему с ней Кора отнеслась тупо философски.

Ее и подружку Маришку-карлицу патруль Прибрежного ОВД прямо из местной поликлиники доставил домой — в съемную однокомнатную квартиру на улице Космонавтов. Проводили полицейские до двери.

Кора с трудом опустилась на колченогий стул в тесной прихожей, сняла туфли, потом через голову стянула разорванное, залитое зеленкой платье. Осмотрела пальто — тогда перед нападением в машине она его не надевала. На пальто зеленка не попала, но пальто — все в грязи, это оттого, что Кора упала, когда на нее налетели парни из Лиги, и не удержала его в руках.

Пальто нападавшие топтали ногами.

Карлица Маришка начала сразу суетиться в квартире по хозяйству. Открыла форточку в комнате, вытряхнула из пепельницы окурки. Сказала, что сейчас приготовит ужин, благо в холодильнике замороженные котлеты, сосиски...

Или, хочешь, пожарю картошки с салом?

Кора, ты слышишь меня? А хочешь, я сварю кофе?

Кора кивнула и прошла в ванную. Там сняла с себя лифчик и только после этого глянула в зеркало.

Сине-багровые кровоподтеки во всю грудь. Врач в поликлинике осмотрел ее очень внимательно. И посоветовал через пару дней снова прийти сюда же, в районную, и записаться на прием к эндокринологу.

Кора вспомнила, как, сидя в коридоре, она слышала громкий разговор той молодой начальницы полиции, майорши, что вместе с патрульными сопровождала ее в поликлинику. Майорша (фамилию Кора забыла) по телефону говорила кому-то очень настойчиво: «Мне надо, чтобы были побои средней тяжести, а не легкие. Мы сейчас сделаем ей рентген, посмотрим, все ли в порядке с ребрами. От тяжести телесных зависит будущее этого дела. Я не выпущу подонка, напавшего на нее!»

Рентген сделали. Ребра не пострадали. А вот вся грудь горела огнем, болела нещадно.

Кора и к этому относилась философски. Ну, болит... Надо терпеть.

В то, что посадят того из Лиги кротких, который напал на нее и бил, она не верила.

И в правосудие никакое она не верила.

Не имела она веры и в закон.

Просто в душе ее теплилась благодарность к этой майорше. И к ее подруге — длинноногой, такой серьезной, сдержанной, ездившей вместе с ними в поликлинику.

Катя и не подозревала, что Кора думает о ней вот так...

А Кора испытывала острое чувство благодарности к ней и к Лиле за то, что заступились, что взяли под защиту.

Но чувство это еле мерцало, потому что...

Да что они, две эти девчонки в погонах, могут сделать, — думала Кора, — когда идет такая махина, такой каток нетерпимости и злобы.

К ней, лично к ней. И только за то, что у нее растет борода.

Принимают ее за переодетого мужчину, за трансвестита, подражающего Кончите Вурст, и стирают в порошок.

Господи ты боже мой, стирают в порошок, оскорбляют, бьют — только за это!

Даже не разобравшись...

Кому надо разбираться, когда можно бить.

И что сделают две эти девчонки из полиции против всей этой бешеной ярости? Что они могут, лишь сами пострадают, возможно. Вон этот из Лиги кротких грозился куда-то звонить.

Наверное, есть куда, раз он так в этом уверен. И угрожает.

Больше всего Кору убивало то, что в этом деле стирания в порошок участвовали не просто хулиганы или пьяные отморозки, но какие-то святоши, говорившие о Боге. А она книжки ведь читала про религию. И молилась, да, было время, когда она очень жарко молилась, просила у Бога чуть ли не на коленях, чтобы волосы не росли так густо. Чтобы не делал он из нее окончательного урода, отщепенца, парию, на которого люди смотрят и отводят глаза.

Да, она читала всякие книжки и верила, что в час Нагорной проповеди, когда Христос говорил с народом, приходили, стекались, сползались послушать его не только люди здоровые, крепкие, нормальные со всех точек зрения, но и *убогие*. Калеки, прокаженные, безногие, те, у кого рос горб или имелся зоб, кого донимала трясучка, кто бился в припадках, у кого внезапно отказывала нормально работать эндокринная система — мужчины, у которых припухала грудь и увеличивались соски, а бедра обрастали женским жиром, женщины, внезапно чувствовавшие, что независимо от своей воли или желания обретают некую ненужную «мужественность», становясь неинтересными для противоположного пола. Гермафродиты, наделенные природой так щедро и безжалостно и тем и этим, как в клетке запертые в собственном теле, сходящие с ума от фобий пограничного состояния между полами, карлики и великаны, люди, мучающиеся от незаживающих язв и фурункулов на лице и теле, от жестокой формы аллергии. И такие вот, как она, Кора, страдающие «избыточной волосистостью», как это называли врачи.

И все эти *убогие* слушали там, на горах, на вольном воздухе Нагорную проповедь и плакали, и просили, и верили, что Христос поможет. И если говорит он, что нет «ни эллина ни варвара», то, значит, нет и ни здорового, ни убогого, нет ни красавца, ни урода, ни того, у кого все с генетической наследственностью нормально, ни того, у кого в генетике какой-то врожденный дефект, сбой. А все равны. Все равны... Все одинаково плачут, и просят, и надеются на лучшее. И если Христос исцеляет и защищает, то и те, у кого имя его не сходит с уст, — тоже должны защищать.

Ну, пусть не защищать. Если эти святоши, *кроткие,* не хотят, если им противно, ладно, это еще можно стерпеть, бог им судья.

Но пусть хоть не бьют тяжелым ботинком в женскую нежную грудь.

Кора, полуголая, смотрела на себя в зеркало ванной. Женщина с бородой. Женщина — у нее растет борода. Женщина, которую все принимают за переодетого трансвестита, за копию Кончиты Вурст.

А та, то есть тот, ведь хотел лишь привлечь к этой, именно этой проблеме внимание. Показать, что и чудной нелепый урод — женщина с бородой — имеет, да, да, да! — имеет право на признание, триумф и счастье.

И на любовь тоже имеет право.

Любви-то ведь совсем почти не достается на долю *убогих*.

Кора смотрела на себя в зеркало ванной. Дефицит любви... Едва она в юности начала осознавать, как чудесно быть любимой, все ее надежды на это рухнули.

Волосы начали расти.

После восемнадцати лет сначала волосы появились на ногах — вдруг густо обросли темными волосами икры и даже коленки.

Потом волосы вылезли и на ляжках. И все гуще, все обильнее. Особенно на внутренней стороне. К девятнадцати годам они уже напоминали густую шерсть. И она, Кора, тонны эпиляционного крема на себя изводила. Но все без толку.

А потом этот самый «сдвиг эндокринной системы» с активизацией полового созревания лишь усилился — так ей сказал врач-эндокринолог. Ничего, мол, нельзя сделать, вам, милочка, уж придется жить с этим.

Крепитесь.

И Кора сначала старалась крепиться.

Ну что ж, поборемся с собственным организмом, давшим сбой.

В конце концов, сейчас ведь так много самых современных методов эпиляции — и био-, и фотоэпиляция, и лазерная, и прочие, прочие, прочие штучки салонов красоты.

Но природа, могучая и беспощадная, сломавшая что-то в каком-то гене, поселившая во всей этой длинной цепочке какой-то малюсенький сбой, оказалась сильнее.

Потом произошло самое страшное. Волосами постепенно, неумолимо и густо обросли шея, щеки и подбородок.

Настоящая колючая мужская щетина. А если запустить этак на пять-шесть дней — то уже густая борода.

Кора бросилась в салоны снова делать эпиляцию. Сначала био. Такую боль терпела адскую, когда пластины с горячим воском, налепленные на щеки, с корнем выдирали волосы.

Но они росли и крепли.

После фотоэпиляции на время возник вроде бы хороший эффект. Но затем рядом с уничтоженными волосяными луковицами возникли новые, и борода отросла снова.

Врачи-косметологи уже били тревогу — нельзя, нельзя делать эпиляцию так часто, у вас плохая предрасположенность. У вас пошло кожное раздражение. Кожа отторгает любое вмешательство. Лазер может все лишь усугубить, так и до рака дойдет, до самого худшего.

А от крема вся шея и щеки покрываются долго не заживающими саднящими язвами.

Кора купила себе набор бритв. Какое-то время она вставала по утрам и словно на казнь отправлялась в ванную — бриться. Стояла вот так, как сейчас, с мужской бритвой в руке. Густо намыливалась или использовала пену из тюбика.

И брилась...

Ежедневная пытка...

Кожа на бритье отреагировала новыми язвами и фурункулами.

Кожа лица требовала, чтобы ее оставили в покое.

В густых волосах.

В один момент Кора хотела покончить со всем этим разом — с мукой борьбы, с природой, со всем своим бедным больным телом.

Она хотела повеситься в ванной на трубе.

Даже достала крепкую бельевую веревку и все думала — выдержит ли ее вес вон тот гвоздь, на нем держится светильник? Или, может, лучше использовать трубу полотенцесушителя?

Кора помнила тот момент. Думала о нем она и сейчас, стоя раздетая в ванной, избитая жестоко.

Вы, нормальные, не убогие, да что вы знаете обо всем этом? Как вы можете судить о том, что понять вам не дано?

Решение покончить с собой тогда она так и не приняла. Может, из страха, может, из малодушия.

Веревку она не выбросила. Но старалась положить ее подальше, спрятать. Чтобы не попадалась ей на глаза.

А потом по телевизору она увидела Евровидение и бородатую Кончиту.

Никогда в жизни она не плакала так, как в тот вечер. Она рыдала — за все годы муки, страха, боли, стыда за свое уродство, за все потерянные годы — без друзей, без любовников, без семьи, она расплачивалась сейчас — этими вот слезами, где робкая надежда смешивалась снова со страхом, но где, как ей казалось, открывались новые горизонты.

Да, новые горизонты...

Наутро впервые Кора не схватилась за бритву. Она не бралась за нее и все последующие дни.

Борода выросла.

Борода стала неотъемлемой частью ее, Коры. Борода требовала, приказывала показать себя людям.

Какая пришла в этот мир. Уж какая есть. Какую Бог или природа создали. И изуродовали.

О реакции людей, прохожих на улице, в транспорте Кора сейчас вспоминать не хотела.

В тот вечер, когда на нее напали в переходе метро, толкнули сзади со ступенек, она шарахнулась так, что думала — ногу сломала...

Напавших в тот раз она разглядеть не успела.

Они что-то тоже шипели про Кончиту Вурст, про вселенский разврат и либерастов-педерастов...

Кора кое-как доковыляла до дома. И с карлицей Маришкой они решили, что если надо ехать в клуб или возвращаться, то они станут вызывать такси — то, что клуб обслуживает и которым пользуются трансвеститы.

В тот вечер Кора впервые подумала о том, что рыдать втихомолку и размышлять, как лучше покончить с собой, — это... это, в общем-то, трусость.

Надо сопротивляться.

Надо противостоять.

И вот она досопротивлялась до того, что...

Стоя перед зеркалом в ванной, Кора осторожно дотронулась до багровых синяков.

Потом она чисто механически достала с полки маникюрный набор, вытащила ножницы и начала осторожно срезать бороду, испачканную зеленкой. Клочья каштановых волос падали на кафельный пол.

Словно каштановый снег шел...

Волосатый снег.

С кухни доносился запах жаренной на сале картошки. Карлица Маришка кашеварила.

Потом она позвонила по мобильному в клуб и сказала, что их избили. И что они появятся на работе только завтра.

В клубе такие вещи, как «избиение сотрудников», понимали, потому что сталкивались с этим и раньше: девочки, держитесь, не падайте духом!

Кора встала в ванной под горячий душ.

Она апатично размышляла о том, на сколько ее еще хватит в этом мире. Сколько еще она сможет держаться и противостоять.

Глава 11
ПОД КУПОЛОМ

События в Прибрежном произвели на Катю гнетущее впечатление. Вместе с Лилей и сотрудниками ППС она сопровождала потерпевших в поликлинику. Затем Кору и ее подругу отвезли домой под охраной. А Катя вместе с Лилей вернулись в ОВД.

А там обстановка накалялась — к зданию полиции подъезжали какие-то крепкого спортивного вида молодцы на джипах, в кабинете Лили беспрестанно трезвонили телефоны. К задержанному явился адвокат. А задержанный орал про свою Лигу кротких против Содома и походил на пойманного в капкан шакала — только что зубами от злости не щелкал.

Однако во всем этом зловещем хаосе майор Белоручка твердо стояла на своем:

— Я знаю, что говорят. И ты тоже знаешь. В полицию, мол, обращаться бесполезно. Полиция не поможет. Когда появляются люди, которых безнаказанно можно оскорблять, шельмовать, обливать зеленкой, газом перцовым жечь. Да что же это такое?! Мы где живем? Я присягу давала служить закону. Для меня закон есть закон. И тут в Прибрежном никакого произвола мы не позволим. Что такое честь мундира, я хорошо знаю и замарать ее не дам. И к черту все звонки. Я полицейский, а люди в защите нуждаются против беспредела и хулиганства. Тут уж каждый для себя решает, как поступать. А я для себя это давно уже решила.

В этом Катя не сомневалась. Только вот тревога за Лилю щемила ей сердце.

К вечеру все немного поутихло. И они смогли наконец обсудить дело об убийстве водителя.

— Я с Женей встречусь, — обещала Катя. — Только надо подумать, чтобы это произошло самым естественным образом. У нас связи давно потеряны, у меня даже ее телефона нет.

— У меня оба ее мобильных и домашний, я во время допроса записала, — сказала Лиля, — но звонить тебе ей не нужно. Лучше вам встретиться как бы случайно и на нейтральной территории. Надо подождать, я что-нибудь придумаю.

Катя ждала. Октябрь заканчивался.

И вот Лиля Белоручка позвонила.

— Слушай, мы тут понаблюдали за твоей знакомой, — сказала она осторожно, — конечно, негласно. Но выбирать не приходится, потому что гласно установить слежку за родственницей Раисы Лопыревой я не могу. Так вот какое дело. Приятельница твоя в общем-то домосед. Но у нее есть привычка примерно раз в три дня ездить в Москву — так, прогулочка по магазинам, а заканчивается все около пяти вечера чаем в роскошном отеле «Мэрриотт — Аврора» на Петровке. Ты в главке сегодня?

— Я в главке на Никитском, — ответила Катя.

— Тебе до Петровки семь минут. А мне докладывают — приятельница твоя сейчас в Москве уже, на Ленинградском проспекте.

— Я сейчас выхожу и сажусь в машину, у меня машина в нашем дворе припаркована.

— Хорошо, но пока не торопись и оставайся на связи.

Катя спустилась во двор главка и села за руль своей маленькой машины «Мерседес-Смарт». Ну, крохотун, выручай. Увидимся со старой школьной подругой.

Только как же это произойдет? Вот Женю узнала на видеозаписи, то есть узнала не сразу, лишь когда Лиля подтвердила, что эта самая Евгения Савина — Кочергина — хромает.

А вот узнает ли меня она? А если не узнает или сделает вид, что не желает узнавать?

Катя по Никитской доехала до бульвара, свернула направо, по бульвару до Тверской, мимо Пушкинской.

На светофоре Лиля снова позвонила.

— Она уже на Петровке.

— И я на Петровке. Ты говорила — у Жени машина «Ауди»?

— Нет, сейчас она в такси едет. Желтое такси.

Катя, крутя руль, вертела головой, ища в потоке машин желтое такси. Ох, сколько же их тут в центре!

— Такси остановилось напротив ЦУМа. Она выходит, направляется в...

— В ЦУМ?

— Нет, идет к магазину на углу. Это... мне тут оперативники, ведущие наблюдение, диктуют, это... Диана...

— Диана фон Фюрстенберг? Магазин одежды?

— Ты быстро сечешь, — усмехнулась Лиля. — Она входит в магазин.

— Я рядом. Сейчас припаркуюсь. Все, я иду на встречу!

Катя кое-как приткнула машину, благо «Смарт» — малютка, мало места занимает. Но штраф все равно она схлопочет, потому что парковку она тут не оплатила. Ну да ладно, авось...

Катя чувствовала, как бьется ее сердце. Женя Кочергина — школьная подруга. Они столько лет сидели за одной партой.

Что осталось от школы у Кати? Да ничего. Или очень многое? И в самых отдаленных уголках памяти.

Она открыла дверь бутика. Отличный магазин. Только вот пуст. Продавец за стойкой в глубине. И там же возле стенда с платьями одинокая покупательница.

Блондинка в черном плаще. С зонтом, с дорогой сумкой-мешком «Лансель». Катя с удивлением глянула на свою сумку — и у меня тоже «Лансель». Только у меня ВВ — Брижит Бардо.

Она не думала даже, что станет вот так дико волноваться. Откуда этот мандраж?

Они не встречались с Женей целую жизнь. Но это не причина вот так нервничать.

Шофер, работавший у Жени, убит. Но ее саму ведь пока никто не обвиняет в этом убийстве. И параллелей никаких не проводят, и версий не возникает.

Так версии потом от тебя потребуют... ты же сама предложила помощь в раскрытии убийства, встретиться со старой приятельницей... Так что все впереди. Оттого ты сейчас и чувствуешь эту дрожь. Это ведь не просто встреча, это, по сути, оперативная работа... И ты проводишь ее в отношении человека, когда-то очень близкого тебе, твоей подруги. А если в расследовании этого убийства что-то пойдет не так? Как ты поведешь себя с Женей Кочергиной?

Катя замерла у двери. Может, лучше не надо? Повернуть вот сейчас назад. Не ввязываться в это дело? А Лиле сказать, что подруга ее не узнала и контакта не вышло.

Но это значит предать Лилькины надежды, когда она и так в очень сложной ситуации там, в Прибрежном.

Катя медленно направилась через зал. Встала сбоку у стойки с сумками. Блондинка в черном плаще повернула голову.

Катя напряглась, затем тоже глянула в ее сторону.

Секунда...

Как молния...

Женя смотрела на нее. Вот она подняла брови удивленно, потом глаза ее стали такими большими-большими и...

— Катя?

Катя не спешила отвечать. Она разыгрывала — ох, прости, Женька, ее за эту пошлую игру — она разыгрывала сцену «в бутике».

— Катя? — повторила Женя громче. — Катя Петровская?

— Ой, Женя... Женя, это ты??

Женя, прихрамывая, ринулась к ней.

— Катя... Надо же, Катюша, я тебя сразу узнала!

Катя делала все, чтобы ее голос не звучал фальшиво.

— Женя, я глазам своим не верю. Да ты ничуть не изменилась.

— Брось, как же не изменилась. Но ты такая стала... такая... ой, Катя, — Женя протянула руки и...

Катя коснулась ее рук. Они обнялись.

— Надо же, как встретились! Столько времени...

— Целая жизнь.

— Ты как?

— Я хорошо, все расскажу.

— Пойдем куда-нибудь посидим.

— Да, да, конечно!

— Тут место есть отличное, идем же, бог с ним, с магазином.

Они трещали как сороки, как трещат в один голос все женщины мира, все подруги, встретившиеся после долгой разлуки, — сто, двести слов в минуту, и все это одновременно с улыбками, качанием головой, смехом, искрами радости, объятиями, поцелуями в щечку.

Они выкатились из бутика и, не видя ничего вокруг, пошли вперед — чуть левее.

Через мгновение они уже входили в вертящиеся двери отеля «Мэриотт — Аврора». Женя вела, Катя следовала за ней.

Она ощущала, что мандраж ее постепенно сходит на нет. Женя узнала ее, и узнала первой. И сейчас столько радости на ее лице, в сияющих глазах. Она не сводит их с Кати.

У нее чудесные горьковатые духи. И вся она такая...

Какая?

Катя попыталась вспомнить Женю-школьницу.

Светлые волосы, челка..

Девочка двенадцати лет...

И старше...

Нет, моложе...

Они ведь учились вместе в первого класса, но первоклассницей она Женю представить сейчас не может.

Но все прежнее — овал лица, светлые волосы, улыбка, эти вот голубые глаза... Все прежнее. Тогда в чем же секрет взросления? А какой же тогда помнит Женя меня? И что во мне теперь прежнее, а что другое, думала Катя.

Они поднимались по мраморной лестнице. И в этот миг Катя осознала — отель пуст. Они с Женей в нем — единственные гости.

— Ой, Жень, а тут никого!

— Тут хорошо, очень хорошо, тихо. Здесь скоро в холле к Новому году поставят елку. Я тут люблю бывать всегда — и в сезон и не в сезон. Сейчас сезон давно начался, а здесь тихо. Иностранцы не приезжают. Китайцев все ждали, инвесторов с большими кошельками, и тех нет. Катюша, пойдем под купол...

— Куда? — Катя растерянно улыбалась, разглядывая абсолютно пустой холл — великолепный, роскошный, отделанный мрамором.

— Под купол, в ресторан, там нам никто не помешает. — Женя, прихрамывая, активно влекла ее за собой вверх по лестнице.

И вот ресторан — огромный и пустой. А над ним — прозрачный высокий купол. А слева — галерея, зимний сад, где тот самый призрак Оперы вот-вот появится. Или не появится.

Они сели за столик под куполом. Тут же подошла официантка — на лице радость и изумление — наконец-то посетители! — и вручила меню.

— Жень, подожди с заказом, дай я на тебя посмотрю. — Катя чувствовала восторг и трепет. Она почти забыла, с какой целью решила встретиться с приятельницей. — Нисколечко ты не изменилась!

— Что ты, — Женя тоже улыбалась, — Катюша... И я глазам своим не верю. А ты часто в том бутике бываешь?

— Иногда.

— И я. И надо же, не встречались!

— Ну, Москва же большая, Жень.

— Ты где сейчас живешь?

— Я на Фрунзенской, на набережной напротив Нескучного.

— А я у отца в Прибрежном, не очень далеко, но все же деревня, я деревенская девочка теперь, — Женя улыбалась. — Ох, помню, как мы у тебя на даче... какой это был класс — четвертый или пятый? На озере, помнишь, рыбу ловили? Мы с берега, а мальчишки на резиновой лодке. Твои дачные соседи. Один такой большой мальчик, спортом занимался, мрачный такой. А второй маленького роста, очень умный, живой как ртуть, все стихи нам читал. Помнишь?

— Нет, — Катя смеялась, — но большой мальчик, Вадик, стал моим мужем потом. А маленького роста — это, конечно, Сережка Мещерский, он — друг.

— Друг? — Женя подняла светлые брови лукаво.

— Он друг детства моего мужа. А с мужем мы не живем.

— Развелись?

— Не развелись, просто раздельное проживание. Он за границей сейчас. Но в общем, он меня содержит, — Катя вздохнула.

— А ты где работаешь?

— Я журналист, иногда статейки пишу. — Катя решила не говорить подруге о том, что служит в полиции криминальным обозревателем Пресс-службы, не время для таких откровений, несмотря на восторг и трепет. — Но это так, от скуки. Муж меня содержит, деньги кладет на карточки.

— И меня тоже содержит. Я ведь вообще ничем не занимаюсь, — Женя закивала, — сижу дома. Вот иногда сюда вырываюсь чай пить вечерами. По магазинам брожу. Хотела на танцы записаться в отеле «Плаза», да только куда мне с моей ногой? Мальчишки-жиголо еще жалеть начнут.

— Можно и без танцев прожить.

— И я так считаю. А муж у меня хороший, добрый. Гена... Я ведь теперь Савина, его фамилию ношу. Честно говоря, мне с мужем очень повезло. Он... он очень порядочный. В мэрии городской служит, много работает. Я счастлива, я очень счастлива с ним, Кать.

— Это самое главное. И кого же вы успели родить? Мальчика или девочку?

И тут на оживленное лицо Жени легла тень. Она запнулась.

— Пока мы еще откладываем. Но я очень хочу ребенка. А мой муж... Генка, знаешь, он вообще повернут на этом. Хочет иметь наследника.

— У вас все впереди, — уверенно сказала Катя. — Смотри, а нам уже чай несут, и какие десерты к чаю!

Официантка, отлично знавшая Женю, не стала дожидаться заказа, а принесла все сама — чай и все, что полагалось к великолепному файф-о-клоку.

— Не скажу, что они тут знаменитый отель «Дорчестер» в Лондоне копируют, но чай здесь вечерний превосходен, — сказала Женя. — Слушай, я все школу вспоминаю. Я такая обжора была!

— Не была ты никакой обжорой!

— Постоянно что-то жевала, я же помню. А ты классно играла в баскетбол на уроках физры.

— Ну, прыгала как лягушка до потолка. В первом классе меня Лягушенция звали. — Катя махнула рукой. — А помнишь, как мы с уроков удирали?

— Помню, еще бы. Но потом мы стали прилежно учиться.

— О да, за ум взялись. — Катя смеялась, пробовала десерт. — Как тут вкусно все.

— А помнишь, как ходили в зоопарк и верблюд еще плюнул на Даньку?

— Данила, твой брат, кстати, как он поживает?

— Ничего, не делает ни черта, как и я. Другие в его возрасте уже бизнесом ворочают, а он бьет баклуши. Все гулянки и, знаешь, в крайности его бросает — то латынь учит с учителем, стишки римские переводит, то вдруг отправится на бокс морду бить. — Женя вздохнула. — Он совсем не похож на Гену, на моего мужа. С мужем я спокойна. А Данила — это постоянный источник тревог.

— Он не женат?

— Нет. И не собирается, по-моему. Но вокруг него всегда полна коробочка.

— Он ведь старше нас, я завидовала тебе, что у тебя такой брат. Мы еще в школе учились с тобой, а он поступил на первый курс в университет.

— Потом университет забросил. А он тебе что, в школе нравился?

— Сейчас не могу вспомнить, — Катя в ответ лукаво заулыбалась, — но симпатичный был мальчик.

— Он и сейчас красив как бог. Он на маму похож. И гораздо больше, чем я.

— Ой, а я помню и твою маму, и твоего отца, — сказала Катя. — Тогда в зоопарк нас твой отец водил. А мама часто в младших классах приходила за тобой в школу. Такая модная всегда и такая красивая.

На лицо Жени снова легла тень.

— Мама умерла, — сказала она.

— Ой, Женя...

— Да нет, это давно уже. Семь лет назад. А помнишь, как меня из школы забрали из восьмого класса прямо перед экзаменами...

— Ну да, я еще в шоке была. Так ревела, что мы с тобой расстаемся навеки. Вы же переезжали, ты поэтому школу меняла?

— Родители собрались тогда разводиться. Они постоянно угрожали развестись. Ругались страшно, — сказала Женя. — Отец забрал нас с братом и отвез к бабушке. Ой, я то время не вспоминаю. Мрак. А потом, знаешь, как-то все наладилось. Родители передумали разводиться. Мы зажили опять семьей. И отец к осени достроил наш дом в Прибрежном. Я в школу потом ездила к Речному вокзалу. А через несколько лет случилась эта беда.

— Беда?

— Да, Кать. Я училась уже в институте. Отец и мама ехали на машине вечером. И попали в аварию. Мама погибла, а отец стал инвалидом.

— Ой, Женя, милая...

— Да сколько времени с тех пор прошло. Что сделаешь? Отец потом женился. На маминой сестре. Она заботится о нем, инвалиду ведь нужен уход. Но вообще-то она очень деловая. Слушай, а я вот сейчас подумала — как так получилось, что мы с тобой потеряли друг друга? Ведь были неразлейвода?

— Жень, но ты ведь тогда поменяла школу.

— Да я понимаю, только... У меня подруг никаких нет. С института — никого. Со школы — лишь ты. Я вообще-то очень одинока. Может, до этой самой встречи нашей я и не задумывалась, насколько я одинока по жизни.

— Но у тебя же муж!

— Генка много работает, а я все время одна. Отец меня порой спрашивает — что же ты все сидишь дома? Успеешь в старости насидеться. Сейчас надо развлекаться, путешествовать. А с кем? Муж на работе. У них там все какие-то дела — мэрия есть мэрия, департамент благоустройства. А отец ведь тебя помнит, Катя... Он был бы рад увидеть тебя. К нему мало кто сейчас приходит, к инвалиду. Так — в основном либо врач, либо юрист насчет бизнеса и акций. Я вот что подумала... Праздники ведь ноябрьские на носу, ты едешь куда-нибудь?

— Нет, я дома, — сказала Катя.

— А планы какие?

— И планов никаких.

— Кать, тогда приезжай на все праздники к нам в Прибрежное. Мы с тобой на реке погуляем. И там один приятель Данилы — у него катер в яхт-клубе нашем. И отец тебе будет рад. И на братца моего шалопая посмотришь!

— Хорошо, принято приглашение. — Катя еще не верила своей удаче.

— А помнишь, как мы в восьмом классе тайком пробовали курить?

— Никогда мы не курили с тобой, Женька!

— Нет, курили, курили. Это сейчас мы такие правильные. — Женя смеялась. — А дискотеку помнишь?

— Да сто дискотек было!

— Ту, когда старшие пацаны явились. И братец мой потом с ними подрался. А мне там так один мальчик нравился...

Катя смотрела на подругу.

Ах, Женя, Женя...

Что же ждет нас с тобой впереди по делу об убийстве твоего шофера?

Глава 12
БЛОГЕР

Под куполом в ресторане они просидели до восьми вечера — все вспоминали, болтали, пили чай.

В начале девятого за Женей в отель заехал муж Геннадий Савин, и Катя познакомилась с ним. Невысокий, щуплый, несмотря на молодой возраст, уже с залысинами, но костюм из итальянского бутика классно сидит по фигуре и галстук самый модный.

Женя взяла с Кати обещание, что та приедет к ним в Прибрежное на праздники. На том и расстались.

Катя посчитала начало удачным, однако до праздников почти не осталось времени, и она, как истый репортер, решила использовать его с максимальной пользой для расследования.

По поводу убийства шофера она пока не строила никаких версий. Решила начать расспрашивать там, уже на месте, в доме в Прибрежном, куда ее так радушно пригласили. Насчет двух других убийств в Москве, о которых упоминала Лиля, с версиями тоже спешить не стоило. Безусловно, она доверяла профессиональному опыту и чутью майора Белоручки, но Лиля... Она ведь углядела связь фактически там, где ее и быть не должно. Подумаешь, отсутствие гильз на месте убийств. Их не всегда и в других случаях при осмотре находят. Что-то, безусловно, в этом деле Лилю настораживает, и она ищет, за что бы зацепиться. Вот и наткнулась на вроде бы похожие случаи безмотивных убийств.

Хотя почему безмотивных? Кто вообще сказал, что следствие, которое в Москве МУР ведет по убийству того парня, сына богатых родителей Василия Саянова, и блогера Анны Левченко, не выдвинуло за эти месяцы каких-то версий происшедшего?

И Катя решила обратиться к своим персональным источникам. Нет, не в МУРе, а среди досужих журналистов. Логично начать со второй жертвы — Анны Левченко, убитой возле новостройки на Ленинском, где та не проживала. Она — блогер, в журналистской среде должны о ней знать.

Выкроив свободную минуту в Пресс-центре, Катя позвонила Всеволоду Штейну, он работал в интернет-издании «Новостной портал». Он часто бывал на брифингах в МВД и ГУВД области, пламенно интересовался как криминальной тематикой, так и политикой.

Для начала, чтобы заинтересовать и задобрить Севу Штейна, Катя щедро поделилась с ним «жареной» сенсацией о задержании в Подмосковье банды, совершавшей вооруженные нападения на автозаправки. Сева остался доволен, и Катя тут же приступила к главному:

— Ты такую Анну Левченко знал? Она вроде как блогер?

— Я ее лично не знал, но блог читал в Интернете. Ее застрелили. А что ты вдруг о ней заговорила? — спросил Сева Штейн.

— Ну, убийство блогера — это же громкая тема.

— Не у вас же в области это случилось. Левченко не то чтобы очень уж медийное лицо была или там человек Интернета, но в определенных кругах ее знали, читали. Блог популярный и популярность только набирал.

— А о чем она писала? — поинтересовалась Катя.

— Самый широкий круг тем — все актуальное освещала. От благотворительности и приютов для бездомных животных до протестных акций и пикетов. Разные вопросы — разрушение архитектурных памятников и варварская застройка, коррупционные баталии, запреты концертов рок-групп и борьба с религиозным фундаментализмом.

— По-твоему, за что ее могли убить? — спросила Катя.

— Как за что? Анна не бизнесмен, акций и капиталов не имела, журналист до мозга костей, блогер. Убили за то, что писала, профессиональная журналистская деятельность — вот и причина. Это однозначно, это и ежу понятно.

— А кого-то из журналистов из блогеров на Петровку в связи с расследованием вызывали?

— Некоторых вызывали. Но там менты... ох, пардон, забыл, с кем говорю, — Сева Штейн усмехнулся. — Кроме профессиональной и просто смехотворную версию выдвинули — мол, нападение хулиганов с целью ограбления. А у нее ничего не взяли, ни сумку ее, ни машину новую.

— То есть, по-твоему, ее убили из-за профессиональной журналистской деятельности?

— Однозначно. Тут у нас никто в этом даже не сомневается.

— Сев, а кому Левченко могла наступить на больную мозоль? — спросила Катя.

— Что, мало людей она затрагивала в своих постах? Тут и политика могла вмешаться.

— Политика?

— Она открыто выражала свою позицию по многим вопросам.

— По каким, например?

— Ну, мало ли. — Сева Штейн начал отвечать уклончиво. — Факт тот, что ее убили, а кто там за какие нитки дергал, вряд ли мы с тобой узнаем.

Катя подумала — а вот Лиля Белоручка, сидя в Прибрежном ОВД, надеется узнать. Хотя какая связь?

— Ее ведь на Ленинском проспекте убили, но она там не живет, — сказала Катя. — Я слышала, она где-то в Кузьминках жила.

— С семьей, на квартиру отдельную так и не заработала, бедняжка.

— А как по-твоему, что ее могло привести к тому дому на Ленинском, это ведь новостройка, да? — Катя ощупью пробиралась вперед в разговоре с уклончивым Штейном.

— Однозначно — кто-то пригласил ее туда на стрелку.

— На стрелку?

— На встречу. Вечер, место тихое, безлюдное. Кто-то мог назначить ей там рандеву.

— И она согласилась приехать одна вечером?

— Так, может, ее чем-то заинтересовали, например, обещали передать какую-то любопытную информацию. Я же говорю — она блогер, а блогеры информацией живут и дышат.

— Информацию можно по электронной почте перегнать.

— Можно. Но, видимо, Анна Левченко была заинтересована в личной встрече.

— С убийцей?

— Я не знаю, Катя, — Штейн вздохнул, — одно мне ясно как дважды два — если убивают блогера, это происходит потому, что он пишет и размещает посты, которые читают и комментируют тысячи пользователей Интернета. А кому-то в ее постах и статьях что-то очень не понравилось.

— То есть ее убили из-за публикаций?

— Я в этом ни секунды не сомневаюсь.

Катя подумала: Сева Штейн сам журналист до мозга костей и считает свою работу самой важной в мире. Что ж, учтем его версию убийства Анны.

Если так говорит Сева Штейн, то это мнение о причинах убийства половины журналистского и интернет-сообщества. Но это еще не значит, что не следует думать своей головой.

Глава 13
АЛЛЕЯ СМЕРТИ

Женя позвонила накануне: ну как, школьная подруга моя, все в силе? Тогда ждем тебя завтра у нас в Прибрежном к четырем часам, барбекю на воздухе — только бы дождь не полил. И останешься у нас, погостишь все праздники.

Катя поблагодарила, сказала, что обязательно приедет, и записала адрес. Вечером она созвонилась с Лилей Белоручкой. Сообщила, что праздники проведет у подруги — выяснит, как там обстановка в доме, попробует узнать, что они думают и говорят об убийстве своего шофера, но...

— Быстро ты контакт наладила, — усмехнулась Лиля, — это богатый дом со своими порядками.

— Перекинь мне, пожалуйста, снимки с места происшествия и карту-схему, где нашли тело, — попросила

Катя, — я сориентируюсь. Ну все, Лилечка, я тебе буду оттуда звонить.

— Я на связи и ночью и днем. А в случае чего...

— В случае чего? — переспросила Катя.

— Ну, мало ли. Явлюсь с подмогой.

Утром Катя проснулась поздно — уже при свете дня. Позавтракала не спеша и начала собираться в гости.

Решила взять с собой джинсы, куртку, жилетку-дутик, пару шерстяных свитеров — все же загород, барбекю, Женя вон прогулку на катере обещала по реке. Но потом она положила в сумку и вечернее платье, туфли на высоченной шпильке и, конечно же, украшения.

Вот так, мы во всеоружии.

Она выехала пораньше, заглянула на автозаправку, залила полный бак в свой маленький «Мерседес-Смарт» и по Садовому кольцу двинулась в сторону Триумфальной, а там на Тверскую, на Ленинградский проспект — мимо Речного вокзала и в сторону Прибрежного.

Присланные Лилей Белоручкой фотографии с места убийства она загрузила в свой Ipad и рассматривала их на светофоре. Потом построила маршрут на навигаторе.

Прежде чем ехать в дом в Прибрежном, она решила взглянуть на ту самую аллею у станции, где нашли труп шофера Фархада Велиханова.

Лучше все увидеть самой и попытаться представить, что же там могло произойти в тот вечер.

Следуя указаниям навигатора, она скоро свернула с Ленинградского шоссе и въехала в микрорайон Прибрежный. Ну, все как в тот раз, когда она направлялась в ОВД. Но это не тот путь, каким ехал шофер на велосипеде. Он же направлялся на станцию от дома.

Она сворачивала несколько раз то направо, то налево, петляла между многоэтажек. И вот дорога пошла параллельно берегу Москвы-реки. Многоэтажная застройка кончилась, и дорога буквально ввинтилась в живописнейший сосновый лес. Там за высоченными заборами скрывались особняки и коттеджи.

Снова пришлось пару раз повернуть. Катя достала адрес Жени — потом она вернется сюда, в этот поселок.

Дачная дорога снова вывела на шоссе, а через полтора километра навигатор приказал опять повернуть, и Катя увидела платформу пригородной станции. От нее только что отошла электричка.

Со стороны платформы Катя въехала на ту самую аллею. И остановила машину.

Сосны, сосны, лес, лес...

Все как на обычной подмосковной дороге. И никакая это не аллея, просто местные так называют это место. А это дорога к станции со старым еще дорожным покрытием, вся в ямах и ухабах.

Катя завела мотор и тихонько двинулась по аллее вперед. В тот вечер Фархад ехал тут — со стороны поселка, а значит, навстречу ей. Она открыла на планшете снимок со схемой, где было обнаружено тело.

Вот, именно здесь.

Она снова остановила машину и вышла.

Совсем недалеко от съезда с шоссе.

Ноябрь в лесу — зеленая хвоя и уже мало желтой и багряной листвы на деревьях и кустах. Асфальт весь в шрамах и трещинах, лужи, лужи, лужи. Обочины полны жидкой грязи. Не так уж тут все отличалось в тот вечер от этой картины, что она видит сейчас перед собой.

Катя открыла на айпаде снимок — вот труп. Убитый лежит ничком. Примерно в метре от него в кювете его велосипед. Как ехал, так и упал, схлопотав выстрел в спину.

В него стреляли сзади. И попали прямо в сердце...

Лиля сказала, что уже первый выстрел оказался смертельным. Но ему потом еще раз выстрелили в голову. То есть сделали контрольный.

О чем это говорит? О том, что убийца не слишком был уверен — убил ли жертву с первого выстрела. А хотел убить наверняка, и поэтому понадобилось выстрелить еще. Но контрольный делают всегда с близкого расстояния. Это значит, что убийце пришлось подойти к трупу.

И Лиля с опергруппой не нашла никаких следов — ни человека, ни машины. Неудивительно, раз тогда всю ночь шел дождь. И тут такое старое покрытие дорожное, что...

Катя подошла и глянула на свою машинку-малютку. Вот сейчас дождя нет, а ты, крохотун, тоже не оставил здесь никаких следов протектора. Приезжала я сюда или нет — никто никогда не узнает.

А вот то, что гильзы они тут не нашли стреляные — вроде как совсем не удивительно. Кто их здесь вообще может найти — грязь, сухая трава, если они отлетели в сторону обочины. Лилю это отчего-то очень насторожило. А что тут странного? Правда, Лиля сказала, что они тщательно обыскали кювет и дорогу с металлоискателем. Ну так что ж, мало ли. Гильзы могли куда-то закатиться, что и...

Если предположить, что убийца забрал гильзы с собой... Как он мог сам в тот вечер на темной аллее найти свои стреляные гильзы? Что, он ползал тут на коленках под дождем, ощупью искал в траве и на дороге? Абсурд, здесь три дня можно на коленках ползать и ничего не найти.

Нет, с гильзами — это просто чистой воды случайность. И зря, зря Лиля на этом зацикливается. Она ведь и теми двумя убийствами в Москве заинтересовалась лишь потому, что там тоже гильз не нашли. Нет, еще ее насторожило то, что марка оружия та же самая — пистолет «ТТ». Так у убийц в основном только два варианта — «ТТ» и «макаров», остальные редко используются.

Ее разговор со Штейном о версии убийства Анны Левченко... Ну при чем тут эта лесная аллея? И этот парень, Женин шофер?

Катя огляделась по сторонам. Как здесь тихо и безлюдно! Ни одной машины со стороны шоссе. К станции никто не едет. Понятно, тут такие богачи в этом поселке, что электричкой никто не пользуется, все на лимузинах своих.

И прислуга в сторону станции не ходит, потому что, возможно, тоже имеет машины или же пользуется рейсовыми автобусами, они на шоссе останавливаются.

А других поселков тут нет. И с электричек, следующих из Москвы и в Москву, на этой станции редко кто сходит. Это ведь так близко от Москвы, совсем рядом — кто едет в Прибрежный, тот пользуется опять же рейсовыми автобусами от метро.

А вот шофер Фархад электричкой пользовался. Во-первых, потому, что он ездил на велосипеде, а в автобус переполненный с велосипедом влезать очень сложно. А тут раз в электричку — и в тамбур.

Его настигли или подкараулили именно в этом безлюдном месте, на аллее смерти. Так какой может быть вывод? Либо убийца отлично знал, что парень здесь ездит вечером после того, как заканчивает свою работу шофером, либо...

Либо все это опять же чистейшей воды случайность — бедняга просто попался на этой темной аллее каким-то отморозкам или отморозку с пистолетом, грабителю, который ограбить его так и не успел.

Катя снова оглянулась по сторонам и...

А кто мог помешать грабителю в этом тихом месте ограбить свою жертву? Раз он подходил, чтобы сделать контрольный выстрел, что ему помешало обшарить карманы и достать бумажник с кредиткой?

Катя вернулась за руль.

Тут пока, на аллее, все закончено. И все очень-очень зыбко. Что ж, едем в гости. Может, там что-то прояснится.

Глава 14
ДУХОВНЫЕ СКРЕПЫ

По навигатору Катя отыскала дом подруги быстро — вернулась из аллеи на шоссе и въехала в поселок. Улицы шли не по названиям, а по номерам. На улице номер девять она подъехала к воротам особняка, огороженного высоким сплошным забором из красного кирпича.

Посигналила. Потом вышла и нажала кнопку домофона. И автоматические ворота тут же поехали вбок. Катя увидела на участке Женю и высокого темноволосого мужчину в черной расстегнутой куртке.

— Катюша, привет! — Женя махала рукой. — Ой, какая машинка прикольная! Заезжай, заезжай, вот сюда, к гаражу, под навес.

Катя въехала на участок и припарковалась возле гаража.

Сначала она подумала, мужчина рядом с Женей — это ее брат Данила Кочергин. Она попыталась вспомнить его из той давней школьной жизни. Мелькал он в воспоминаниях не часто. Наверное, потому, что возрастом был старше и сестре в ту пору особого патроната, как брат, не оказывал. Ну да, та вечеринка, про нее Женя упоминала, когда он якобы подрался с какими-то парнями. Но Катя не помнила ни парней, ни Данилы. А вечеринки в юные годы, кажется, вообще шли сплошняком.

И тут оказалось, что она ошиблась.

— Познакомься, это Герман, — сказала Женя.

— Герман Дорф. — Мужчина улыбнулся Кате.

От него очень вкусно пахло дорогим парфюмом, но одет он был по-дачному — в джинсы, кроссовки и куртку.

— Я школьная подруга Жени, — сообщила ему Катя.

Герман улыбался, переводя взгляд с Кати на крохотный «Мерседес-Смарт».

— Жень, я сумку с вещами возьму, и руки хочу помыть после дороги. — Катя достала из машины сумку с вещами.

— Пойдем, я тебе твою комнату покажу и потом сразу к нашим, они в патио барбекю делают. — Женя повлекла ее в сторону дома. — Папа, когда я сказала, что встретилась с тобой, так обрадовался. Все расспрашивал.

— И я рада повидаться с Петром Алексеевичем. — Катя помнила имя отца Жени. А мать ее звали Марина Павловна.

— И Данила про тебя спрашивал. — Женя улыбалась. — Он мясом занят. Иногда на него накатывает желание готовить. А Гену, представляешь, обязали сегодня дежурить в мэрии.

— А кто этот Герман? — тихо спросила Катя.

— У него катер тут, в яхт-клубе. Прокатит нас завтра непременно. Он приятель Данилы. Но вообще-то он работает у тети Раи, что-то вроде пиар-советника или советника по медиа, — Женя махнула рукой.

Герман Дорф догнал их на дорожке. И Катя решила — пора, пора заводить нужный разговор о шофере Фархаде.

— Я быстро дом нашла, — сказала она Жене, — но все же тут у вас не очень людно, в основном заборы, заборы. И не спросишь никого в случае чего. Жень, а как ты отсюда в Москву ездишь? Такси сюда вызываешь каждый раз?

— Сейчас да. Вообще-то у нас с мужем машина. То есть она моя. Гена на работе в будние дни и пользуется служебной.

— Да, тут без машины не обойтись никак. И ты хорошо водишь?

— Я вообще не вожу и прав не имею, — ответила Женя. — У меня фобия после маминой смерти. У нас шофер работал, только сейчас его нет.

— Уволился? — наивно спросила Катя.

— Убили его, — ответил за Женю Герман Дорф.

— Убили? Кто? За что?

— Если бы знать. Женю вон в полицию даже вызывали.

— Тебя в полицию? — Катя обернулась к подруге.

— В местный отдел. Это тут произошло, в поселке, недалеко от станции.

— Что, машину твою пытались угнать? — продолжала «интересоваться» Катя.

— Нет, он как раз вернулся с машиной из автосервиса. Поставил ее в гараж, и я забрала у него документы из сервиса, — сказала Женя. — Он сел на велосипед и уехал, торопился на электричку.

Стоп...

Катя внезапно почувствовала, как сердце ее забилось. А это что такое? *Я забрала у него документы из сервиса...* То есть это значит, что Женя находилась дома в тот вечер? А на допросе, по Лилиным словам, она говорила, что была где-то в Москве и с шофером Фархадом в тот день не встречалась.

Она глянула на подругу. Лицо Жени безмятежное, никакого беспокойства. Зачем врать на допросе в полиции? А подруге говорить совершенно иное?

— Его ограбили, наверное, — предположила Катя.

— Кажется, да, — закивала Женя. — Жаль, он был приезжий, студент, подрабатывал на учебу. Гена мне его нашел по Интернету, и я довольна им была все время — такой вежливый и водил машину аккуратно.

— И красавчик был. Прекрасный Фархад, — заметил Герман. — Где-то ждала его нежная Ширин, но так и не дождалась.

— А ты его по дороге не встретил в тот вечер? — спросила Женя.

— Я? С чего ты взяла?

— Ну, ты же приезжал сюда.

— Мы с твоим братом условились насчет катера. А Данилу, как всегда, где-то носило. Ладно, девушки, встречаемся возле жаркого!

Он свернул в сторону патио, собираясь обогнуть дом. Катя отметила про себя — у Лили определенно неточные сведения о вечере убийства. Женя на допросе солгала. А теперь выясняется, что в тот вечер тут находился и этот Герман Дорф. Видимо, горничная-филиппинка, с которой разговаривала Лиля, просто не поняла суть вопросов. Или не захотела рассказывать о своих хозяевах. Но Дорф не хозяин, он гость. Значит, тут и о гостях распространяться не принято. Особенно откровенничать с полицией.

Она подняла голову, разглядывая дом — большой и очень простой по стилю и архитектуре. Как и сплошной забор из красного кирпича. Со стороны сада — просторная открытая веранда и патио.

Они вошли в холл, большой и пустой, и поднялись по лестнице на второй этаж.

— Тут наши комнаты и две гостевые. Вот здесь тебе будет тепло, эта — окнами на юг. — Женя открыла дверь в светлую комнату с розовыми обоями. — А тут ванная.

Катя поставила сумку у шкафа-купе, вымыла руки над раковиной в ванной. И они с Женей спустились вниз и через холл и гостиную прошли в сторону веранды — к патио.

Там возле уличного обогревателя уже собралась вся семья. Над патио витал запах жаренного на углях мяса.

Катя увидела сидевшую в шезлонге женщину в брюках и куртке, укутанную в теплый клетчатый плед. Женщина немолодая, с короткой стрижкой, ярко-рыжая. Безбровое лицо и оттопыренные уши, покрасневшие, как у мальчишки, на ноябрьском ветру.

Чуть поодаль от нее возле дачного стола — мужчина в инвалидном кресле, тепло одетый, в кепке, на шее — дорогой шерстяной стильно завязанный шарф.

В общем, немолодая обеспеченная пара. Катя поняла, что перед ней отец Жени Петр Алексеевич Кочергин и его вторая жена, тетка Жени Раиса Лопырева. Рядом с Лопыревой, тоже в шезлонге, расположился Герман Дорф, он вертел в руках бутылку красного вина, собираясь открывать ее штопором.

А возле жаровни-барбекю спиной к Кате стоял очень высокий, широкоплечий, атлетического сложения блондин. Несмотря на холодный ноябрьский день, уже клонившийся к закату, он не надел на себя ни куртки, ни теплой жилетки-дутика. Джинсы и толстовка — все серого цвета. Толстовка туго облегала его сильное тело. Он держал в руках вилку и лопатку, собираясь переворачивать мясо.

— Тетя, а правда, что твой приятель — этот государственный муж, на днях заявил, что, по его мнению, именно крепостное право в России оказалось той духовной скрепой, что объединяло общество? — спросил он громко.

Герман Дорф открыл бутылку вина.

— Это чудо что такое, такая вот духовная скрепа, — продолжал блондин в серой толстовке, — когда помещица Салтычиха прижигала своим крепостным девкам груди раскаленным утюгом, когда она своим крепостным девкам отрезала соски и бросала их на сковородку, чтобы жарить и жрать, это их так всех объединяло духовно, правда?

— Думай, что болтаешь, Данила, мы же обедать сюда пришли. Нас сейчас стошнит! — сказал Петр Алексеевич Кочергин.

— Мясо подгорает, — подала голос Лопырева.

— Ага, тетя, как соски крепостных на сковородке Салтычихи. Я и хочу, чтобы вас тошнило. Как тошнит меня от таких вот фраз.

— У нас свободная страна, каждый имеет право говорить, что думает, — тоненьким голосом возвестила Лопырева.

— У нас уже редко говорят, что думают. К счастью, мы пока можем апеллировать к «Капитанской дочке». «Капитанскую дочку» еще не запретили, нет? К Пугачеву. Он бар на воротах вешал, а крепостным давал волю. А крепостные помещичьи усадьбы палили, выжигали, так сказать, все эти духовные скрепы нации на корню.

— Мясо горит. — Герман поставил бутылку вина на стол и встал. — Ты, Данила, лекций нам не читай на дому. Ты готовить взялся.

— Я взялся готовить, да, о'кей. — Блондин, как жонглер, в мгновение ока перевернул жаркое на решетке, обернулся и увидел Катю.

Очень красивый парень. Такой, что глазам больно смотреть. Блондин, похожий на актера Кристофера Пламмера — с большими голубыми глазами, подбородком с ямочкой и великолепной фигурой, полной грации и мощи.

И тут внезапно, глядя на Данилу, Катя вспомнила его мать. Высокая блондинка, красавица, в джинсах и ярком пончо, она приходила в школу за Женей в младших классах. Как же он похож на мать! Женя мало похожа. А ее тетка — эта Раиса Лопырева, что сидит в шезлонге, да тут вообще никакого сходства. Сестры — и такие разные.

— Вот и Катя приехала, — громко объявила домашним Женя, — прошу любить и жаловать.

— Здравствуйте! — поздоровалась Катя. — Петр Алексеевич, здравствуйте!

— О, сколько лет, сколько зим, подойди, подойди, дай-ка рассмотрю тебя, — Петр Алексеевич оживился в своем инвалидном кресле. — Когда Женя сказала, что встретилась с тобой, мы с ней весь вечер про ее детство, про школу проговорили. Ох, какая же ты стала, Катя! Ну, прошу познакомиться, это вот жена моя Раиса Павловна...

— Здравствуйте, — Катя вежливо улыбалась Лопыревой.

— Хорошо, что приехали к нам, — та, не вставая с шезлонга, закивала добродушно, — отдохнете. У нас тут река рядом, лес.

Катя разглядывала Лопыреву — да, несколько раз она ее видела по телевизору. Такая деятельная дама, состоит там в каком-то комитете по общественным законодательным инициативам или что-то в этом роде. Она давала интервью журналистам. Но сейчас в домашней обстановке казалась немного другой, попроще.

— Привет!

Это произнес Данила.

— Здравствуй, — улыбнулась ему Катя, — как ты вырос.

— И ты тоже подросла, — он смотрел на нее в упор. — Правда, не стану притворяться, школьные годы помню я плохо, особенно школьные годы моей сестренки.

— Ну, вообще-то не так уж много времени с тех пор прошло, — возразила брату Женя, — не придуривайся. Катя, это он потому так говорит, что стесняется.

— Я стесняюсь, — Данила улыбался. — Я рад встрече, Катя.

— Я тоже.

— Ну мясо-то готово или нет? — капризно спросил Герман Дорф.

— Ага, ага, ага. У нас тут просто. Разбирайте картонные тарелки, пластиковые стаканы, все сами, сами, у нас крепостных слуг нет.

Жаренные на углях стейки оказались превосходными. Катя получила свою порцию и села в шезлонг рядом с Петром Алексеевичем Кочергиным.

— Молодец, что приехала, — похвалил тот, прожевывая кусок мяса. — Вы так дружили в детстве с Женей, как же так получилось, что все связи ваши оборвались, вся дружба?

— Ой, мы и сами это обсуждали. — Катя вздохнула. — Вы же тогда переезжали, она школу меняла. А потом жизнь как-то все перемешала.

— Ну да, жизнь перемешала, много перемен. А у нас потом вот это случилось, — Петр Алексеевич указал глазами на свое инвалидное кресло, — несчастье за несчастьем.

— Как вы чувствуете себя? — спросила Катя заботливо.

— Да нормально. Я уж привык. Очень рад тебя видеть. Такая девчушка ты была умная, светлая.

— Забавная.

Катя подняла взор свой. Данила перед ней.

— Вы с Женей дружили, и ты на нее влияла всегда положительно, — продолжал Петр Алексеевич. — И мы с моей женой, Жениной матерью, всегда радовались вашей дружбе.

— Женя сказала мне о Марине Павловне. Примите мои самые глубокие соболезнования.

— Да, да, но время все лечит. Мы вот с Раей теперь, — Петр Алексеевич глянул на Лопыреву, та говорила в этот момент с Женей. — Погости у нас. Как видишь, круг друзей у нас тут небольшой, но все люди хорошие. И место к отдыху располагает.

— Ага. Parva domus, magna quies — малое жилище, великий покой, — хмыкнул Данила, — что ж, подставляй чашу.

— Кладбищенский юмор оставь при себе, — приказал ему отец.

Катя подставила свой пластиковый стаканчик. Данила налил ей красного французского вина.

— Я спросила, как Женя отсюда до города добирается, она рассказала — шофер у вас работал и убили его. — Катя и тут решила гнуть свою линию, а то все эти разговоры...

— Мы в шоке, — ответил Данила.

— Жалко парня очень, — кивнул Петр Алексеевич. — Я сначала даже не поверил. А к нам из полиции приезжала женщина-следователь.

Он так воспринял визит майора Лили Белоручки.

— Найдут убийцу, — сказала Катя, — но все же это как-то неприятно. У вас такой тихий поселок, я поняла, многие в особняках не живут.

— Тут охрана в поселке, правда, надежда на нее фиговая. — Петр Алексеевич махнул рукой. — Фархада, шофера нашего, у станции убили. А там разный народ бродит — хулиганы, молодежь. А он приезжий. К тому же, как бы это покорректней сказать — смуглый, внешность восточная. Напали какие-то подонки.

— Был Фархад, и нет Фархада, — Данила налил вина в стакан и себе и выпил. — Тетя, радость моя, выпейте за духовные скрепы!

— Ты же знаешь, я не приемлю алкоголь, — откликнулась Лопырева.

— Так я крюшончику плесну. — Данила отправился к мачехе-тетке. — Крюшончику за здравие вашего приятеля-крепостника. Или за то, чтобы его паралич скорее хватил! Тост за то, чтобы консерваторы-мракобесы все передохли поскорее и не портили больше воздух своей вонью!

— Думай, что говоришь, — одернула брата Женя. — Папа, ну скажи ты ему...

— Я его в детстве не порол, а надо было пороть как сидорову козу, — сказал Петр Алексеевич.

— Ты прекрасно знал, папа, что я псих. Что если меня кто пальцем тронет, я и убить могу, — ответил Данила и тут же широко ясно улыбнулся. — Ну что вы, в самом деле? Я же шучу. Я шучу, прикалываюсь. Тост за «Капитанскую дочку», за злодея-батюшку Емельку Пугачева, тост за «Я пришел дать вам волю!», тост за декабристов, готовых умереть за свободу. Тост за «Тупейного художника» и Алешку Карамазова, что хотел расстрелять генерала, затравившего крепостного мальчонку борзыми псами! Тост за великую русскую литературу, что одна лишь может вынести приговор всему этому нашему новоявленному мракобесному дерьму!

— Вот, как раз в твоем духе — тост за дерьмо! — хмыкнул Герман Дорф.

— Ты опять хочешь, чтобы нас тут всех стошнило? — спросила Женя.

Данила отвернулся. Через пять минут он покинул патио. К жаровне встал Герман Дорф.

Накатили сумерки. И сад и патио окутал ночной ноябрьский мрак.

Сразу же ярко загорелись фонари на веранде и подсветка на аккуратных садовых дорожках, выложенных плиткой. Катя почувствовала, что, несмотря на горячую еду и вино, она начала замерзать в своем шезлонге. Она встала размять ноги.

Все вроде как наелись. Журчал вялый разговор. Герман открывал новые бутылки с вином. А потом словно возникло второе дыхание — все опять начали активно есть.

Вольный воздух рождал новую волну аппетита.

И Данила снова появился возле жаровни. Положил себе мяса на картонную тарелку и сел на перила веранды.

К восьми часам все очень организованно перешли из патио, где стало невероятно холодно, в дом — не в столовую и не на огромную кухню, отделанную мореным дубом, а на уютную стеклянную террасу. Тут в горшках у стен и на стеллажах стояли комнатные растения, которые осенью убрали из сада.

Ждал и накрытый к чаю стол. Катя подумала: а кто накрывал его? Где эта невидимая, неслышимая горничная-филиппинка?

— Катя, берите варенье вишневое, — предложила Раиса Павловна радушно, — это по старому нашему семейному рецепту. Волжский рецепт.

Катя положила себе варенье в розетку.

— Очень вкусно!

— Варенье — это все же наше традиционное, старинное кушанье, — Раиса Павловна улыбалась, — а то все выпечка какая-то французская и эти тирамису, панна коты. А тут, раз, шпилечкой вишенку накалывают и косточку выдергивают. А саму вишенку в сироп. Так все неспешно. Катенька, а вы замужем?

Катя взглянула на Раису Павловну — хоть и деловая она дама, а все же любопытна в житейских вопросах, как любая женщина.

— Да, я замужем.

— Это очень хорошо. Это правильно. Семья, брак — это самое ценное в жизни.

К началу десятого после чая с вареньем наметилась всеобщая тенденция расходиться по своим комнатам. Поздно в этом доме никто засиживаться не собирался.

— В праздники вообще по телику смотреть нечего, — сказал Петр Алексеевич.

— И не говорите, — хмыкнул Герман, — у вас тут сколько телевизоров в доме, а не включаете. И везде так сейчас. Народ телевизор уже не воспринимает. Мужики футбол посмотрят, а потом на пульте кнопку жмут — вырубают. Старухи смотрят «Прокурорскую проверку». Невыносимо по выходным стало. Заметил — по субботам сплошная юморина, по всем каналам тотальный ржач. А в воскресенье вечером — политический срач. Полная деградация жанра. Кто это выдержит долго? Зевают и спать идут.

— И я вынужден сказать всем спокойной ночи, до завтра. — Петр Алексеевич нажал кнопку на пульте, и его кресло медленно поехало в сторону холла.

Катя решила тоже идти к себе в гостевую комнату. Но тут снова возник Данила. Чай он на террасе со всеми не пил.

— Так, значит, ты замужем? — спросил он.

Вот откуда узнал? При разговоре моем с Лопыревой ты не присутствовал. Значит, у сестры справки навел?

— Я замужем, Данила.

— И хороший муж?

— Муж — человек хороший.

— Ясно, — Данила улыбался. — И как она, жизнь семейная?

— Прекрасно.

— А что же муж твой с тобой не приехал?

— Он за границей.

— Ааа, понял.

— А ты очень вырос, — похвалила Катя.

— А я и был взрослый. Это вы, мелкота, под ногами путались все время, — Данила улыбался совсем плотоядно, — мелюзга, девчччччонки... Ты ведь косичек никогда не носила...

— Точно, а ты помнишь?

— Смутно. — Данила больше не улыбался. Его улыбку словно стерли или сам он ее в момент убрал с губ, как актер. — У меня память порой начисто отшибает. Тут помню, а тут не помню.

Катя поднялась к себе. Закрыла дверь. Включила воду в ванной — надо принять горячий душ, согреться после патио.

Она достала мобильный и позвонила Лиле Белоручке.

— Привет, я на месте и провела тут почти целый день. Здесь вся семья Жени — ее отец, Раиса Лопырева, Данила — это Женин старший брат. И еще тут их приятель, некий Герман Дорф, — сообщила она. — Муж Жени, Геннадий Савин, сегодня на работе в мэрии и еще домой не возвращался. Насчет нашего дела пока ничего интересного — они по поводу убийства шофера отговариваются общими фразами — мол, очень жаль парня. И я...

Тут Катя запнулась. Она ведь узнала важную деталь — Женя находилась дома на момент возвращения шофера Фархада из Москвы из сервиса. И на допросе она солгала. Но говорить сейчас об этом Лиле... Нет, лучше пока с этим подождать. Придержать эту информацию.

— И ты что? — спросила Лиля нетерпеливо.

— И я узнала только — этот Герман Дорф приехал в Прибрежное к ним в тот вечер, когда произошло убийство.

— Герман Дорф? — переспросила Лиля. — Я думала у меня одна новость для тебя, а выходит, что сразу две.

— Какие новости? — Катя сразу насторожилась.

— Я тут МУР прозондировала, старые мои связи, — Лиля говорила тихо, — попросила данные по убийству того парня в Москве, Василия Саянова. Данные о номерах и контактах его мобильного телефона. Они там все уже проверили. Так вот — муж твоей Жени, он в списке.

— Геннадий Савин?

— Да, оба его мобильных номера в телефоне Василия Саянова. А сейчас ты фамилию Дорфа назвала — так вот и этот человек значится у парня в телефоне — Герман Дорф, его номер и адрес электронной почты. Они знали Саянова — и тот и другой. Они оба знали первую жертву.

Катя смотрела в темное окно — ни леса, ни реки, не видно ни зги...

Они знали первую жертву...

А вот это уже в деле поворот.

Глава 15
ДЕЖУРСТВО НА ПРАЗДНИК

В праздничный день Геннадию Савину выпало дежурить от мэрии и департамента благочиния и благоустройства. Дело привычное для чиновника среднего ранга.

Конечно, он предпочел бы отдохнуть, но служба есть служба. Выбирать не приходится.

А тут повалили неприятности и заботы. В полдень на Пятницкой улице прорвало трубу с горячей водой, и Геннадию Савину срочно пришлось выехать туда.

Нарядная, только совсем недавно благоустроенная и отремонтированная Пятницкая улица захлебывалась от кипятка. Рабочие лихорадочно долбили отбойными молотками чистенькую, аккуратную плитку тротуара и велосипедной дорожки. Экскаватор с ревом рвал новый асфальт на проезжей части, стремясь как можно быстрее вырыть яму, чтобы добраться до протечки.

Все опять принимало раздолбанный вид — все разбито и загажено.

Геннадий Савин стоял в стороне и наблюдал за ремонтными работами — к ночи коммунальщики обязались управиться с ремонтом трубы. А улицу Пятницкую придется приводить в порядок заново.

Взгляд Геннадия Савина скользил по крышам ярких особняков Пятницкой. Вон тот дом на углу переулка напротив голубой церкви ему знаком.

Вон то окно в элегантной мансарде...

Да, то окно — и на фоне окна тонкий юношеский профиль. Светлые волосы, как всегда, в хаосе стильной стрижки, и глаза — яркие, синие-синие.

Парня звали Васенька...

Васенька Саянов...

Геннадий Савин внезапно словно по-иному увидел и эту улицу Пятницкую, и эту мансарду под крышей, где располагалась очень дорогая квартира-студия.

А потом он вспомнил... нет, снова увидел Васю Саянова рядом со своей женой Женей.

Один профиль на фоне другого, будто на драгоценной древней камее.

Вася Саянов рядом с его женой...

Геннадий Савин ощутил в груди в области сердца почти физическую боль. И какую-то дрожь, смесь отвращения и нежности.

Экскаватор словно доисторическое чудовище вгрызался стальными клыками в асфальт, выбрасывая на-гора́ кучи щебенки и грязи. Горячую воду из прорванной трубы наконец перекрыли.

Рабочие в спецовках и оранжевых касках полезли, как муравьи, в вырытую яму заделывать течь.

После Пятницкой Геннадий заехал еще на Новый Арбат — там гулял студеный ноябрьский ветер. Ослепляла реклама.

Когда он вернулся в департамент благочиния, располагавшийся на Тверской, его внимание сразу привлек шум, доносившийся с улицы.

У памятника Юрию Долгорукому кипела буза.

Толпа журналистов и ОМОН окружали маленькую группку молодежи под флагом цветов радуги. Протестующие только-только развернули радужное полотнище и что-то начали выкрикивать, как ОМОН попер на них клином, рассекая и рассеивая. И тут же цепко вылавливая — всех, всех без исключения, чтобы ни один не ушел, не просочился! Сразу же появилось множество автозаков. ОМОН — судя по обтерханному, засаленному виду формы, не столичный, а прикомандированный, пригнанный на праздники откуда-то из провинции — начал загружать «короба». Протестующие упирались, некоторые ложились на асфальт, отказываясь идти в автозак, их тащили и бросали, как дрова.

— Гей-пикет несанкционированный! Безобразие! Это пропаганда, а что, если дети увидят? — громко судачили дежурные сотрудники департамента благочиния, прилипшие к окнам и пялившиеся на разгон пикета.

— А что, если дети увидят, как людей за волосы волокут по асфальту и швыряют в автозаки? — спросил Геннадий Савин.

Оглянулся на замолчавших коллег. И сразу пожалел, что это сорвалось у него с языка.

Глава 16
ПЬЯНИЦА И ВОР

— Подождите в холле, она сейчас придет. У них занятия по музыкотерапии. Моцарта они слушают, — сказала медсестра майору Лиле Белоручке и добавила: — Уж полиция бы сюда поменьше ездила. Мы ее немножко подлечили, прогресс наметился в общем состоянии, но может в момент сорваться.

Лиля села на кожаный диван в холле. Больница — знаменитая Соловьевка, клиника неврозов. Чистота, тишина, холл для посещений весь в комнатных цветах, как оранжерея.

Она приехала из Прибрежного сюда в Соловьевскую больницу для того, чтобы встретиться тут с Региной Саяновой — матерью Василия Саянова. Кате она об этом в телефонном разговоре не сообщила, решила рассказать уже по факту встречи.

О том, что мать Василия после его смерти находится в Соловьевке, поведал ей тот же самый источник в МУРе — по знакомству. Сказал коротко: мать — алкоголичка, после похорон сына допилась до белой горячки. Теперь вот в Соловьевке в себя приходит.

Ждать пришлось очень долго. Наконец она пришла — Регина Саянова. Еще молодая женщина, учитывая, что сыну ее всего-то девятнадцать стукнуло, но вся словно присыпанная пеплом — жидкие светлые волосы кое-как подколоты на голове яркими заколками-блямбочками, точно у первоклассницы, а лицо — в ранних морщинах. Движения все суетливые — то почесывается, то облизывает языком сухие губы, то теребит шнурки капюшона «кенгурушки».

Лиля Белоручка официально представилась, правда, не стала уточнять, что она из областного, Прибрежного ОВД.

— Нашли, кто убил Васеньку? — с ходу спросила Регина Саянова как-то уж слишком легкомысленно.

— Пока нет, ищем.

— Ищите, вам за это деньги платят.

— Давно вы здесь? — спросила Лиля.

— Месяц.

— Хорошая клиника.

— Хвалят ее. Я ж не своей волей сюда. — Регина почесала бровь. — Как похоронили Васю, я себя так скверно почувствовала, что уж и не знаю. В беспамятство какое-то впала. У меня и раньше проблемы с алкоголем были.

— Этого не надо стыдиться, — успокоила ее Лиля. — Я вас о сыне хотела расспросить...

— Спрашивайте, что теперь-то спрашивать, нет его. Ой, вот глядите, руки трясутся, — она вытянула вперед руки, унизанные золотыми кольцами, — еще подумаете, вот пропойца, да? А я ведь такой не была. Я веселая была в юности, спортивной гимнастикой занималась. Муж мой... Васин отец... это он нас вот такими сделал — и меня и сына.

— То есть? — спросила Лиля.

— Очень жесткий, нетерпимый человек. Я-то справлялась — открою себе бутылку, плесну шампанского в бокал или ликерчика. И все вроде сразу налаживается. А Вася мал был. Такой хорошенький, просто ангелочек.

Лиля Белоручка вспомнила фото из московского уголовного дела, присланного ей источником в МУРе, — юный блондин с модной стрижкой и синими глазами, кудрявый и точно похожий на херувима.

— Расскажите мне о сыне, пожалуйста, — попросила она. — Он у вас ведь и за границей учился, в Англии, да? А с кем он дружил, общался?

— Отец ему ни с кем в детстве дружить не разрешал. — Регина покачала головой. — У нас дом большой в Томилино, шофер его в детстве в школу отвозил и назад привозил. А дома муж завел строгие порядки — утром молитва, вечером молитва. Васю порой по десять раз на дню заставлял эти самые молитвы читать. И строго спрашивал — выучил ли он псалмы и из Писания отрывки. Я говорила мужу — не стоит так строго с ребенком. А он мне — молчи, дура, ты ничего не понимаешь, я наследника воспитываю в страхе божьем. Я и не возражала особо. А в двенадцать лет Вася из дома сбежал.

— Сбежал из дома?

— Нам его потом вернули — ваши же коллеги, нашли в каком-то подвале или на стройке. Муж рассвирепел. Совсем стал строгий. Молиться начал заставлять чуть ли не каждый час. А Вася, он... стал красть из дома.

— Красть? Что красть?

— Да все, что плохо лежит. Мы сначала на домработниц грешили. Муж мой их со скандалом увольнял. А потом мы поняли, это Вася ворует из дома. В пятнадцать лет он украл у мужа деньги из сейфа.

— Вы в полицию заявляли?

— На сына-то родного? Нет, конечно. Муж с ним говорил. Так кричал в кабинете, ногами топал. И докричался до того, что Вася в своей комнате на втором этаже встал на подоконник, грозился спрыгнуть. А дом у нас высокий. Я еле упросила его. Боялась, что у них с мужем худо все кончится.

— То есть как худо?

— Убьют друг друга.

— Убьют друг друга? — переспросила Лиля. — А можно вас спросить...

— Нет, это не муж его убил, — Регина нервно затрясла головой, — ваши коллеги проверяли. Муж мой сейчас в Италии. В Милане — вот уже год. И в Россию он на момент смерти Васи не приезжал. Бизнес у него есть в Италии. И любовница — девчонка молодая, какая-то певичка. И строгость вся сразу кончилась, все молитвы послал он куда подальше. Это нас с Васей он всю жизнь изводил, а там такая молодая стерва попалась, что он перед ней на задних лапках как пудель пляшет. Религиозность его прежнюю как ветром сдуло.

— Ну а сын-то ваш Вася весь этот год где жил, с вами?

— Нет, что вы. Уже после того случая с кражей денег из сейфа муж решил — надо что-то делать. Он купил ему квартиру в Москве. Очень хорошая квартира, хоть и небольшая, на Пятницкой, в двух шагах от Кремля. Вася туда переехал, как только школу окончил. Я у него там несколько раз была, а муж — нет, ни разу.

— А в Англию вы его посылали учиться, да?

— Это не мы, это он сам. Муж ни копейки ему не дал. А Вася где-то деньги нашел. Не знаю где. Мне ничего не говорил. Но поездкой очень доволен остался. Всего-то две недели. Это вроде как по обмену — жить в хостеле и учить язык английский.

— А когда он ездил?

— Прошлым летом.

— А вот машина очень дорогая «Инфинити», в которой его нашли...

— Это моя машина. Она уже не новая, ей восемь лет. Муж мне купил. Но я за руль теперь практически не сажусь. Я же пьяница. — Регина простодушно вздохнула. — Я пила, пью и буду пить, и никакие клиники мне уже не помогут. Вам бы, дорогуша, следовало принести мне.

— Здесь этого нельзя никак, — сказала Лиля, — постарайтесь взять себя в руки.

— А для чего? — Регина улыбнулась печально. — Муж с любовницей за границей, сына убили.

— Кто же его все-таки убил, по-вашему?

— Я не знаю. У него квартира, студия — там молодежь, и не только молодежь. Я видела несколько раз — все какие-то личности. Он ведь где-то деньги брал на жизнь, одевался хорошо. Муж ему ни гроша не давал. А я боюсь даже представить, где Вася деньги брал на жизнь, на бары, на клубы.

— И где, по-вашему?

— Он же вор с малолетства. Воровал. Ой, думаете легко мне, матери, такое говорить о сыне? Но где-то он ведь брал деньги.

— А машину свою вы ему отдали или он тоже... взял ее у вас без спроса?

— Он правами хвастался, мол, права я получил, мама. А машину свою я ему не давала. То есть доверенность я оформила. Но в тот день конкретно я ему не давала, то есть не помню, я пила уже тогда... Взял сам из гаража.

— Такое имя — Геннадий Савин — вам не знакомо? Сын не упоминал при вас?

— Нет.

— А Герман Дорф?

— Тоже нет. Вася со мной мало общался. Так все — привет, мам, нормально, мам... Мне некогда, мам... Пока, мам... Я уж и не лезла к нему. Как муж мой в Италию уехал, легче стало — ну, в смысле атмосферы. Мы ведь не в разводе, он имущество делить не хочет со мной. Наверное, ждет, когда я от пьянства сама загнусь. Вася против отца всю жизнь бунтовал — против этих долгих молитв, псалмов. Муж хотел вырастить наследника, человека верующего. А Вася, он... нельзя насиловать даже в вопросах веры, я сколько раз это мужу внушала. Только он меня не слушал, однажды ударил меня.

— Девушка у Василия была?

— Наверное. В клубах-то они сами на шею вешаются парням. Но со мной он никаких девушек не знакомил.

— А когда вы виделись с ним в последний раз?

— В середине августа. День такой жаркий... Я в Москву из Томилино приехала — по магазинам. А на обратном пути решила сыну позвонить. А он дома в своей студии на диване. И не поехал никуда отдыхать — или уже съездил. Но вроде не загорел совсем. Такой кроткий, как овечка... Задумчивый такой.

— Задумчивый?

— Я уж подумала — не влюбился ли? — Регина глянула на Лилю Белоручку. — Матери порой чувствуют, когда сыновья их... Ну, в общем, это трудно объяснить. А тот день жаркий выпал. А я еще и выпила к тому же по обыкновению — в кафе два бокала вина. Так что могла и ошибиться. Может, и не влюбился он ни в кого. А так просто, в меланхолии пребывал. Мы и говорить-то с ним не знали о чем. Я быстро уехала домой. Сейчас вот вспоминаю... так скверно на душе... А что я могла сделать? Как Васю уберечь?

— Постарайтесь поправиться, это сейчас самое главное, — сказала Лиля. — И не задавайте себе вопроса — зачем. Просто надо поправиться.

— Это и врач-психолог мне твердит. Жизнь, мол, не кончилась, — Регина слабо усмехнулась. — В следующий раз, если придете с новостями об убийце, принесите бутылку шампанского или джина. Нет, лучше шампанского. Это как-то более соответствует моменту. А потом черкните мне адресок убийцы. И я, клянусь...

Из глаз Регины полились слезы. В следующую секунду она уже тряслась от рыданий.

Глава 17
ПОДПОЛЬНОЕ КАЗИНО ИМЕНИ ЧЛЕНА

Ночью Катя проснулась внезапно от того, что прямо в глаз ей из окна светила огромная полная луна.

Катя вертелась и так и этак в постели, но от желтого прожектора никуда не деться. Тогда она встала, взяла с прикроватного столика свой мобильный. Глянула время — три часа.

Она решила задернуть шторы, но в комнате было жарко и очень душно. Она дотронулась до батарей — просто раскалились, тут в доме тепла не жалели. А окно-стекло-пакет наглухо закрыто. И нет ни форточки, ни фрамуги. Чтобы проветрить, надо открыть створку.

И Катя решила впустить в комнату немножко свежего воздуха. Она повернула ручку окна и открыла его.

Золотая осенняя луна над садом.

— Мммммммммммммммм! Аааааааааааааааааааааа!

От неожиданности Катя замерла. Этот протяжный женский стон, полный невыразимого наслаждения и неги.

— Мммммммммммммммммммм! Аааааааааааааааааа-аааааайййййййй!

Приглушенные страстные сладкие стоны — они накатывали из темноты тихой волной. Не поймешь, откуда они доносятся — бесконечное безмерное наслаждение, когда каждый нерв, каждая клетка тела трепещет и вибрирует, ловя физический кайф.

— Аааааааааааааааааааа!

Пик оргазма...

Катя ощутила невольную дрожь во всем теле. Она подумала о Жене. Перед тем как лечь спать, она видела фары и машину — муж Жени Геннадий Савин вернулся из Москвы.

Муж и жена...

Эта долгая осенняя ночь, полная супружеского счастья...

Катя тихонько прикрыла окно. Задернула штору. Не годится подслушивать.

Она вернулась в кровать, но все никак не могла заснуть, думая о Жене, своей школьной подруге.

А потом пришел сон.

Утром ее разбудил стук в дверь: пожалуйста, завтракать!

Это произнес голос, как колокольчик, с акцентом, и Катя поняла, что будить ее послали горничную-филиппинку. Она опять глянула время на мобильном — ого, начало одиннадцатого. Тут в выходной никто не собирался вставать рано.

После душа, переодевшись в теплый свитер, она спустилась вниз. Завтрак накрыли на огромной кухне, отделанной дубом. Но за столом — только Женя и ее муж Геннадий. И Раиса Павловна. Она пила кофе со сливками и ела ватрушку с творогом.

— Завтракать, завтракать, прошу к столу, — пригласила она Катю, — нас сегодня на катере по реке обещали прокатить, так что вернемся не раньше пяти домой.

Катя налила себе кофе из кофеварки, взяла с блюда теплую булочку.

— Привет, — улыбнулась ей Женя.

— Привет, — Катя тоже улыбалась.

Геннадий кивнул ей радушно. Он, впрочем, почти сразу же встал из-за стола, окончив завтрак.

Катя искоса поглядывала на Женю — личико такое нежное, прозрачное. Ах, сладкая ночь тебе выпала, подружка.

— Гена поздно вернулся, да? — спросила она. — Хорошо, что у него служебная машина. А шофер твой покойный его тоже возил?

— Фархад? Нет, он возил только меня. Он не каждый день работал. Я ведь не каждый день куда-то из дома выбираюсь.

Раиса Павловна допила кофе.

— Ну, я иду одеваться, — сказала она, — и вам советую одеться на реку как можно теплее. И вниз под брюки свои, джинсы, обязательно что-то шерстяное, а то застудитесь, потом век лечиться у гинеколога. А кому это надо?

— Действительно, кому надо, — согласилась Женя, — наденем теплые колготки, тетя.

— А у тети тоже служебная машина? — Катя продолжала гнуть свою линию — ей надо узнать подробности о жизни этого дома, относящиеся к профессии шофера.

— Конечно, у нее есть. Но она сама водит хорошо. У нее тоже «Ауди». Более дорогую она не покупает, не желает упреков в роскоши от партийцев и тех, с кем работает. — Женя доела бутерброд. — Ну все, питайся, а потом одевайся тепло.

— А где Данила?

— Черт его знает. Он не завтракал. Наверное, бегает у реки. Ничего, как выезжать в яхт-клуб будем, он появится.

В комнате своей Катя утеплилась: под брюки — шерстяные колготки, под куртку еще и жилетку-дутик. Река в ноябре — это вам тот еще экстрим.

Она вышла во двор, услышав громкие голоса, — все собрались возле гаража. Герман Дорф выгнал на пятачок рядом с Катиным крошкой «Мерседесом» свой огромный внедорожник.

И Данила появился — все в той же серой толстовке, правда, сверху накинул жилетку-дутик.

— Загружайтесь, — скомандовал он.

В машину к Герману сели Женя, Раиса Павловна и Катя.

— А что, Гена с нами на реку не едет? — спросила она.

— Нет, он дома с папой остается. — Женя покачала головой.

Катя подумала — ах ты, парень, после такой бурной ночи не до реки уже, спать, спать тебя, мужичок, клонит. Все ясно с тобой. И тут же она вспомнила новости Лили Белоручки о том, что Геннадий знал Василия Саянова.

Но что нам с Лилей дает этот факт? Многое и почти ничего одновременно, потому что расспрашивать сейчас Геннадия Савина *об этом* рано.

Он и про шофера Фархада ничего не говорил. Точнее, они вообще не беседовали — так, пара фраз тогда в «Мэриотте», и сейчас — вежливый кивок-приветствие.

Может, остаться и мне дома и попытаться разговорить его, подумала Катя. Но тут же решила — нет, Женя может неправильно понять. Здесь надо действовать очень осторожно.

Они выехали за ворота. И Герман направился к шоссе. И почти сразу же их обогнал мотоциклист на ревущем «Харлее». Катя поняла, что это Данила и у него свой, индивидуальный транспорт.

Яхт-клуб оказался местом пленительным и богатым.

Катера у причалов...

День выдался ясный, погожий, но такой холодный, что, кроме них, кажется, по Москве-реке не отваживался прокатиться никто.

Ах нет, вон катер прошел, гоня волну.

А вон моторная лодка.

Плавсредство — так Герман именовал свой катер — оказалось белым как снег, небольшим, вроде бы удобным, однако...

На катере Катя поняла, что не только что-то там узнавать, допытываться насчет убийства, но и просто разговаривать нормально практически невозможно.

Мотор урчал, ветер свистел в ушах, то и дело из-за борта обдавало ледяной водой, и они с Женей дружно визжали.

Раиса Павловна — раскрасневшаяся от ветра, помолодевшая, угнездилась на корме.

Катером Герман Дорф управлял лихо, по-пиратски. Данила был у него на подхвате. Они прокатились до самого Серебряного Бора и дальше, дальше, дальше.

Ноябрьский день на реке.

Солнце и холод.

Катя вся окоченела.

И вот они повернули назад. В яхт-клуб попали только к пяти часам. Ввалились все красные, охрипшие в кают-компанию. Герман пошел на ресепшн оплачивать какие-то счета. А они все жадно пили горячий чай, его принес смотритель яхт-клуба.

Когда на машине вернулись домой, Катя рухнула на постель. И подумала: никакая сила не заставит меня сегодня спуститься вниз.

Но потом она снова пошла под горячий душ. А через десять минут, завернувшись в махровое полотенце, уже красилась перед зеркалом.

Вечернее платье, что она взяла с собой, висело на плечиках на шкафу.

Внизу в столовой накрывали большой парадный ужин.

И когда Катя спустилась вниз, она поняла, что поступила правильно, одевшись нарядно.

Женя тоже вышла к столу в вечернем платье, Раиса Павловна — в синем, строгого классического стиля. И, как всегда, на шее — ее излюбленный жемчуг, только сейчас более дорогой и крупный.

Мужчины в столовой окружали сервировочный столик. В костюме — один лишь Геннадий Савин. Данила и Герман Дорф без пиджаков, в белых рубашках. И только Петр Алексеевич в своем инвалидном кресле одет по-домашнему, правда, поверх рубашки вместо свитера он надел бархатную куртку с атласными лацканами.

Стол — скатерть-самобранка. Но, как Катя успела заметить, все эти блюда не домашнего приготовления, а заказ из ресторана. Надо лишь достать из коробок, что-то разогреть и сервировать. Этим, видно, и занималась горничная-филиппинка. Ее опять нет — сделала свою работу и исчезла.

На столе очень много хрусталя и совсем нет цветов, потому что еда занимает всю площадь большого стола.

Жареные перепелки...

Гусь, обложенный яблоками...

Салаты, зелень...

Закуски...

Молочный поросенок...

Катя отчего-то обрадовалась тому, что ее усадили подальше от него. Запеченный поросенок напоминал трупик. И корочка румяная, и веточка петрушки во рту. Но нет сил смотреть на эти закрытые поросячьи глазки. Мертвые...

А когда в середине ужина Женя по просьбе Петра Алексеевича, вооружившись разделочным ножом и вилкой, начала буквально отпиливать голову поросенку, Катя невольно опустила глаза, уставилась на белоснежную крахмальную скатерть.

Ну чего ты? Чего, в самом деле? Это же семейный ужин... Это еда...

Как-то не вязался этот вот разделочный нож, отсекающий поросенку рыльце, с алмазными серьгами, поблескивавшими в ушах подруги, с ее хрупкими обнаженными плечами, с ее чудесным платьем.

Сначала все говорили только о прогулке по реке на катере. Делились впечатлениями, как же это здорово, свежо. Как все продрогли на ветру, но не сдались и не ныли. Как это вообще прекрасно — иметь быстроходный катер.

— На какие шиши купил, Геша? — спросил Данила.

— Копилку разбил. — Герман с аппетитом поглощал маленьких перепелов.

— Пиарщикам сейчас денег не жалеют. — Данила встал и, как официант, начал подливать всем в бокалы вина.

Катя наблюдала за Геннадием Савиным. Он с Женей сидел напротив нее. Ел он очень аккуратно и мало. А Женя — она явно заботилась о нем. То и дело пыталась подложить ему что-то на тарелку с блюда. И смотрела на него так нежно. Да, именно нежность к мужу Женя не могла скрыть — Катя отметила это про себя.

Ну конечно, после такой страстной ночи...

Вот что такое счастливый брак.

Геннадий вел себя с женой тоже очень предупредительно.

— Тетя, а правда, что ваш инициативный комитет предложил всем либералам, гомосексуалистам, всей, как вы называете, «пятой колонне» и вообще всем несогласным покинуть Россию? — спросил Данила громко.

— Никогда мы такого не говорили и не предлагали. Это все провокация. — Раиса Павловна вино не пила, потягивала из бокала ананасовый сок. — Ты же знаешь прекрасно, что все это вздор и неправда.

— Я не знаю, — Данила покачал головой.

— Сейчас в прессе пишут много всякого вздора, а в Интернете еще больше, — Раиса Павловна вздохнула, — возводят напраслину.

— А вы запретите Интернет. О! Это идея. — Данила хлопнул ладонью по столу. — Слушайте, у вас ведь инициативный комитет по разработке всяких там предложений. Так мы вам поможем.

— Да? Как? — Раиса Павловна рассеянно улыбалась.

— А давайте сыграем? Нет, нет, я на полном серьезе — объявляю открытым наше подпольное казино имени полового члена.

— Данила, прекрати, — подал голос Петр Алексеевич.

— А тут нет прослушки, папа. Ты что, жучков боишься? — Данила хмыкнул. — Мы же тут ужинаем семейно. Как на кухне. Заметил, что сейчас все разговоры снова на кухнях вести стали? Ну и мы тут за ужином — тра-ля-ля-тра-ля-ля.

— Будем грабить короля. Ох, рано встает охрана, — хмыкнул Герман Дорф. — Данил, уймись.

— Да я только начал расходиться. — Данила поднял бокал. — Итак, дамы и господа, наше подпольное казино имени полового члена я снова объявляю открытым. Кто не знаком с сутью происходящего, — он обернулся к Кате, — я поясню. Мы тут делаем ставки. Вот, я делаю ставку — тысяча рублей. Раньше больше было, но доллар растет, так что ставка скромная. Катя...

— Да? — Катя посмотрела на него.

— Хочешь знать, почему такое название у казино нашего?

Катя молчала. Она всей кожей ощутила, что Данила... он, кажется, пьян... хотя вроде и не пил... но нет, у столика сервировочного с бутылками он ведь обретался... Он как-то весь на взводе, словно пружина у него внутри.

— Мы делаем ставки на запреты, — продолжал Данила, — банк сорвет тот, кто переплюнет ту грандиозную идею с запретом нынешнего вида и дизайна сторублевок. Помнишь, в Думе разглядели под лупой у Аполлона, что на крыше Большого квадригой управляет, его крохотный болт. Может, кто-то и забыл эту потрясающую эпохальную депутатскую инициативу, но только не мы в нашем казино. Поэтому вот решили увековечить, выбить, так сказать, на скрижалях. Тетя, это ваш комитет такую инициативу подсказал — письки Аполлона на сторублевках, мол, а вдруг дети в лупу рассмотрят?

— Это не мы, — ответила Раиса Павловна.

— О, не все вашему комитету, такой перл просто недостижим в своем идеале. Ну ничего, сейчас мы вам окажем помощь в смысле идей. В смысле долгоиграющих инициатив. Итак, делайте ставки, господа, и вносите ваши предложения.

Все молчали.

— Что, никто пока ничего не придумал стоящего? Вот я кладу в банк еще тысячу. — Данила выложил купюру. — Мое предложение такое: запретить скульптурную наготу на улицах наших городов, в музеях и парках. Особенно в Питере. О, они там поймут, за идею ухватятся. А то что же это такое — дети видят позор, кошмар — весь Зимний дворец в голых гераклах и венерах. А у венер сиськи, как виноградные грозди, а у гераклов мужское естество выпирает наружу. А Летний сад? Это же вообще разврат — голые статуи. Запретить! Всем из гипса вылепить фиговые листы и присобачить или это — фартуки деревянные приспособить, а? Тетя, берите на карандаш, разрабатывайте инициативу. Ну? Что вы молчите? Генка, а ты как считаешь?

— Я считаю, что это чересчур, — ответил Геннадий Савин. И не поймешь — серьезно или не серьезно.

— Для Питера ничего уже не чересчур, — хмыкнул Дорф. — Такой город золотой, прекрасный. И такой затхлый. Плесенью несет из каналов. Плесень везде.

— Но ты туда раз в две недели обязательно на «Сапсане» катаешься, — сказал Геннадий Савин.

— Работа, — Дорф жевал. — Все же культурная столица... была.

— Так делайте ставки, вносите предложения на запреты! — Данила оглядел собравшихся. — Сестренка?

— Отстань, — сказала Женя.

— Папа?

— Надо запретить болтунам болтать, — громко возвестил Петр Алексеевич.

— Вообще! Правильно! И рот зашить суровыми нитками. Против болтунов и геев — предвыборный лозунг. — Данила положил руку на купюры. — Так, ставка принята. Еще инициативы.

— Данила, я прошу тебя, — тихо сказала Раиса Павловна.

— Тетя, мы же для тебя стараемся, для вашего инициативного комитета. Кладезь идей. Итак, господа, ваши ставки в наше подпольное казино?

— Можно запретить аборты, — сказал Геннадий Савин.

— Ого, идея! Тетя, это по вашей части, это вам понравится. — Данила ликовал. — Вы же вносили инициативу запретить суррогатное материнство, мол, это влечет классовое рабство или безклассовое, ну, когда богатые уже так богаты, что не в силах трахаться и рожать сами и привлекают для этого неимущий класс.

Звон.

Женя уронила на пол столовый нож.

Геннадий тут же нагнулся, поднял, отложил на буфет. Встал и достал из ящика другой, чистый.

— Обувь на каблуках надо запретить, — хмыкнул Дорф.

— Это уже пытались, это плагиат.

— Фильмы иностранные!

— И это уже пытались. Плагиат — ставка отклоняется.

— Работать не по специальности. А кто по специальности работы не нашел, пускай с голоду дохнет.

— И это хотели — ставка отклоняется.

— Петь песни на иностранных языках.

— И это предлагали. Ставка отклоняется.

— Иностранную моду, — предложил Дорф. — «Ты меня так таперича причеши, чтобы без тятеньки выходило а ля капуль, а при тятеньке — по-русски».

— Ставка принята.

— Данила! — Раиса Павловна повысила голос, но тут же мягко упрекнула: — Остановись, это уже не смешно.

— Я же стараюсь для вашего комитета.

— Ты просто изгаляешься, — Раиса Павловна вздохнула, — и это оскорбляет и тревожит. Ты смеешься над серьезными вещами. Над государственными вещами. Над законодательной инициативой.

— Да, я изгаляюсь, — Данила кивнул, — а что мне еще остается. Увы, господа, мы так и не пополнили банк кардинально. Не так это просто, оказывается, измышлять разные запреты.

— Ты ведешь себя так, потому что очень взбудоражен и желаешь привлечь к себе внимание, — тихо, мягко сказала Раиса Павловна.

— Я хочу привлечь к себе внимание? — Данила улыбался.

— Конечно. За столом рядом с тобой сидит очень красивая девушка, — Раиса Павловна в свою очередь улыбнулась Кате, — и ты из кожи вон лезешь, чтобы ей понравиться. Ты оригинальничаешь.

— Казино временно закрыто, — объявил Данила.

— Поросенок великолепный, — констатировал Петр Алексеевич. — Рая, будь добра, положи мне еще кусочек.

Раиса Павловна занялась мужем.

— Катя, а можно тебя спросить? — Данила снова обернулся к Кате. — Ты была в Большом после ремонта?

— Еще нет, не пришлось.

— А можно тебя пригласить в театр? Опера, балет, что нравится?

Катя не успела ответить.

— Не забывай, что Катенька замужем, — сказала Раиса Павловна. — Такие вещи надо спрашивать у ее мужа. Так положено в приличном обществе.

Данила встал из-за стола. Из столовой он ушел и больше не появился. А ужин продолжался.

— Кать, завтра мы с тобой пройдемся, в лесу у реки погуляем, — сказала Женя, — если, конечно, не польет дождь.

За столом снова заговорили все — о погоде, о самочувствии, о том, как это здорово иметь катер и куда его девать на зиму.

И, разумеется, никто не упоминал даже имени убитого шофера. Единственная тема, что интересовала Катю, никем не озвучивалась за праздничным ужином.

Но настроение за столом заметно изменилось — так показалось Кате. Как только Данила покинул столовую, атмосфера разрядилась.

Но Катя ошиблась. Ей не дано было увидеть, что случилось после ужина.

При закрытых дверях.

Глава 18
ПРИ ЗАКРЫТЫХ ДВЕРЯХ

Когда Раиса Павловна появилась в супружеской спальне, муж ее Петр Алексеевич уже сидел на своей постели.

Спальня, просторная и со вкусом убранная, имела одну характерную деталь — две кровати, поставленные рядом. Одна — обычная с высокими подушками под розовым атласным покрывалом. А вторая — медицинская, полностью технически оснащенная, как и инвалидное кресло: кнопка управления на пульте, чтобы кровать сама поднималась и позволяла лежащему в ней сесть, металлические скобы на стене и кронштейн с «ухватками», прикрепленный к потолку.

Петр Алексеевич в майке сидел на медицинской кровати. Инвалидное кресло стояло рядом. Он перебрался на кровать из него сам, без посторонней помощи, и момент этот Раиса Павловна не застала.

— Петенька, ты принял лекарство? — заботливо осведомилась Раиса Павловна, садясь за туалетный столик перед зеркалом.

Она начала причесывать свои короткие рыжие волосы.

— Нет, — Петр Алексеевич смотрел на жену.

— Надо выпить.

— Так подай.

— Конечно, сейчас. — Раиса Павловна встала и подошла к комоду — на нем несколько фотографий в рамках. А между фотографиями куча коробок с лекарствами. Она начала вынимать таблетки из гнезд и складывать на фарфоровое блюдце.

— Сейчас принесу тебе чая запить.

— Потом. Подойди сюда.

— Я за чаем на кухню.

— Я сказал, подойди ко мне. — Петр Алексеевич похлопал ладонью по постели, словно приглашая жену присесть.

Она забрала блюдце с таблетками и подошла, протянула таблетки мужу.

Но Петр Алексеевич таблетки проигнорировал. Он левой рукой цепко схватил Раису Павловну за отвороты ее махрового розового халата, в который она обычно облачалась в спальне.

Он рванул ее к себе с невероятной силой и правой рукой внезапно наотмашь ударил по лицу.

— Петя! — Раиса Павловна взвизгнула приглушенно.

Вырвалась, хотела отпрянуть, но Петр Алексеевич приказал:

— Стой где стоишь.

И Раиса Павловна осталась перед ним на месте. И в странной позе — согнув ноги в коленях, чуть присев даже, чтобы он мог дотянуться.

А он ударил ее снова по лицу. Еще и еще.

И кто бы мог предположить из тех, кто видел Раису Павловну Лопыреву публично — в ее офисе в отеле «Москва», за «круглым столом», который она собирала в инициативном комитете для обсуждения животрепещущих, как ей казалось, вопросов, в кабинетах больших начальников, в думских кулуарах, где она так часто раздавала интервью журналистам, — да, кто бы мог предположить, что в супружеской спальне при закрытых дверях она униженно стоит вот так на полусогнутых, едва ли не руки по швам, когда муж-калека бьет ее с такой остервенелой и вроде бы совершенно неоправданной злобой.

За что?

Уж не сошел ли с ума Петр Алексеевич?

— Петя, Петя, Петяяяяяяяяя...

— Молчи!!

Из носа Раисы Павловны хлынула кровь. И лишь тогда муж ее перестал бить.

— Казнишь меня, как палач. — Раиса Павловна всхлипнула.

— Молчи, морда... мордень...

Петр Алексеевич вытер руку, испачканную в крови и соплях жены, об одеяло. Раиса Павловна, шатаясь, направилась к двери ванной, смежной со спальней. Она умывалась там долго. А на кухню за чаем для мужа уже не пошла.

Потом она вернулась — уже умытая, с примочками на лице, и тихонько разделась — сняла халат, легла на свою кровать, укрывшись до подбородка.

Петр Алексеевич нажал кнопку на пульте, и в спальне погас свет.

Глава 19
ПРОГУЛКА

Утро началось как-то вяло. Потеплело, но небо все в серых сырых тучах. Завтрак снова накрыли на кухне, но за столом Катя увидела только Женю. А где же все?

— Тете нездоровится, голова разболелась. Гена и Герман уже позавтракали. Папа делает лечебную гимнастику, а это долго в его случае, а Данилу где-то носит. Опять бегает, энергию тратит неуемную.

Так пояснила Женя, наливая Кате черный кофе.

Кате припомнился вчерашний разговор за ужином. И после ужина.

Она уже собиралась идти после ужина к себе, стояла у окна, смотрела в темный сад, Данила подошел к ней сам:

— Не воображай, — сказал он, — я не хотел тебе понравиться.

— Я и не воображаю, — Катя пожала плечами.

— Но нравлюсь я многим.

— Головокружение от успехов.

— А тебе у нас понравилось? — спросил Данила. — Вот здесь?

— Я рада Женю повидать и Петра Алексеевича.

— Но тебе понравилось у нас тут? — настойчиво допытывался Данила.

— Нн-нет. Не очень, — призналась Катя.

— Modus cigitanti, modus dicendi — образ мышления, манера выражаться, да?

— Не в манерах дело.

— Но ты все равно приезжай к нам почаще. И Женьку не оставляй. — Данила смотрел на Катю. — Так ты пойдешь со мной?

— Куда?

— В Большой театр, я же пригласил тебя.

В другой бы раз Катя ответила — это вряд ли. Но сейчас... она ведь обещала Лиле помочь разобраться. А не общаясь со всеми фигурантами это невозможно.

— Я твой номер мобильного из мобилы сестры свистнул, — признался Данила. — Я тебе позвоню, достану билеты. Опера, балет?

— На твое усмотрение, — ответила Катя.

Считай, что я сказала — «да»...

Такая вот беседа после ужина, а утром Данила не появился. Женя предложила, как и вчера, прогуляться.

Они оделись потеплее и вышли за ворота. Прошли по пустой тихой улице и углубились в лес. Женя вела Катю к Москве-реке.

— У Данилы была девушка? — спросила Катя.

— У него все девушки на час. — Женя ногой ворошила палую листву.

— Я к тому, что выходные и праздник, а он дома. И подружку не привез.

— У него подружки не задерживаются. Ты не обращай на него внимания.

— У него ссадины на лице.

— Это из-за бокса. Подпольные матчи на деньги, в ангарах их устраивают. Мафия, конечно, а кто же еще? Я его сколько раз просила. Он не слушает меня. Боюсь, убьют. Там ведь как — сначала бокс на ринге, а потом драка болельщиков.

— Убили твоего шофера, — сказала Катя. — Далеко отсюда то место?

Она прекрасно знала ответ. Но надо, надо говорить о самом важном.

— Возле станции, в другой стороне. Тут наш лес, тут спокойно.

— А мне не по себе что-то, — призналась Катя «доверчиво», — как я про убийство шофера узнала...

— Я стараюсь об этом не думать. Что я могу сделать? Что я могла сделать?

— А выходит, ты — последняя, кто видел его перед смертью, — заметила Катя. — Ты же сказала, что он отдал тебе документы из сервиса?

— Да, Фархад их мне отдал. Я из окна видела — папа с ним в саду разговаривал. А потом спустя какое-то время приехал Герман.

— Он сказал, что твоего шофера не видел в тот вечер. А у Германа кто-то есть?

— У него квартира на Тверской-Ямской, там много всякого народа кружится. Он старается широкие связи поддерживать со всеми, он же пиарщик. Он никогда не был женат. Они с Данилой ходят по клубам. Развлекаются. Холостяки есть холостяки. А что, тебе Герман понравился?

— Очень даже ничего, — усмехнулась Катя, — твоей тете с ним работать, наверное, приятно.

— Он пиарщик, — снова повторила Женя. — Они дьяволу готовы душу продать ради того, чтобы пиар шел и деньги капали. Герман по характеру на мою маму похож.

— На маму? Как это?

— Ну, она тоже любила шум, компании. Всегда вокруг нее большая тусовка — друзья, друзья друзей, мужчины. Папа ненавидел все это — всю эту светскую жизнь. А мама жить без этого не могла, сразу впадала в хандру.

— Красивая женщина.

— Красавица. Я так порой тоскую о ней.

— Я ее помню. Раиса Павловна совсем мало ее напоминает.

— Тетя другая.

— Твой отец быстро женился?

— Он в клиниках почти год лежал после аварии. Потом это кресло инвалидное. Бизнес стал по швам трещать. Мы постепенно разорялись. А тетя Рая имела достаточно своих денег, она уже тогда умела устраиваться к власти поближе. Папу она всегда жалела. А маму... знаешь, она ее осуждала при жизни. Ну, за ее стиль, за поведение...

— За поведение?

— Мама ведь изменяла отцу, — сказала Женя, — и мы об этом знали. И я, и брат. И сам папа. Чего они разводиться-то собрались?

— Но ведь не развелись же.

— Не развелись. А потом мамина смерть все уравняла. — Женя шла, прихрамывая. — Отец женился на тете Рае. Она его и морально поддержала и выходила после аварии, и деньгами тоже... Фактически это все ее — дом, где мы живем, деньги. Папа хорохорится, но он только бумаги подписывает у юристов.

По тропинке они вышли на высокий берег Москвы-реки.

— Хорошо тут у вас, — сказала Катя.

— А ты приезжай почаще, ладно?

Катя обняла подругу за плечи. Они смотрели на темную стылую осеннюю воду. И внезапно...

Нет, описать словами это невозможно.

Словно резкий укол.

Мурашки по спине.

Катя резко обернулась назад.

Стена леса. Голые деревья, а кусты все еще в желтых и багряных листьях.

Мертвая звенящая тишина.

Но в этой тишине...

Катя поклясться была готова: за ними кто-то наблюдает.

Глава 20
БРАК — ЭТО СВЯТОЕ

Герман Дорф стоял за толстым стволом большого раскидистого дерева с морщинистой корой. Он отлично видел и тропинку, и крутой берег Москвы-реки.

Две девушки, вышедшие на прогулку из дома, остановились как раз там, на утоптанной площадке, откуда открывался великолепный вид на реку.

По реке они все вчера мчались на катере, рассекая волны...

А сейчас две девушки стояли на краю обрыва, спиной к Герману Дорфу.

Так что подойди неслышно, протяни руку и столкни. Обеих вниз.

А потом и сам туда за ними, в вечный покой. Быть может, легче это сделать вместе? Не одному? За компанию?

Некоторые мысли странны сами по себе. Они гибельны и опасны. Но словно крохотный неумолимый бур, они сверлят, и сверлят, и сверлят мозг.

Непреодолимое искушение...

Так и тянет...

Потому что никто, никто, никто не видит.

И не узнает.

Но нет...

Герман Дорф бесшумно попятился и скрылся в кустах орешника. Через пять минут он уже шагал по улице поселка. Вошел на участок, набрав код домофона на панели у калитки.

В саду и в патио — никого. На кухне — звяк, звяк, звякает столовая посуда и шумит вода. Горничная-филиппинка убирает со стола после завтрака.

— Герман, доброе утро.

Дорф обернулся — за его спиной на дорожке сада Раиса Павловна. Он вгляделся в ее лицо. Примочки помогли, но не так, как того хотелось бы. Не полностью.

— Он опять поднял на вас руку? — спросил Герман.

Раиса Павловна дотронулась до виска. Она шла от гаража в сторону дома. В гараже стояла ее машина, но Раиса Павловна в это утро не собиралась никуда уезжать.

— Этому надо положить конец, — сказал Герман.

— Бог простит, — прошептала Раиса Павловна.

— Но это ведь ни в какие ворота, он бьет вас!

— Бог простит. Я прощаю, я прощаю его.

— У вашего мужа с головой не в порядке, — сказал Герман, — и он не такой уж беспомощный, каким хочет казаться.

— Герман, я прошу вас...

— В конце концов, есть специальные учреждения... клиника... вы не хотите поместить его в клинику?

— Он мой муж, — кротко сказала Раиса Павловна. — Герман, поймите, для меня это не просто слова. Все, что я говорю публично, к чему всех призываю. Брак — это святое. Это основа основ. Законный брак — это таинство! Это союз между мужчиной и женщиной, когда двое — одно, что бы там ни выпадало в жизни на их долю. Я верю в это всей душой. Поймите, мы же в церкви с Петей обвенчаны. Это невозможно разорвать. Для меня все это свято. И когда я выступаю, когда беседую с людьми, с общественностью, с нашими активистами, я хочу донести до них частицу моей веры в этом вопросе. Это великие традиционные ценности. И я их разделяю.

Герман смотрел на нее. И странное выражение было на его лице.

— Это невозможно терпеть, Раиса Павловна.

— Я должна терпеть. Я жена своего мужа.

— Домострой какой-то.

— Это не домострой. Это христианское смирение и... я прощаю его, я каждый раз от всего сердца прощаю Петю.

— Ну давайте я с ним поговорю?

— Нет, нет, ни в коем случае.

— Давайте я поговорю с Данилой.

— Я запрещаю вам вмешиваться. И по поводу Данилы... Это вообще не его дело. Это наша жизнь с его отцом, моим мужем. Это наш брачный союз.

— Ну как хотите, — Герман вздохнул.

Он пропустил Раису Павловну на дорожке мимо себя, давая ей пройти к дому. Когда она скрылась за дверью, он сам отправился в гараж.

Пикнув сигнализацией, открыл дверь своего внедорожника, на котором катал всю веселую компанию в яхт-клуб лишь вчера.

Герман осмотрел салон — сколько грязи нанесли гости на коврики. Затем он открыл бардачок.

Достал из кармана куртки пистолет. Созерцал его пару секунд, а потом убрал подальше — вглубь.

У калитки послышались оживленные женские голоса.

Катя и Женя возвращались с прогулки.

Глава 21
ДОПРОС

Как-то все скомкалось — весь этот день. И Катя никак не могла уяснить для себя причину — почему. И отчего так внезапно.

Вроде все шло так хорошо в этом доме — вечернее барбекю, на следующий день катер, потом парадный ужин. И вот сегодня — словно вымерли все.

Они с Женей вернулись с прогулки. В доме — тишина. Раису Павловну и Петра Алексеевича Катя так и не увидела. Потом Женя сообщила, что ее муж Геннадий и Данила скоро куда-то уезжают. «По делам, сказали».

И Катя решила — нечего тут больше ловить и высматривать. Все равно дело застопорилось.

Она объявила Жене, что тоже отбывает — надо засветло домой добраться, а то будут пробки.

Не так уж и далеко от Москвы, то есть совсем рядом — Прибрежный, а пробки лишь на въезде в самый центр, но Катя лукавила. Она решила заехать в ОВД к Лиле Белоручке.

Катя забрала вещи из комнаты, загрузила в багажник своей машины-малышки, Женя открыла автоматические ворота. Подошла к авто, наклонилась и поцеловала Катю в щеку — благо окно опущено.

— Созвонимся. Мы теперь опять будем вместе, да? — она смотрела на Катю с надеждой. — Знаешь, я считаю, если мы после стольких лет встретились вот так случайно — то это чудо. А у меня до этого чудес в жизни совсем не было. Не пропадай, ладно? А, Кать? Увидимся?

— Очень скоро, — пообещала ей Катя.

Она ехала по поселку... не в лучшем настроении. Она ведь обманывала Женю, да... Но вот вопрос: а была ли подруга с ней до конца откровенна?

Но в чем? В своей непричастности к убийству шофера Фархада? Подруга на допросе солгала, а вот Кате — как ей показалось, человеку совершенно «не в теме», она проговорилась. Случайно? Возможно. И не придала этому значения.

Но, с другой стороны, зачем Женьке убивать своего шофера?

Какой-то абсурд в самой постановке этого вопроса.

Мотив? Но какой у Жени мог быть мотив?

Красивый парень этот шофер Фархад. Был ее любовником?

Вот какая версия напрашивается в самый первый момент.

Самая пошлая версия.

Но если не такая, то какая же еще? Вообще, какие мотивы могли быть у людей этого благополучного дома для убийства шофера?

Нет, нет, пока никаких связей. Даже намека на связь.

А с другой стороны — номера телефонов Геннадия Савина и Германа Дорфа в мобильнике первой жертвы.

Но какая связь между Василием Саяновым и шофером Фархадом?

Опять никакой.

Лишь отсутствие гильз на местах преступлений.

Катя позвонила с половины пути Лиле Белоручке. Не ошиблась — та в выходной день в ОВД.

— Я еду от них домой, — доложилась Катя, — через десять минут буду у тебя.

Лиля сидела в своем маленьком кабинете — снова в форме, весьма официальный вид.

— Ты машину где оставила? — спросила она после того, как Катя подробно рассказала ей о событиях последних трех дней.

— Перед отделом.

— Пойдем, уберешь машину во внутренний двор. — Лиля встала.

— А почему?

— Я решила допросить мужа твоей подруги и ее брата. Имею полное право в рамках расследования уголовного дела по убийству. Так вот, оба приедут сегодня. Уже вот сейчас. — Лиля глянула на стенные часы. — Геннадий Савин сказал, что в будние дни он работает. И я пригласила его в выходной. И Данилу Кочергина тоже.

— Ты им звонила? — спросила Катя.

— Да, вчера утром.

— Но мы... мы на катере катались. Данила даже словом не обмолвился, что его в полицию вызывают. И Геннадий тоже, он дома оставался. Но за ужином и речь об этом не шла.

— При тебе, — сказала Лиля. — Мало ли о чем они говорят без тебя.

— А Германа Дорфа ты не станешь вызывать на допрос?

— Позже. Надо как-то обыграть твою информацию, что он приезжал к ним домой в тот вечер. Я вот что думаю — это же был осенний дождливый вечер. Восемь часов, половина девятого. Где их всех носило?

— Лопырева Раиса Павловна — деловой человек, политик. Геннадий работает. Данила... он — да, его точно где-то носило, как сказал Дорф. И потом у него наверняка есть квартира еще и в Москве. Герман Дорф приезжал, возможно в яхт-клуб, его лодка там. А Женя...

— Что Женя? — Лиля смотрела на Катю. — Тачка в ремонте, шофер пригнал... А что же хозяйка? Где она была? Говорит — на шопинге.

— Нет. — Катя решила сказать правду, так лучше. Пора пришла. — Она находилась дома в тот вечер.

И Катя рассказала все.

— Ясно, — Лиля кивала, — а на допросе в этом не призналась.

— Разные могут быть причины.

— Разные. А что она об отце говорила? Что это он, мол, видел шофера в тот вечер последним? Разговаривал с ним в саду?

— Так она мне сказала.

— Восемь часов, дождь шел. Что делает инвалид в кресле в саду? Мокнет?

— У них в патио есть где укрыться от дождя — крыша, навес. — Катя покачала головой. — Нет, Лилечка, так не годится их ловить — на противоречиях. Все противоречия пока по сути ничтожны. И ты их не поймаешь, не уличишь. Мне бы хотелось услышать содержание допросов. Как бы это организовать, а?

— Легко, — ответила Лиля. — Я их допрошу не здесь, а в кабинете экспертов. Там смежные комнаты — кабинет и лаборатория. Эксперт дома дежурит по вызову, кабинет пустует. Ты сядешь в лаборатории, дверь оставим приоткрытой.

— Затаюсь, — усмехнулась Катя.

Она отогнала машину во внутренний двор ОВД. Лиля открыла кримлабораторию. Катя подвинула стул к самой двери — подслушивать так подслушивать.

Через полчаса они приехали — и Данила, и Геннадий Савин. Майор Лиля Белоручка начала допрос с мужа.

Катя, сидя в своем укрытии, не видела их — только слышала голоса.

Удивительно, за эти три дня и за тот вечер в «Мэриотте» Геннадий не сказал со мной и двух фраз...

— Я вас вызвала в связи с расследованием уголовного дела об убийстве Фархада Велиханова, работавшего у вас в доме шофером. Я допрошу вас по поручению следствия.

— Я так и понял.

Геннадий Савин начал отвечать на стандартные вопросы «шапки» протокола. Год и место рождения, адрес... Местом работы своей он назвал департамент благочиния и благоустройства при столичной мэрии. Адрес назвал московский, пояснив, что они с женой купили квартиру, в которой в настоящее время ремонт.

— Сколько времени у вас работал Фархад Велиханов? — спросила Лиля, закончив формальности.

— С сентября.

— Как вы его наняли? Через агентство?

— Нет, сайт просматривал, «Ищу работу». Жене нужен был шофер для ее машины. А наш прежний водитель стал стар, шестьдесят пять — это уже не возраст для безопасной езды. На сайте выложены резюме и фотографии претендентов, можно познакомиться и связаться. Я выбрал его.

— Фархада Велиханова? По резюме или по фото?

— И то и то сыграло роль. Вроде честные глаза. Это ведь важно, мы берем человека с улицы в дом. А в доме моего тестя ценности. И машина дорогая. И я повторяю — безопасность дорожного движения. Все в совокупности. Я доверяю своему личному впечатлению. Я ему позвонил, пригласил, чтобы жена одобрила. Женя сказала — подойдет.

Катя слушала Геннадия. Обстоятельный, но голос тусклый, равнодушный.

— Ваша жена сказала, что сама не водит машину.

— И прав не имеет. И не училась. У нее фобия.

— Какая фобия?

— Транспортная. Это после аварии, в которой погибла ее мать, а отец получил увечье. Жена боится водить.

— А передвигаться как-то нужно. Поэтому — личный шофер. Понятно, — согласилась Лиля. — А в каких вы были с ним отношениях?

— С шофером? В обычных — подай машину, отвези, поставь в гараж.

— Он во сколько начинал и заканчивал работу?

— Ну, жена рано не встает. Он приезжал в Прибрежное к одиннадцати часам — и не каждый день, через день, а то и два. Лишь когда жена выбиралась в город. Непыльная работенка, да? Но он очень за нее держался, потому что таким образом подрабатывал на учебу — что-то связанное с дизайном в театре. Я особо не вникал.

А вечером он привозил жену домой, иногда нас обоих, когда я отпускал свою служебную машину.

— А утром вас на службу Фархад разве не возил?

— Нет, за мной приезжает машина департамента.

— Мы проверили его мобильный, — сказала Лиля. — Телефон во время нападения не взяли. Там номера вашей жены и ваш.

— Естественно. Я ему дал, мало ли что с машиной в дороге может случиться.

— А это вот чей телефон?

Зашелестела бумага.

— Это мобильный брата моей жены — Данилы. Вы его тоже вызвали, он ждет своей очереди.

— Зачем телефон брата вашей жены вашему шоферу?

— Я же сказал — мало ли что в дороге. Я занят на работе, а Данила... он свободный человек. У него и машина, и мотоцикл, очень все мобильно. Всегда может подъехать помочь, если что.

— Такая дорогая машина, они как часы работают, — заметила Лиля. — А что, в сервисном осмотре возникла такая необходимость в тот день?

— Техосмотр на носу, там такие правила.

— То есть не ЧП, не поломка?

— Нет, нет. Скажите, а есть какие-то подвижки в расследовании? Кто его убил?

Самый главный вопрос задаешь ты, Гена... Но не сразу...

— Мы разбираемся. Видите, возникла необходимость и вас допросить.

— Да ради бога. Только чем я-то могу помочь?

— Когда вы видели Фархада Велиханова в последний раз?

— За день. Он как раз работал, жену привез из салона красоты, это отель «Лотте Плаза».

— Накануне он у вас, значит, не работал?

— Нет.

— Где вы находились вечером в день убийства?

— Простите, можно спросить? — Геннадий заворочался на стуле.

— Пожалуйста.

— Это традиционный вопрос полицейского расследования или...

— Или что?

— Или вы меня в чем-то подозреваете?

— Нет, никаких оснований, — заверила Лиля, — это формальный вопрос, всем задаем. И вашу жену я спрашивала. Она, кстати, сказала, что отсутствовала в тот вечер дома. Так что не хватайтесь за телефон звонить своему адвокату.

— У меня нет адвоката. Это вообще сейчас бесполезная профессия, — усмехнулся Геннадий. — Так, где же я находился-то... дай бог памяти... Совещание... нет, совещание за два дня, комитет по архитектуре... Да, я после обеда был на заседании комитета по архитектуре. А потом поехал разбираться с одним ЧП.

— Каким ЧП?

— Ну это входит в мои обязанности — разборки на местах. У Мясницких ворот поставили павильоны для торговли, так сказать, традиционными ценностями.

— Чем?

— Шутка, — Геннадий снова усмехнулся. — Исконный русский продукт — сушеные грибы, пряники, икра, таежные соленья-моченья. И все это в павильонах. Так вот там собрался пикет защитников животных. Возмущались тем, что там продают колбасу из конины. Это, мол, варварство, сродни людоедству — лошадь, такое животное — и пускать на колбасу. Я приехал разбираться, успокаивать. Они Невзорову собирались звонить. Я говорил, убеждал — такая уж традиция. А они в ответ — может, в Золотой Орде и принято было колбасу из конины есть, а в европейской столице — это варварство, каннибализм. В общем, пикет возмущался, митинговал, я уговаривал. Потом поехал по пробкам домой.

— На своей служебной машине? Вас домой в тот вечер привез ваш водитель от мэрии?

Пауза.

— Нет. Я служебную машину в тот день вообще не брал. Я взял джип моего тестя.

— Но ваш тесть инвалид.

— Они с женой, тетей моей жены, имеют две машины: «Ауди» и джип.

— Жена — тетя?

— Семейные сложности. У моего тестя это второй брак, он ведь овдовел. И женился на сестре своей покойной жены. Кстати, это Раиса Павловна Лопырева.

— Фамилия известная по масс-медиа. Я в курсе, — ответила Лиля. — А почему вы в тот день взяли машину из дома, а не воспользовались служебной?

— Надо было бензин залить в бак. Я подумал — раз еду на заправку, поеду и в Москву на работу, чтобы не делать два конца. И служебную не гонять зря.

— Скажите, а сейчас те павильоны у Мясницких ворот функционируют?

— Нет, торговля закончилась. Это что-то вроде предпраздничной ярмарки.

Вот так, теперь и не проверишь — приезжал ли он туда разбираться с пикетом насчет конской колбасы, — подумала Катя в своем укрытии, — и происходило ли это вообще... вот такая ссылка на алиби, которого, оказывается, у него нет.

— Последний вопрос, — подытожила Лиля. — У вас есть какие-то подозрения?

— Насчет убийства нашего шофера? Конечно. Это ограбление, причем явно на этнической почве. Его приняли за мигранта.

— Его не ограбили.

— Да? Значит, просто убили. Сейчас столько злобы в людях, — сказал Геннадий, — я порой сам теряюсь. Злоба, нетерпимость правят бал. Я скорблю о парне. Он был хороший человек, честный. Ничего, кроме добра, мы от него не видели. Я ведь самое ценное ему доверял.

— Что же?

— Свою жену, — ответил Геннадий и тут же пояснил: — Он водил машину очень хорошо. Жена не испытывала своих злосчастных фобий скорости, движения, не пугалась. Он старался, чтобы она не боялась.

Катя тихо, как мышка, ждала в соседней комнате следующего фигуранта. И вот место свидетеля занял Данила.

Катя слушала, как он отвечает на стандартные вопросы протокола.

— Вы живете в Прибрежном? — спросила Лиля.

— В основном да, с отцом. Он инвалид, ему нужен присмотр.

Тебя же дома сутками не бывает...

— Но у меня есть своя квартира в Крылатском. Иногда я там.

Лиля записала адрес квартиры в Крылатском.

— Когда вы видели Фархада Велиханова в последний раз?

— Фару? Это мы его так называли дома — Фара. Честное слово — не помню. В какое-то из утр, когда он сестру собирался везти в город.

— А в тот вечер где вы находились?

— Мы с приятелем договорились встретиться. У него катер в яхт-клубе. Мотор барахлил, он хотел подъехать посмотреть — ремонтники прибыли, ну и меня позвал. Только я завис в пробке на Ленинградке.

— Как фамилия приятеля?

— Дорф, Герман. Он работает у моей тетки.

— Значит, в тот вечер вы не встретились?

— С кем? — спросил Данила.

Пауза. Лиля не спешила задавать вопрос.

— С Фарой или с Германом? Вы это имеете в виду? — Данила как-то заспешил. — Шофера я не видел. Когда я приехал, Герман ждал меня у нас дома.

— А кто еще находился дома в тот момент?

— Мой отец.

— А еще кто?

— Горничная.

— А ваша сестра?

— Она приехала позже.

И он тоже врет... Не хочет впутывать Женю?

— Откуда?

— Почем я знаю. Наверное, с танцев.

Мне Женя сказала, что танцы не посещает... Не хочет хромать на танцполе. Он лжет о сестре.

— А на чем она приехала? — не отставала Лиля.

— Понятия не имею. Ах да, наверное, на такси. Тачку ведь Фара из сервиса пригнал.

— Фархад пользовался велосипедом?

— Часто садился на велик. Это же удобно.

— А его маршрут до станции всегда был один и тот же?

— Я не знаю. Впрочем, тут одна дорога на станцию — через аллею. По лесу-то не очень проедешь в темноте по корням.

— Вы правы. Какие у вас были отношения с Фархадом?

— Нормальные. Парень не вредный.

— С этим своим приятелем Германом Дорфом вы поехали в тот вечер в яхт-клуб?

— Нет.

— А почему?

— Раздумали. Он напился.

— Кто?

— Герман, — Данила усмехнулся. — Редко с ним это случается, но так вышло у нас. Мы напились.

— А когда вернулись остальные ваши родственники?

— Я не помню. Тетя Рая приехала, а потом Генка — вы же его допрашивали, наверное, он сказал вам.

Лиля этот вопрос Геннадию Савину не задавала.

— Вы кого-нибудь подозреваете?

— В смерти Фары? А кого я могу подозревать?

— Может, он делился с вами, может, у него имелись враги?

— Врагов у него не было, — ответил Данила. — Он вообще светлый по жизни... Улыбался так... Жалко, мало пожил наш Фархад.

После окончания допроса Катя не торопилась покидать лабораторию. Пусть сначала уедут оба.

Лиля подшивала протоколы допросов в папку.

— Ничего такого особого от этих бесед я и не ожидала, — призналась она Кате. — И муж и брат лгут по поводу твоей подруги. Усугубляют мои подозрения.

— Все подозрения призрачны, — заметила Катя, — и связи тоже.

Она рассказала Лиле о результатах беседы с журналистом по поводу возможной версии смерти Анны Левченко. Лиля в свою очередь поделилась содержанием допроса матери Василия Саянова в Соловьевской больнице.

— Все разрозненно. И пока таковым и остается — разделенным на фрагменты. Геннадия Савина я пока не могу допрашивать по поводу того, что его номер мобильного в телефоне Василия Саянова. Его мать предположила, что парень влюбился в кого-то.

— В Женю? — спросила Катя. — У нас нет фактов, что она с парнем встречалась.

— Мать назвала сына вором. Якобы он крал из дома и она подозревала, что не только из дома. Машину, в которой его обнаружили застреленным, он тоже у матери взял без спроса.

— Так за что же могли убить — за то, что украл что-то, или за то, что влюбился? — Катя вздохнула. — Нет, нет, Лилечка, так у нас ничего не выйдет. И объединить все три убийства мы пока не можем, чтобы сказать наверняка — да, есть бесспорная связь. И отбросить факты уже не получается. Надо пополнить информацию о второй жертве — об этой Анне Левченко. О ней лучше всего судить по тому, о чем она писала, каких тем касалась. Раз уж так все уверены, что ее убийство связано с профессиональной деятельностью, то надо узнать именно об этом. Я завтра почитаю ее блог и «Живой журнал».

— Тут убийство на профессиональной почве. А шофер Фархад работал не каждый день даже. Василий Саянов вообще бездельник, возможно, с криминальным уклоном. Опять никакой связи, — заметила Лиля.

— Я тебе больше скажу — на аллее, где убили Фархада, убийца не мог отыскать и забрать стреляные гильзы. На мой взгляд, в темноте ночью, в грязи, при дожде это невозможно. Я там сама все осмотрела, — сказала Катя, — и это... это сверх человеческих сил.

— А я тебе на это отвечу так: двое из наших фигурантов — Герман Дорф и Геннадий Савин были знакомы с двумя жертвами. А что, если там, в доме в Прибрежном, знали и третью жертву, Анну Левченко?

Лиля спросила это таким тоном, что Катя поняла — ее приятельница и коллега все больше и больше убеждается, что это дело очень непростое, что оно едино даже в различии и разрозненности всех фактов, и в обратном никто майора Белоручку, как профессионала розыска, уже не убедит.

Ну что ж, посмотрим...

Катя решила — может, блог и «Живой журнал» что-то прояснят. Как истый репортер, она верила в силу журналистского слова на пространствах Интернета.

Глава 22
СЛОВА, СЛОВА...

После всех этих расследований, поездок, праздников, прогулок, домыслов и предположений следовало, конечно, отдохнуть.

Но Катю точило нетерпение и любопытство. Дома после ужина она забралась на диван с айпадом в руках и начала искать публикации Анны Левченко в Интернете.

Отыскала она и фотографии Анны. Очень стильная молодая темноволосая женщина — на одном снимке в черной водолазке и модных очках, на другом — в «маленьком черном платье» с бокалом шампанского — то ли на вечеринке, то ли на приеме.

Анна Левченко вела «Живой журнал» и помещала туда множество фотографий, но все они имели отношение непосредственно к тем постам, что она выкладывала.

Катя читала посты до поздней ночи. По ходу помечая для себя — о чем речь.

Утром, придя на работу в главк, она сначала отправилась к шефу Пресс-службы и сообщила, что в последующие дни займется сбором материала по убийству в Прибрежном. Катя слукавила, когда обговаривала с шефом свою «командировку», — мол, это убийство приезжего и, судя по всему, именно на этнической почве. Я хочу сделать материал об уличной преступности и противодействии ей и о том, как там, в Прибрежном ОВД, раскрывают убийство мигранта.

То, что Фархад Велиханов не был мигрантом, а приехал в Москву из Уфы, она начальству не озвучила, а также и все сопутствующие детали. Не то чтобы она желала что-то скрыть, просто ей хотелось большей свободы действий. А на простых делах, на «бытовухе» это как раз возможно.

Потом она позвонила Лиле Белоручке, та только что провела оперативку с сотрудниками.

— Нашла посты и публикации Анны Левченко, — отрапортовала Катя. — Три последних ее публикации, датированные сентябрем, посвящены проблемам точечной застройки в городе и конфликту жителей с застройщиками. Она там наезжает на департамент благочиния и благоустройства.

— Где Геннадий Савин работает? А фамилию его она упоминает?

— Нет, его фамилии в ее постах нет, — ответила Катя. — А вот в августе у нее шла серия постов о проблемах предоставления и использования материнского капитала. И у нее там резкие выпады против предложений Инициативного комитета. Она резко критикует Раису Лопыреву.

— Лопыреву? Эта фамилия звучит?

— Звучит.

— Материнский капитал — это же финансовый вопрос, денежные дела. Какие-то махинации?

— Нет, никаких махинаций. Там идет грандиозный спор о порядке трат семьями, о целях, на что тратить, о сроках предоставления денег. И там у всех разная позиция — у Минздрава, у Комитета по охране материнства и детства, у Министерства финансов и у этого лопыревского Инициативного комитета. Как я поняла, этот комитет не связан ни с какими фракциями или партиями, это структура для разработки законотворческих идей и предложений. И их предложениями пользуются и фракции в Думе, и общественные организации, и разные движения. Там кипит дискуссия. Но Анна Левченко очень резко выступает против почти всех предложений что-то там изменить. От нее всем досталось — и Минфину, и Минздраву, как госструктурам. Но и комитету Раисы Лопыревой тоже.

— Скажем так, Раиса Лопырева находилась в сфере профессиональных интересов второй жертвы, так?

— Да, Анна Левченко деятельностью Лопыревой интересовалась.

— В своих публикациях она ее в чем-то обвиняет?

— Нет, просто критикует позицию по ряду предложений. Однако весьма резко. Да, еще вот что — посещаемость блога у Левченко весьма значительная. Ее многие читали и комментировали прочитанное. В том числе и эту публикацию.

— А Лопырева как-то отвечала на критику?

— В постах об этом ничего нет.

— Связь налицо, но она односторонняя, — констатировала Лиля весьма поспешно. — Лопырева — дама влиятельная. К ней мне так просто не подобраться.

— У нее с Данилой конфликт, — сказала Катя. — Я рассказывала тебе.

— Она же его мачеха вроде как. И одновременно тетка.

— Для Жени она тоже мачеха, но Женя относится к ней гораздо спокойнее, нейтральнее.

— Ты продолжишь с ними общаться? — спросила Лиля.

— Конечно. Я же обещала тебе.

— Слушай, ты вот как журналист сейчас мне скажи — то, что Левченко писала в постах, могло стать поводом для ее убийства?

— Нет, — ответила Катя. — Честно говоря, это просто сотрясение воздуха. Слова, слова... И потом, это Интернет. Правда, такое дело — не все в строку пишется, многое остается за кадром.

— То есть покойница могла собирать на Раису Лопыреву компромат?

Катя не ответила. А что тут скажешь?

— Я вызову Германа Дорфа на допрос. Он же ее сотрудник, — сказала Лиля. — Но разговор пойдет только о шофере и о поездке Дорфа в тот вечер в Прибрежный. Это пока все, что я могу себе с ним позволить. Я перешлю тебе запись допроса.

Глава 23
ТАК МНОГО БУМАГ...

Раиса Павловна Лопырева в одиночестве просматривала корреспонденцию в своем офисе в отеле «Москва». Так много бумаг скопилось за праздничные дни. С лица ее еще не сошли отеки, пришлось даже воспользоваться пудрой.

Герман Дорф позвонил и сообщил, что его вызывают в полицию на допрос по делу об убийстве шофера. Раисе Павловне показалось, что он нервничал. Конечно, кому приятно — все эти допросы, расследования.

Парень умер, а теперь все это колыхание, сотрясание воздуха. Раиса Павловна думала об этом с брезгливой тоской. Фархад — шофер ее племянницы и падчерицы, парень ловкий, смазливый. И хитрый как лис. О, Раиса Павловна — человек опытный, видела его насквозь. Хитрый он был, как и все их поколение — этих молодых да ранних. Но ее падчерица — племянница Женя была к нему невероятно снисходительна.

Но теперь парень мертв. Его убили.

Полиция, конечно, должна все это расследовать.

Раиса Павловна вспомнила Фархада Велиханова — как он шел по их садовой дорожке, как возился в гараже с машиной, как звякал его велосипед, как он смотрел на окна на втором этаже.

Из всей корреспонденции она выбрала пакет с отчетом, интересовавшим ее прежде всего остального. Отчет хотели переслать ей по электронной почте, но Раиса Павловна отказалась. Увы, в свои пятьдесят семь лет она совсем не умела пользоваться компьютером. Все эти файлы, твиттеры, чаты вызывали у нее приступ мигрени. Компьютерная эра никак не отразилась на жизни и быте Раисы Павловны. Она и не хотела осваивать компьютер. Бог мой, это все штучки для молодых. Они помешались на всем этом. И мозги их, наверное, уже по-иному устроены.

Раиса Павловна освоила мобильный. И гордилась этим. Она умела звонить и отвечать на звонки. Но чуралась рассылки sms и всего этого интернетовского «шабаша», как она сама себе говорила.

Все, что ее интересовало, ей присылали в письменном виде. Распечатанном на принтере — вот, например, как этот долгожданный отчет.

И другие бумаги — запросы, инициативные письма, жалобы, требования разобраться и пресечь — все, все это присылали ей исключительно в письменном виде. Вернее, в секретариат часть документов приходила по электронной почте и в электронном виде. А затем секретарь все распечатывал и раскладывал по папкам.

Только вот не эти отчеты. Их привозил курьер. И вручал Раисе Павловне пакет лично в руки.

Отчет она читала очень долго. Затем сложила бумаги в верхний ящик стола и заперла его на ключ. Позже она переложит все в сейф.

А сейчас время заняться другой корреспонденцией. Она взяла очередной документ — инициативное письмо. Ох, опять из Петербурга. Там много единомышленников, и их активность порой зашкаливает. Раиса Павловна читала инициативное письмо в их инициативный комитет. По поводу каких-то почтовых марок — якобы тлетворное влияние Запада. На марках — скрытая пропаганда гомосексуализма, и пламенный единомышленник из Петербурга предлагал обратиться в ООН, в Межгалактический совет, в Комиссию планетарного масштаба, в Думу или, на худой конец, в департамент почт, чтобы издать распоряжение: все письма с такими марками отсылать назад.

Морока с этими пламенеющими сердцем борцами... У некоторых явные признаки клинической шизофрении. Но письмецо Раиса Павловна пометила своей визой — «к рассмотрению». Можно будет созвать «круглый стол». Подискутировать и организовать петицию. А Герман Дорф как-то пропиарит, и вдруг инициативу подхватят. Как знать?

Она помнила, как мучительно завидовала шумихе, поднявшейся из-за идеи запретить женские кружевные трусы. Их инициативный комитет тогда отмахнулся от этого, посчитал идею бредовой, а другие вот подхватили и распиарили. Имя себе сделали на этом. Потому что сколько дней страна это обсуждала и члены правительства высказывались, и министры, и депутаты. И все это абсолютно серьезно — можно, нельзя, надо, не надо. И темы не было в тот час важнее в государстве, чем эти женские кружевные трусы, а? Вот ведь как!

Раиса Павловна вздохнула — да, прошляпили тогда, не подключились, не сказали свое слово. А посему не попали ни в заголовки статей, ни в таблоиды.

Письмо она отложила в папку «проекты». И взяла следующий документ. Ах, это слезница... Общественность, близкая к церковным кругам, подает тревожный сигнал. Это по поводу того уголовного дела, где поп, подозреваемый в педофилии, улимонил за границу, и теперь идет процесс о его экстрадиции.

Общественники, близкие к церковным кругам, предостерегали: если экстрадиция состоится и начнется громкий процесс, то это может повредить имиджу церкви, ударить по ее престижу. Раиса Павловна в душе с ними соглашалась — конечно, грянет скандал. Но одновременно на самом дне, донце души своей она испытывала по поводу этого невыразимое злорадство. Так им и надо, этим попам. Пусть, пусть начнется процесс, пусть поймут, ощутят, что есть бревно в собственном глазу, когда стремишься видеть, замечать соринки в глазу ближнего.

И почти сразу же мысли Раисы Павловны обратились к тому давнему дню, когда она и ее нынешний муж Петр Алексеевич венчались в соборе. Она ведь к церкви трепетно относилась тогда, да и сейчас... несмотря на это вот скрытое душевное греховное злорадство по поводу скандала с попом-блудодеем... да, она ведь трепетно относилась к таинству...

И Герману Дорфу там, в саду, она не врала насчет этого — своего чувства в отношении брака, освященного венчанием.

А Петра Алексеевича привезли тогда в собор в инвалидном кресле. И он еще слаб был, немощен.

Сломанные ноги, раздробленный таз... Он под себя все еще ходил непроизвольно, потому что у него повредился мочевой пузырь. И ему постоянно меняли памперсы. Так-то вот... А она пошла за него замуж. И выходила его. Да, сейчас он, через столько лет, уже не такой беспомощный, каким хочет всем казаться. И она это знает. И он знает, что она — его жена — знает.

Тут Раиса Павловна вспомнила свою сестру Марину — первую жену Петра Алексеевича. Нет, не принесла она ему счастья. А ведь была такая красавица. Раиса Павловна... ах, что врать самой себе, нет, не нужно... она завидовала Марине. Волосы как шелк, кожа как атлас, губы как мед, фигура как у богини. Мужики слетались на ее улыбку, как бабочки на огонь. И она этим пользовалась. Она наставляла Петру Алексеевичу рога. Как знать — законные ли дети родились в том браке? Женя, Данила... Тогда ведь про экспертизы ДНК слыхом не слыхали. Можно провести сейчас на предмет установления родства...

Даниле и Жене...

Нет, не нужно. И вряд ли они согласятся, и Петр Алексеевич это не примет. А потом ведь родственная связь у них с ней, Раисой Павловной, все равно сохранится — по материнской линии. Она же их родная тетка. Так что совсем неважно, от кого сестра Марина родила их — Данилу и Женю... Может, и от него, от Петра. Он ведь так ее любил. А потом возненавидел за ее постоянные измены.

Мессалина... Сестра ее Марина — подлинная Мессалина.

Развратница...

А по-русски проще сказать, что настоящая... Ах нет, мат ведь тоже запретили. Так что не станем выражаться по-русски.

Раиса Павловна вздохнула. Вот Данила — он ведь хорошо образован, он латынь знает, переводит разных там римских классиков. Учился этому на филфаке, хоть и бросил, как он все, все бросает...

Но вот странное дело — как только официально запретили мат, он стал страшным матерщинником. Из чувства протеста, что ли? С матом даже римских поэтов переводит — говорит, что это круто, эротично.

Как это он намедни читал? Без мата, но все равно непристойно: «*Ты устройся на ложе поудобней, чтобы тебя девять раз подряд я трахнул... Ты согласна — зови меня скорее. Пообедал я плотно, лег на спину, и туника на мне вот-вот порвется*».

Поэт Катулл, римский язычник... Девять раз... а потом еще девять... Силен мужик...

Да, это возбуждает.

Раиса Павловна поджала тонкие губы.

В Даниле много силы скопилось.

И злости в нем много. А это нехорошо. Это не к добру.

Раиса Павловна вновь подумала об убийстве шофера.

Зачем они только наняли его, зачем пустили в дом.

Красивый парень был этот шофер Фархад, на свою беду. И принципов он не имел никаких.

Но расследование когда-нибудь да закончится. И что случится потом? А потом придут новые тревоги, новые волнения и заботы. И это жизнь. Раз уж вошел в эту реку однажды — надо плыть...

Раиса Павловна спохватилась — она машинально рисовала на этом самом официальном письме — предостережении по поводу попа, подозреваемого в педофилии. Ох, надо же, она рисовала на полях — неумело, но так четко...

Профиль на полях письма...

Она скомкала бумагу; это вообще не в компетенции их инициативного комитета — вмешиваться в дела следствия.

И взяла следующий документ из папки — рабочий день комитета только начинался.

Глава 24
ЛЕНИНГРАДСКИЙ ПРОСПЕКТ

Запись допроса Германа Дорфа Катя получила из Прибрежного ОВД только к вечеру — всю картинку, потому что допрос, как и все прежние, фиксировался на видеокамеру. Лиля Белоручка заверила, что и допросы в экспертно-криминалистической лаборатории тоже записаны — «у экспертов камера даже лучше, и я ее включила тогда там».

Кроме того, Лиля переслала ей фотографии с мест убийств Анны Левченко и Василия Саянова. Их она достала опять же через свои связи в МУРе.

Лучше один раз увидеть, чем сто раз услышать...

Катя вывела запись допроса Германа Дорфа на свой ноутбук. Она внимательно разглядывала фигуранта. Там, в доме в Прибрежном, он не был особенно разговорчивым. На допросе у Лили вел себя корректно, но вместе с тем выглядел настороженным.

Или это только казалось Кате?

Видишь уже то, чего нет, и там, где этого нет.

Или есть?

Местом своей работы для протокола Герман назвал медиа-арткомпанию «Инновации и контакты» и сказал, что является одним из ее основателей и совладельцев.

— Я вызвала вас в связи с расследованием убийства Фархада Велиханова — шофера, работавшего в семье вашей работодательницы Раисы Павловны Лопыревой, — сказала Лиля.

— А кто вам сказал, что она моя работодательница?

— Геннадий Савин, ее зять.

— Он ей не зять, — усмехнулся Герман, — там у них так все запутано, в смысле родства. А я просто сотрудничаю с инициативным комитетом, который Лопырева возглавляет. У нас договор на информационное сопровождение. А в остальном я человек вольный. И я крайне удивлен, что вы считаете, будто я имею какое-то отношение к этому трагическому происшествию — убийству.

— Я не считаю, что вы имеете прямое отношение, — парировала Лиля, — но вы посещали дом в Прибрежном, хорошо знакомы с этой семьей, дружите с Данилой Кочергиным...

— Кто вам сказал, что я с ним дружу?

— Он сам, тут в ОВД на допросе, — ответила Лиля, — разве нет?

— Ну, отчасти. Мы приятели, не друзья. С друзьями сейчас, знаете, вообще напряг.

— В тот вечер, когда убили шофера Велиханова, вы приезжали в дом на своей машине. В какое время?

— Не помню точно, между восемью и девятью часами.

— А с какой целью?

— Данила обещал взглянуть на мой катер. Он в яхт-клубе в Прибрежном, там ремонт грядет.

— Данила Кочергин разбирается в моторах?

— Отчасти. — Герман повторил свое любимое словцо, покачал ногой в дорогом ботинке. — Работяги начнут ключами разводными стучать, деньги вышибать из меня. Так вот я хочу совет со стороны, сколько это может стоить. Всегда полезно выслушать два мнения. Это у меня такой рабочий принцип. Два мнения лучше, чем одно. И хорошо, если эти мнения противоположные. Можно вывести среднее число, как в математическом уравнении.

Какой длинный ответ на столь короткий вопрос, — подумала Катя. — *Лиля, осторожно, этот тип начал заговаривать тебе зубы.*

— Фархада Велиханова вы в тот вечер видели? — спросила Лиля.

— Не довелось.

— А у меня есть сведения, что вы могли с ним пересечься.

— Где? — спросил Герман.

— В доме, на участке, ну, если вы приехали между восемью и половиной девятого.

— Я позже приехал, около девяти.

— Вы аллею, ведущую к станции, проезжали?

— Нет. Там тупик — платформа.

— Но по шоссе-то вы ведь ехали в поселок.

— Конечно.

— Чтобы добраться к девяти до дома Лопыревой, вы ехали по шоссе, а со стороны дома вам навстречу как раз на велосипеде ехал Фархад Велиханов.

— Я не видел его.

— Но по времени как раз все это совпадает, — гнула свою линию Лиля Белоручка, — там же одна дорога, одно шоссе.

— Ну, может... да, я, кажется, видел велосипедиста. Я не придал этому значения.

Ага, это что-то новенькое в показаниях, — Катя вперилась в экран ноутбука, стараясь уловить на лице Германа Дорфа... Что она хотела уловить на записи? Вот он откинулся на стуле, поменял положение ног. Лицо... нет, его лицо спокойно.

— Шоссе освещено. Вы не узнали в велосипедисте шофера ваших знакомых?

— Нет. Говорю — я не придал этому значения. Мало ли кто ездит на велосипедах. И потом, шел дождь, у меня дворники работали — туда, сюда.

— В каких отношениях вы были с Велихановым?

— Ни в каких, — хмыкнул Дорф, — он же не мой шофер.

— Кого из членов семьи он возил?

— Кажется, только Женю, она боится водить.

— А остальных?

— Несколько раз ее отца, Петра Алексеевича. Когда он ездил в клинику в Москву.

Опять же об этих поездках никто из них не упоминал. А почему? Что тут такого, что это надо скрывать от полиции?

— А Лопыреву? — спросила Лиля.

— Нет. Раиса Павловна в вождении ас. Она даже от служебной машины в этом году отказалась. Использует свою. Чтобы не упрекали, что комитет тратит слишком много средств.

— А кто платил Фархаду Велиханову зарплату? — спросила Лиля.

— Вы у меня это спрашиваете?

— Ну, вы же знаете их семью. Евгения Савина нигде не работает, домохозяйка. Отец ее инвалид. Я вот слышала, там все отнюдь не ему принадлежит, а его жене — мачехе и одновременно тетке Евгении. Так кто платил домашнему водителю? Геннадий Савин — муж Евгении или ее тетка?

— Гена, Гена платил из своего кармана, — быстро скороговоркой ответил Герман Дорф. — Что вы, в самом деле? Уж и в этом отказываете мужику? Было б что другое, я бы понял. А тут финансовый вопрос. Он платил шоферу. Из своего кармана. Он неплохо зарабатывает, он же в мэрии городской.

Стоп... его тон вот сейчас... Что он хочет сказать? Что-то не так во всех его фразах вот сейчас... Что он имеет в виду?

Это почувствовала и Лиля — скрытый смысл.

— Вы намекаете на то, что он берет взятки? — спросила она.

Герман не ответил.

— Поясните, пожалуйста, — попросила Лиля.

— А что я должен пояснять?

— Вы имели в виду взятки?

— Как чинуша, так сразу и взятки. Нет, Геннадий честен. — Герман повысил голос. — И что вы, в самом деле? Я ничего не имел в виду. Я просто ответил на ваш вопрос — он сам платил Фархаду, шоферу, за все.

Вот опять... Нет, ну что за тип этот Герман Дорф... Катя буквально впилась взглядом в лицо фигуранта на экране.

— Как понять «за все»? — переспросила и Лиля.

— За его работу, — ответил Герман, — за труды.

Спроси его сейчас в лоб, Лиля, дорогая, знал ли он Василия Саянова и почему у того номер Дорфа в мобильном!

Но Лиля не могла этого спросить у Германа сейчас. И она не желала бежать сломя голову впереди паровоза, когда там, вдали, неизвестно что — зеленый свет или глухой тоннель.

— Когда вы проезжали по шоссе в тот вечер, вы видели какие-нибудь машины?

— Не помню, конечно, какие-то ехали. Но там поворот и не очень оживленно, особенно вечерами. Ах да, там громыхалка пыхтела — то ли трактор, нет, кажется, бетономешалка шла.

— Вы не слышали выстрелов?

— Нет, — Герман покачал головой.

А сам ты не стрелял? — задала свой вопрос Катя. — *Хотя какой может быть у него мотив?*

— Вы встретились с Данилой Кочергиным в тот вечер?

— Встретились. Он приехал чуть позже. И сейчас спросите ведь — нет, мы не пошли в яхт-клуб смотреть мотор. Нас как-то развезло у камелька. Данила уже податый явился.

— Пьяный?

— С ног не валился. Мы выпили с ним, чуток расслабились.

— А кто был дома, когда вы приехали? Кто вам открыл дверь?

— Женя, — ответил Герман и...

Он встретился взглядом с Лилей и...

Он умолк...

— Ах нет, я ошибся, — быстро поправился Герман. — Это было в другой день. Я просто перепутал. Ее тогда не было дома, она приехала позже и на такси.

— Позже вас и позже своего брата?

— Да, да, позже, — Герман закивал головой, — почти одновременно с Раисой Павловной.

— Так кто же вам открыл? — спросила Лиля.

— Калитку я сам, я знаю код домофона, — Герман смотрел на свои щегольские ботинки, вниз, — а входная дверь была открыта. Петр Алексеевич по вечерам гуляет в саду при любой погоде, и они не запирают дверь, потому что он в своем кресле не дотягивается до звонка.

— Вы его встретили в саду?

— Нет, — Герман покачал головой, — но у них большой участок и там много деревьев.

Катя просмотрела на ноутбуке запись допроса дважды. Что ж, он фактически подтвердил, что Женя находилась в тот вечер дома, как она и сама проговорилась. И еще есть в его словах... Какой-то скрытый... смысл, намек? Он его не хочет озвучивать в полиции, но...

Нет, такого фигуранта, как Герман Дорф, прожженного пиарщика себе на уме, не заставишь быть откровенным, не имея против него каких-то веских улик. Вот он вроде признался в том, что видел велосипедиста на шоссе в тот вечер. И что это дает следствию? Ничего. И по поводу первой жертвы его тоже не спросишь, потому что связей пока недостаточно.

Катя открыла следующий файл. Так, а вот это фотографии с мест предыдущих убийств.

Ярко-красная машина во дворе новостройки, а в ней женский труп. Анна Левченко на месте водителя уткнулась лицом в руль. Два выстрела сделаны почти в упор. Скорее всего, убийца не сидел с ней рядом, а открыл дверь машины и выстрелил. А вот и панорамное фото двора, где произошло убийство — саженцы молодых чахлых деревьев, справа детская площадка. А дом, говорили, еще практически не заселен, квартиры не проданы. Так к кому же Анна Левченко приехала? С кем хотела встретиться? Может, с кем-то из новых жильцов? Нет, не станет коварный убийца приканчивать жертву в собственном дворе.

Катя открыла файл с другими фото — это место убийства Василия Саянова. Панорамное фото парковки на Ленинградском проспекте. А вот и снимок машины «Инфинити», в ней тоже труп. Василий Саянов лежал на боку. Когда в него угодили две пули, он рухнул вправо, в сторону пассажирского сиденья. Одно пулевое отверстие практически в висок, второе — в шею. Судя по такому положению тела, к нему подошли, когда он садился за руль. И выстрелили с близкого расстояния.

Да, в одном Лиля права — в обоих случаях стреляные гильзы должны находиться либо в салоне машины, либо у передних колес. А гильзы не нашли.

Катя смотрела на Василия Саянова. Фото Анны Левченко, блогера, есть в Интернете, а вот его она видит впервые. Такой молодой, совсем еще мальчишка... Лицо как фарфоровое, в светлых волосах запеклась кровь.

Она снова вывела на экран фотографию стоянки. А что он делал там ночью? Куда он мог приехать, к кому? Лиля сообщила, что по словам его матери дом их родной в Томилино, а квартиру-студию он имел на Пятницкой.

А что он делал на Ленинградском проспекте в районе метро «Аэропорт»?

Катя открыла карту Москвы на Google. Так... что покажет просмотр улиц? Дома, дома — сталинские монолиты. Саянов приехал к кому-то из знакомых? Может, у него подружка там живет?

Катя открыла карту Яндекса и опцию «Кафе, рестораны, клубы». Не так уж и много мест. Сетевые кафе — они все закрываются после полуночи. А это что такое? Ночной клуб «Шарада».

Катя секунду смотрела на экран ноутбука, затем вывела адрес клуба и снова обратилась к просмотру улиц. Двигая мышью, она разглядывала снимки: вот, вот здание клуба... он не на самом проспекте, а во дворе, надо пройти через арку. Посреди арки вбит столбик, для того чтобы машины не заезжали во двор. А вот и стоянка... То есть что же получается? Этой стоянкой пользуются не только жители окрестных домов, но и посетители ночного клуба «Шарада»?

Где я слышала это название? И совсем недавно?

Катя открыла снимок — нет, вход в клуб тут не просматривается.

Где я слышала про «Шараду»?

И тут Катя вспомнила.

Она немедленно позвонила Лиле. Та выслушала ее сбивчивый рассказ — Катя торопилась как на пожар.

— Твои подопечные — Кора и Марина-карлица, они же работают в клубе «Шарада»!

Лиля отреагировала сразу.

— Приезжай завтра с утра к нам в Прибрежный. Девчонки по вечерам работают, утром еще спят. Нагрянем к ним спозаранку. Надо поговорить с ними. Мы им покажем фотографию не только Саянова. Я сделаю фото с видеопленок всех допросов. И с мест происшествия.

Черт возьми, как ты откопала эту стоянку — я вот сто раз смотрела, знала ведь, что парня убили в районе метро «Аэропорт». Вроде наше направление по Ленинградке, но все же это не близко.

— Надо еще подтвердить или опровергнуть, что Саянов приезжал в ночь убийства именно в «Шараду». — Катя особо оптимизм не излучала. — Я завтра в девять у тебя.

Глава 25
ОПОЗНАНИЕ

В тесной однокомнатной съемной квартирке в доме на улице Космонавтов в Прибрежном в это утро Катю и Лилю Белоручку встретили удивленно, но радушно.

Кора и Маришка уже встали, хотя постели еще не убраны на диване и тахте, в пепельнице много окурков. Поэтому устроились все на крохотной кухне. Карлица Маришка собирала на стол нехитрый завтрак. А Кора, одетая лишь в короткий халатик да трусики, в ванной наносила на ноги толстый слой эпиляционного крема. Дверь ванной она не закрывала — крем остро пах какой-то кислотой.

— Каждые три дня вот так, — пояснила она, поймав Катин взгляд, — на ногах волосы удаляю. В клубе ведь платья приходится надевать для выступлений, а иногда и боди с перьями. Так что ноги должны быть идеально гладкими.

— Мы как раз по поводу вашего клуба «Шарада» и пришли, — сказала Катя, — уж простите за ранний и нежданный визит.

— А я думала, вы по поводу этого, из Лиги, отпускаете его?

— Нет, — ответила Лиля Белоручка, — дело о нападении на вас пойдет в суд. Я до суда доведу, как и обещала. А напавший на вас останется под стражей.

Кора шпателем начала пробовать на икре, как подействовал крем.

— Бородатая баба бреет ноги, — она обернулась к Кате, — умора, да?

— Вы к врачу ходили по поводу побоев? — спросила Катя.

— Я о здоровье уже не пекусь. Заживет как на собаке.

Бородатая женщина улыбнулась невесело. Катя почувствовала, как у нее сжалось сердце. Нет, нет, не надо, мы не жалеть их сюда пришли, им жалость наша не нужна, им нужна справедливость, уважение и защита. А нам требуется их помощь.

— Сейчас чаю попьем, — Маришка сновала, как челнок, от стола к старенькому облезлому буфету, — мне мама варенье прислала из яблок. Родители у меня не карлики. Нормальные, правда, батя уже там, на небесах, а мама в Гомеле живет с моей сестрой. И сестра не карлик. Это вот только я такая мелкая уродилась.

Она заварила в прозрачном чайнике чай из пакетиков. Кора в ванной начала снимать шпателем слой крема. Темные густые волосы сходили клочьями, как шерсть. В ванной зашумела вода. Кора вымыла ноги и вышла к столу.

— У нас к вам важное дело, — сказала Лиля и выложила на стол пачку фотографий.

Она сделала распечатки накануне, как и обещала Кате — с кадров видеосъемки допросов фигурантов. Женя, ее муж Геннадий, ее брат Данила и Герман Дорф. Фотографии Фархада Велиханова и Василия Саянова были взяты из уголовных дел. Фотографии Анны Левченко тоже, но также и из Интернета. Из Интернета Лиля добыла снимок и Раисы Лопыревой. Не хватало в этой фотоколоде лишь снимка Петра Алексеевича Кочергина.

Начала она со снимка Василия Саянова. Выложила его перед Корой и Маришкой.

— Девушки, взгляните, может, узнаете?

Кора и Маришка посмотрели и заявили в один голос:

— Это же Васенька!

— Так вам он знаком?

— Это наш Васенька, его убили. Прямо на стоянке клубной, — сказала Кора, — и охрана ничем не помогла. Застрелили его в машине.

— А что, он часто посещал «Шараду»? — спросила Катя.

— Часто, часто, — карлица Маришка закивала, — хороший парень, добрый. Мне один раз денег дал взаймы. С трансвеститами дружил. И с нами, уродками. И с пацанами, и с путанками, уж простите за откровенность. Широкая душа у паренька. Прикончили его.

— А кто, по-вашему? — спросила Лиля.

— Кто ж знает, полиция приезжала, но никого они не ищут. — Маришка махнула рукой. — Это как с нами вот, только вы за нас заступились, а те менты... простите, наклали на это дело.

— А что в клубе про его убийство говорят? — спросила Катя.

— Да разное.

— А если поконкретнее?

— Вам что, узнать надо? — спросила Кора прямо. — Ладно, мы с Маришкой узнаем. У нас в клубе поплакали все, погоревали, но особо не удивились. Сейчас время такое — сегодня не убили нас, так завтра убьют. Такие вот разговоры. Не на кого и не на что надеяться таким, как мы.

Катя заметила, как под тонкой кожей на лице Лили Белоручки при этих горьких словах обрисовались скулы.

— Мы раскроем это убийство, — сказала она. — Мы на вашего Васю вышли через другое дело. И нам нужна ваша помощь.

— Мы вам поможем, чем сможем, — серьезно ответила бородатая Кора.

Лиля выложила на стол остальные фотоснимки.

— Посмотрите внимательно, может, кто-то бывал в вашем клубе, может, вы его видели вместе с Василием или знаете кого-то из этих людей.

Кора и Маришка склонились над снимками.

— Ой, надо же...

— Знаю его...

— И этот тоже, помнишь, тогда, на пенной вечеринке? Они начали сдвигать и перекладывать снимки.

— Вот этот приезжает часто, — Маришка указала на снимок Германа Дорфа.

— И этот тоже, красавчик, — Кора указала на фото Данилы, — афоризмами на латыни сыпал, а сам под кокаином. А это вот его герла.

— Кто? — Катя напряглась.

— Она, — Кора указала на снимок Анны Левченко, — он с ней танцевал.

— Они в тубзике трахались, — фыркнула Маришка, — у нас два танцпола и по две туалетные кабинки на каждый. Так вот, я один раз метнулась срочно, а они меня опередили — оба в одну, он ее внутрь толкает, а она никакая, пьяная, на ногах не стоит. И заперлись там. Я в другую кабинку, а тут Марта Монро откуда-то вперед меня. Я ей — Марта, у меня сейчас из глаз польется. А она мне — потерпишь. А из той кабинки вопеж начался, это они там вдвоем в раж вошли моментально — охи-ахи любви.

Катя смотрела на снимки Данилы и Анны Левченко. Вот, значит, как...

— А кто такая эта Марта? — спросила Лиля.

— Марта Монро, так ее зовут, появляется порой у нас. Не путанка, нет, старая уже, хотя за зад еще можно подержаться. — Маришка усмехнулась. — Чудная она, с приветом. Под Мэрилин Монро косит.

— А почему чудная?

— Так. Охране платит, чтобы ее пускали, ну, в смысле фейс-контроля, она ведь не козочка юная, а дыра пожившая. И вообще что-то в ней... Я думала, что она трансвестит, но наши птички ее за свою не принимают.

— А давно вы видели эту девушку вот с ним? — Катя показала на снимок Анны и Данилы.

— Да месяц назад примерно, но в последнее время мы ее с ним не видели, а он недавно приезжал вот с ним, — Кора указала на снимок Германа Дорфа.

— И этот был вот с этим, — Маришка указала на снимок Геннадия Савина и Германа Дорфа. — Они на Зазу Наполи приезжали, на ее сольник. Я им коньяк приносила и коктейли.

— А Васю раньше в их компании вы не видели? — спросила Лиля.

Кора пожала плечами:

— У нас ведь такая тусня каждый вечер, может, и крутился возле них. Вам выяснить надо? Я выясню. Эти обычно приезжали на смешанные вечеринки. У нас в клубе такая политика — креативный микс. По средам гей-вечеринки устраивают, но весь народ в отрыв уходит обычно по четвергам, пятницам и субботам. На миксе клуб больше денег зарабатывает. И атмосфера совсем другая, терпимее, что ли, круче.

— А вот этот парень посещал клуб? — Лиля придвинула к Коре и Маришке фото Фархада Велиханова.

— Вроде нет, впрочем, столько народу каждый вечер, — ответила Кора.

— Но с этими тремя вы его не видели? — Лиля указала на снимки Германа, Данилы и Геннадия Савина.

— Нет, точно нет.

— А эта женщина? — Катя указала на снимок Раисы Лопыревой.

— Нет, — Маришка покачала головой, — но я ее где-то видела... Ой, да по телику!.. Или нет... Нет, точно по телику, в новостях!

— Эта баба к нам не приезжала, да ее и на фейс-контроле не пустят, — фыркнула Кора. — Если только бороду не приклеит, как у меня.

— А эта женщина? — Катя указала на снимок Жени.

— Нет, такую вроде не видела. — Кора смотрела на снимок. — Ишь ты, снегурочка, кожа на лице какая у нее.

— Она хромая, — сказала Катя, — хромая от рождения.

— Тоже калека, как мы? — Маришка улыбнулась радостно. — Нет, ее в клубе я не встречала.

— Значит, только парни и Анна Левченко, — сказала Лиля. — Девушки, я вам оставлю фотографии. Только очень осторожно, не привлекая ненужного внимания. Нас интересует все, что сможете узнать об этих людях — слухи, сплетни, любые клубные истории. Нам это очень поможет в раскрытии убийства Васи Саянова и еще двоих.

— А кого убили? — спросила бородатая Кора.

Катя и Лиля молчали: говорить — нет?

— Из этих? — Кора кивком указала на снимки.

— Да. — Катя решилась: нет, раз ждем помощи, надо сказать. — Убили вот ее — это Анна Левченко. И вот этого парня — Фархада Велиханова, он работал шофером и студентом был.

Кора собрала снимки, как карты в колоду.

— Мы вам поможем, — пообещала она.

Странным для женщины, почти мужским жестом погладила, расправила свою бороду.

Карлица Маришка налила в чашки душистый чай.

Глава 26

НА НЕРВАХ

Марта Монро, о которой рассказывали Кора и Маришка, в этот вечер сидела перед старым трельяжем в съемной квартире у метро «Динамо».

Ох, динамо, динамо...

Уже в черных чулках и туфлях — обряд облачения в них только-только закончился, и пара чулок валялась рядом на грязном неметеном полу. Марта сделала на чулках несколько затяжек, и прямо на ляжке образовалась гигантская дыра.

Ох, динамо, динамо...

Вся на нервах...

Марта резкими движениями наносила на свои пухлые щеки толстый слой тонального крема. Крем ложился неровно.

Она не пела в этот день в ванной. Слова песен, точнее отрывки, не шли с языка.

Вся на нервах.

И погода — дерьмо.

И мир — куча дерьма.

Взяла карандаш, начала подводить брови. Тонкий черный грифель сломался. Она швырнула контурный карандаш на пол.

Пальцем поелозила в баночке с румянами и наложила на скулы две стрелки, потом начала размазывать. Осталась недовольна результатом и снова взялась за тональный крем.

Когда она стала красить накладные ресницы, то обратила внимание, что рука ее дрожит.

В клубе «Шарада», если заметят, скажут — квасить надо меньше, Монро.

Кто бы квасил, ребятки...

Ребятки-крысятки...

Кобели и сучки...

Она мазнула тушью мимо ресниц, и под бровью образовалась черная полоса. И что за вечер такой!

Вся на нервах, вся на нервах...

Она послюнила палец и стала стирать тушь с века. Потом продолжила остервенело красить ресницы.

Марта Монро...

Белесый блондинистый парик ждал своего часа на распялке на трельяже. Волосы Марты покрывала сетка телесного цвета. Голова с толстыми щеками напоминала по форме грушу.

Где мои семнадцать лет...

На Большом Каретном...

И там про пистолет что-то...

Марта страдальчески скривила губы — нет, не поются песни сегодняшним вечером. Это оттого, что на душе снова скребут кошки.

Снова здорово...

Живите богато...

А вот не получается никак...

Этот мир придуман не нами, этот мир придуман не мной...

Марта протянула руку к парику, напялила его.

Ну вот, так много лучше — пышная шевелюра уравновесила эти толстые щеки.

Надо худеть...

Марта погрозила себе пальцем в зеркале.

Затем достала из туго набитой вечерней сумки помаду.

Нежным движением...

В одно касание...

Алый рот, созданный для поцелуев...

А потом на стекле бокала остается помадный след.

И на мужском члене тоже — след от алой помады.

Ах, какой грандиозный стояк...

Стояк постоянный...

На всех...

И это уже никак нельзя исправить.

Или все же есть способ?

Марта густо, жирно красила помадой свои губы.

Затем она надела на черное, утягивающее толстые телеса боди розовое платье с блестками и новый белый меховой жакет. Утепляться так утепляться.

Таксист, пригнавший машину, позвонил от подъезда.

Пора в клуб.

И опять все повторилось — мочевой пузырь властно объявил о своем намерении. И Марта в мехах зашла в туалет. И там снова раскорячилась над очком, исхитряясь, как бы не залить ластовицу своего боди желтой обильной струей.

А то провоняешь еще мочой...

А с пузырем треклятым надо что-то делать...

Сходить к урологу? Но желание мочиться настигает ее, скажем так, лишь в определенные моменты.

Поймет ли это уролог — вот вопрос.

Глава 27
БОЛЬШОЙ

— Надо после чая выпить кофе за твою интуицию, Лилечка, — объявила Катя, когда они покинули квартиру на улице Космонавтов.

В Прибрежном все недалеко друг от друга: ОВД, центральная площадь, набережная Москвы-реки. Отыскали кафе, сели у окна и заказали — Катя латте, Лиля Белоручка крепкий двойной эспрессо.

— Все три убийства связаны, — констатировала Катя, — теперь это очевидно. И ты не просто угадала, но... Лиль, ты сделала самый главный вывод о связи на одной лишь детали — отсутствие гильз. А теперь мы выяснили, что...

— Хорош хвалить меня. — Лиля добавила в кофе сахара из сахарницы-дозатора. — Это дело — как вот такая сахарница: мы новую информацию получаем постепенно и равными порциями. Как эта сахарница устроена, чтобы не все сразу высыпалось, а частями, так и это дело. Только как все в деле устроено, мы пока не поняли еще.

— Семья и окружение моей подруги Жени были знакомы со всеми тремя жертвами. — Катя чертила на салфетке. — Что у нас получается? Третью жертву, Фархада Велиханова, знали все без исключения. Вторую жертву, Анну Левченко, знал Данила. Находился с ней, возможно, в отношениях.

— Возможно также, с ней были знакомы Герман Дорф и Геннадий Савин, и опять же твоя подружка и ее отец и мачеха-тетка. Раз Анна являлась девушкой Данилы, может, он ее в дом приводил? А она посты в «Живом журнале» против Лопыревой печатала.

— Да, это вполне вероятно, — согласилась Катя. — Первую жертву, Василия Саянова, знали двое — Герман Дорф и Геннадий Савин. Раз Данила — завсегдатай «Шарады», то и он мог знать паренька. Могла знать Саянова и Анна Левченко.

— Но вот что нам до сих пор не ясно — так это связи между жертвами. Были ли они знакомы между собой, хотя... Может, это уже и не так важно.

— То есть как это не важно? — удивилась Катя. — Это азбука розыска.

— А тут все гораздо сложнее, чем азбука, — ответила Лиля. — Я сердцем чувствую. И опять же эти гильзы треклятые, их отсутствие. Ты права — сверхчеловеческие усилия надо было приложить там, в темноте под дождем на аллее, чтобы отыскать обе стреляные гильзы. Вроде совершенно невероятная, непосильная задача. И тем не менее убийца их отыскал и забрал с собой, как и в двух прежних случаях.

Катя подумала про себя: *Лиля, может, все проще, может, это вы их там не нашли, уголовный розыск. А гильзы лежат где-то в кювете.*

Но Лиля словно услышала эти скептические мысли.

— Знаю, о чем думаешь, — это мы лопухнулись и не нашли. Мы дважды все там прочесали с металлоискателем, квадрат за квадратом во всех направлениях. И потом...

— Что потом?

— Я еще туда дважды возвращалась с металлоискателем, уже сама, одна, — призналась Лиля, — нет, ничего не нашла. Это как идея фикс у меня теперь: отсутствие того, что должно быть непременно.

— Лиль, я верю в твои идеи фикс, — усмехнулась Катя.

— Что нам говорит тот факт, что гильзы с места преступления убийцей изымаются? — рассуждала Лиля. — Лишь одно — убийца хочет лишить нас возможности идентифицировать по гильзам оружие. Тот самый пистолет. А о чем этот факт говорит? О том, что убийца не желает, чтобы мы связывали все три убийства.

— Или это оружие уже где-то раньше светилось. Из него уже стреляли и убивали. — Катя внесла свою лепту в догадки.

— Наемник? — Лиля мешала в чашке эспрессо ложечкой. — Кто-то нанял киллера, чтобы убить всех троих?

— Кто-то из них, — тихо сказала Катя. — Чем не версия, а? А убийца профи, и у вас в банке данных его пушка висит.

— Логично, — согласилась Лиля, — и без гильз нам ее не вычислить никак.

— А какие мотивы для убийств? — Катя пожала плечами. — Возьмем Данилу... он парень... странный.

Лиля покосилась на подругу.

— Такой красавец, я просто обалдела, когда он в кабинет тогда вошел на допрос, — сказала она. — Ему бы в кино сниматься. И даже эти ссадины зажившие у него на лице ему чертовски идут.

Катя в свою очередь покосилась на подругу. Потом улыбнулась:

— Он воюет дома, хотя вроде бы нет никаких причин. Сыт, ухожен, богат, живет на деньги семьи, бездельничает, то есть занимается тем, чем хочет. А с домашними конфликтует. Но это относится лишь к Лопыревой, его тетке, и отцу, как я заметила.

— Мачеха... комплекс Гамлета у парня.

— У Гамлета в пьесе отчим-дядя, — Катя кивнула, — хотя да, похоже, только наоборот. Ну ладно, какие могут быть мотивы у Данилы? Убил Анну — хотел покончить с их связью, может, она забеременела от него?

— Нет, насчет беременности судмедэкспертиза ничего не выявила.

— Ладно, не беременна. — Катя вспомнила, что им рассказывала карлица Маришка про туалет в клубе. — Хотел избавиться от надоевшей любовницы? Так мог просто бросить. А Саянов? Может, Данила Анну у парня отбил, тот ревновал и он убил ревнивца?

— Анне Левченко двадцать семь, а Васе Саянову девятнадцать. Все, конечно, возможно, но...

— Опять не вяжется. А мотив для убийства шофера какой тогда? Фархад мог что-то знать, мог шантажировать?

— Раз человек из обслуги, значит, сразу шантаж, раз имел место роман, значит, убийство по страсти — нет, это все самые банальные версии, — Лиля качала головой, — хотя... банальность порой дает самое простое объяснение. Но эти наши банальности пока ничего толком не объясняют.

— Ты поставишь в известность коллег из МУРа о том, что все три случая, возможно, связаны? — спросила Катя.

— Законтачены на клубе «Шарада» и семье твоей подруги? Нет, я данную информацию попридержу.

— Но это сразу откроет новые возможности для розыска и...

— У меня есть свои возможности для розыска, — возразила Лиля, — именно из-за клуба «Шарада» и этих двух наших помощниц Коры и Маришки... Я знаю, как наши действуют. Может, раньше я бы и поделилась информацией, стала бы сотрудничать. Но после случая с этим подонком из Лиги кротких... Нет. Они в клубе свои порядки начнут наводить и причинят людям зло.

— Лиля, это уголовный розыск, ты же там работала, почему сейчас говоришь, что твои коллеги причинят зло?

— Потому что подонков из Лиги кротких прикрывают. У них мощная крыша. Мне звонили уже несколько раз. Из разных мест, — Лиля сжала губы, — требовали отпустить эту скотину. Сначала говорили: ну что вы, коллега, затеяли, из-за какого-то пузыря с зеленкой и пары синяков... Я их послала. Стали давить — о, они это умеют. Я объяснила: дело о хулиганстве и подозреваемый останется под арестом. Мне уже открытым текстом — отпускайте из-под стражи. Я говорю — ладно, но только накануне все так сложится в изоляторе, что его в другую камеру переведут. А там у вора в законе Анзори Глухого день рождения, юбилей на нарах, и лучший подарок ему — мягкая теплая задница. Не подумайте, господа хорошие: урки не геи, которых вы так не любите. Просто жизнь заставляет, плоть требует. Сокамерники подарят вашего протеже Анзори Глухому. А потом пусть катится, зад зашивает у хирурга.

— Ты и правда хотела...

— Нет, — Лиля покачала головой, лицо ее снова стало каким-то серым, — нет, конечно. Но как я еще в такой ситуации могу блефовать? А сейчас время такое — звонят. И они только один аргумент понимают — силу. С волками жить — по-волчьи выть.

Она допила свой кофе.

— Клуб «Шарада» нам еще пригодится, — сказала она после долгой паузы. — Кору бородатую и карлицу я в обиду не дам. Возле клуба Саянова убили — и заметь, ни Кора, ни Маришка этому убийству не удивились. Они ко всему там привычные. Ни в какую защиту они не верят, ни в МУР, ни в правосудие, ни в суд. Я это по их глазам читаю. Думаешь, мне, майору полиции, десять лет органам правоохранительным отдавшей, легко это осознавать? И вот такому раскладу, такому новому порядку я не намерена подчиняться.

— Ладно, мы сами раскроем эти убийства. Без МУРа. — Катя допила свой латте тоже. — Только если честно, не хочется выть по-волчьи, Лилечка.

Лиля слабо, как-то растерянно улыбнулась.

Мы не должны терять почву под ногами...

Мы еще можем цепляться за какие-то профессиональные идеалы...

Катя думала об этом, и три убийства словно отходили на второй план. Но ведь именно это самое главное, весь смысл в этом — раскрыть.

Вещи, что казались раньше сами собой разумеющимися — например, сотрудничество с коллегами из других ведомств и управлений и обмен информацией — теперь будто в иной плоскости.

Точки опоры... незыблемые прежние точки опоры — сейчас тоже утрачены, так, что ли?

Катя гнала от себя такие мысли.

Настроение ее резко упало. В этот день, кроме тягостных дум, не приходило на ум ничего.

А в десять вечера ей на мобильный неожиданно позвонил Данила.

— Привет, это я.

На том конце играла громкая музыка. Голос Данилы приглушен.

И мысли Кати как-то сразу все рассыпались на кусочки, подхваченные ритмом этой музыки.

— Билеты на завтра, на премьеру.

— На завтра?

— Ты же сказала, что пойдешь со мной в Большой.

— Данила, я...

— «Легенда о любви».

— Что?

— Балет так называется. Они возобновляют его. Завтра премьера. Вся Москва сползется глазеть. Где мы встретимся?

— Давай у театра.

— Я могу за тобой домой заехать, диктуй адрес.

— Нет, у меня завтра много дел. Лучше давай у театра.

— Хорошо, — Данила кротко согласился, — в половине седьмого у белых колонн.

— Спасибо тебе.

— За что?

— За билеты в Большой. — Катя усмехнулась.

— Я тут думал...

— О чем?

— То есть вспомнил... ты и правда в школе никогда не носила косичек, как моя сестра Женька. Все, до завтра!

Катя смотрела на погасший экран мобильного, Данила дал отбой. Этого парня, как и других, они подозревают в совершении убийств. Этот парень только что назначил ей свидание с походом в театр.

Этот парень — брат Жени...

Его тетка Раиса Лопырева открыто намекнула тогда за столом: Катя ему понравилась, и предупредила, что Катя — мужнина жена.

Завтра они встретятся, и уже не под недреманным оком семьи в Прибрежном.

И...

Нет, нет, нет...

Но даже Лиля отметила, что Данила красив как бог.

И тут Катя с тупым изумлением поняла, что завтра — выходной, суббота. И ей нечем заняться до самого вечера. Или есть чем?

В десять утра в субботу Катя уже сидела в кресле в салоне красоты на Фрунзенской набережной.

Такси она вызвала на шесть и к белым колоннам Большого не опоздала ни на минуту. Как много народу! Театр, премьера...

Поток зрителей тек в фойе, вокруг колонн крутились спекулянты билетами, предлагавшие лучшие места в партере за баснословные суммы. Катя огляделась — ну вот, я тут, а парень опаздывает.

— Добрый вечер.

Нет, он не опоздал, он просто подошел сзади.

— Привет. — Катя чувствовала — он разглядывает ее оценивающе.

И тут Данила молча взял ее руку, словно они давно уже были сложившейся парой, и повел в фойе.

Большой театр...

Катя вздохнула полной грудью — сам воздух его...

Очень много позолоты, сусального золота, нарядная столичная публика. А зал — алый с пурпуром. Золото, золото, золото ярусов.

Билеты Данилы оказались в ложу первого яруса. Идеальный обзор сцены, закрытой золотым занавесом.

— Красиво тут стало после ремонта, — сказала Катя.

Данила галантно усадил ее — в ложе их только двое. Он сел рядом.

— Девушку свою сюда на балет водил? — спросила Катя.

— Какую девушку?

Ту самую, убитую в машине, — девушку по имени Анна, что писала посты в блогах. Мне назвать вот сейчас ее фамилию и имя? И все испортить? Он с удивлением поднимет брови — откуда знаешь, а потом... он догадается, он же умный мальчик, Данила, и всегда им был.

— Женя сказала, что у тебя водятся время от времени.

— Я провожу время. Точнее, убиваю его.

— Время? — уточнила Катя.

— Угу.

— А как еще ты убиваешь? — спросила Катя.

Данила посмотрел ей прямо в глаза — нет, он уже не оценивал ее и не раздумывал, как ответить. Что-то иное в его взгляде в упор.

И тут в их ложу вошел Герман Дорф. Катя обратила внимание — Герман в смокинге. Данила в черном костюме и белой рубашке без галстука, а этот — в смокинге.

— Добрый вечер, — поздоровался Герман, — Катя, вы ослепительны.

— Спасибо, Герман. — Катя подумала — он не удивился, увидев ее в театре рядом с Данилой. Ну конечно, там за столом, дома, он слышал его предложение про Большой. И это первый случай, когда Герман обратился к ней напрямую — и надо же, с комплиментом.

— Заметили, что в этом сезоне сплошь и рядом в афишах «Борис Годунов», — Герман встал у парапета ложи, спиной к залу. — Типа, достиг я высшей власти, но счастья нет моей душе. Ну, все нет и нет, типа того.

— Тут сегодня, вообще-то, балет «Легенда о любви», — сообщил Данила.

— Правда? Я даже в программку нос не сунул. Думал, опера. Многие театры царя Бориса ставят. — Герман понизил голос до шепота: — А начнут театры сплошь и рядом вдруг ставить пьесу «Дракон», то в театры отправят ОМОН.

— А почему шепотом? — спросил Данила.

— Вырабатываю привычку.

— Ты шепчешь на ухо всем и каждому, Цинна. Ты шепчешь то, что можно всем сказать громко. И до того засел в тебе такой недуг, что на ухо, Цинна, ты и Цезаря хвалишь.

— Иди ты со своим Горацием.

— Это Марциалл, эпиграммы, — пояснил Данила. — С кем ты сегодня тут?

— А вооон в проходе... Группка активистов из КСПП — это коммунистический союз православных передовиков, — Герман осклабился, — таежный пул из Сибири. Комитет Раисы Павловны пригласил их на «круглый стол», а это, так сказать, столичная культурная программа для них. Организовал, чтоб увидели Большой во всей красе. А то они только концерты металлистов запрещать там у себя горазды да в академгородке крестные ходы предложили устраивать во ниспослание «нобелевки».

— А вон те не твои? — Данила кивком указал в партер, где у лож бенуара тоже стояла маленькая группка особняком.

— Эти нет.

— Питерские, — констатировал Данила, — по кислым усатым мордам сразу видно — питерские. По нечищеным ботинкам, засаленным пиджакам, футболкам грязным и немытым ушам. Им Большой до фени — они тут столичную либеральную крамолу приехали бдить. Нагайки в трусах прячут.

— Голые ноги у балерин, — хмыкнул Герман, — разврат! Оскорбление чувств верующих.

— А вон там слева в партере в пятом ряду с краю — видите деятеля? — Данила облокотился о парапет. — Зачем пришел на балет? Он с планшетом не расстается — объявил, что списки «пятой колонны» составляет. День и ночь в Интернете шурует — подсчитывает количество критических постов и комментариев, якобы за десятый миллион уже перевалил. Все, мол, продались, агенты кругом, все — «пятая колонна». Куда списки-то будет направлять — вот интересно?

— Раиса Павловна его к диалогу хотела привлечь за «круглым столом», а он ее послал — мол, и комитет инициативный продался, тоже все там агенты влияния, только очень уж ловко маскируются. Раиса Павловна от таких обвинений аж дар речи потеряла, — снова хмыкнул Герман.

— Другого бы в психушку давно упекли, под душ Шарко, на сеансы успокаивающей мастурбации, — Данила смотрел в партер, — а этого берегут. А вон того видите — один как перст в ложе бельэтажа. Спит старик.

Когда-то про него говорили, «зажигал красиво». А сейчас порой проснется, лишь прохрипит: «Бешенство матки — оттого и майдан! Выберем царя!» — и снова в пограничное состояние между сном и явью — бултых.

Катя смотрела в партер. Публика заполняла зал — премьера, ни одного свободного места. Очень много красивых женщин.

— Сейчас начнется. Ну, я пошел, приятного вечера, — Герман скользнул взглядом по Кате.

Катя кивнула ему — и вам того же, потом снова посмотрела в партер, затем вверх — на хрустальную, уже начавшую тихо гаснуть люстру, и...

Она уловила движение Данилы. Обернулась. На его левой руке на сгибе между большим и указательным пальцами — белый порошок. И он втянул его, резко вдохнув.

Закрыл глаза.

— Доза в Большом — кайф.

— Данила...

— Я не наркоман, — он обернулся к Кате.

— Я и не сказала этого, но...

— Я ведь таким не был. Я был совсем другим. А вот как-то весь разрушился в последнее время. — Он положил руку на спинку кресла Кати.

Свет погас. Оркестр заиграл увертюру.

Занавес открыт.

Покои дворца и прекрасная Мехмене-Бану...

И еще более прекрасная Ширин и храбрый...

— Фархад, — шепнула Катя.

— Что?

— Фархад, то же имя, как и у вашего убитого шофера. Кто его убил, по-твоему?

Данила не ответил. Катя все ждала.

Но — нет...

Балет...

Большой...

Артисты танцевали на сцене.

Танцевали любовь.

И Катя постепенно увлеклась зрелищем.

Оркестр, золото ярусов и лож, аромат духов, балет...

Но внезапно... Катя снова ощутила это — как укол, как и там, в лесу, на берегу реки в Прибрежном — чей-то взгляд. Всей кожей, каждым нервом, каждой клеткой тела она почувствовала это — кто-то смотрит, кто-то следит за ней. За ними?

Она покосилась на Данилу — он так и сидит, положив руку на спинку ее кресла. Вроде и объятие, и нет — такой жест.

Затем она оглядела театр. Сотни зрителей — у многих в руках бинокли. Полутьма. Никогда не узнаешь, кто же это так пристально и недобро следит за тобой. Или это просто померещилось?

Но нет, вот снова — как укол. И это ощущение не проходит, только усиливается.

Балет...

Музыка...

Что же это такое за морок — мурашки по всей спине?

В антракте они вышли в фойе. И Катя ловила себя на том, что все пытается вычислить, понять...

Нет, невозможно. Если кто-то и следил за ними, то это — невидимка. А где Герман Дорф?

— Выпьешь что-нибудь? — спросил Данила.

— Нет.

Но он повел ее в буфет и взял два бокала шампанского. Он выпил шампанское, как воду, — залпом. Катя так и стояла со своим бокалом. Она обратила внимание на то, как женщины смотрят на Данилу. Красавец, пользуется успехом у слабого пола.

Они вернулись в ложу уже после третьего звонка. Когда заиграл оркестр, Данила снова положил свою руку на спинку ее кресла.

На сцене танцевали Фархад и Ширин. Катя подумала о Жене. Она так мало говорила о своем шофере. И клуб «Шарада» она не посещала. Туда ходил ее муж — с этими двоими. Интересно, а Женя про эти походы в ночной клуб в курсе?

И тут Катя почувствовала, как Данила положил ей сзади руку на шею. Потом его пальцы нащупали «молнию» на Катином платье и...

Очень медленно он потянул молнию вниз, расстегивая платье.

— Прекрати.

Но «молния» ехала вниз, вниз... между лопаток и ниже, ниже...

— Прекрати сейчас же.

— Закричишь на весь Большой?

«Молния» — длинная, платье вечернее. «Молния» — вниз, вниз, до самой поясницы.

— Так я и думал. Нет бра под платьем. — Данила наклонился.

Его губы коснулись кожи Кати между лопаток. Да, она не надела бра, но фасон вечернего платья такой, что...

— Ты под дозой! Данила, прекрати. — Катя шипела как змея.

Но он продолжал свое дело — поцелуи вниз, вниз.

Катя оттолкнула его и вскочила с кресла. Уронила программку с парапета — кому-то на лысину.

Она ринулась к двери. Расстегнутое до поясницы вечернее платье она придерживала спереди обеими руками.

Но Данила оказался проворнее. Он тоже встал и преградил ей выход из ложи.

Мускулистый накачанный торс, как скала, хоть бейся об него. И по наглой морде не съездишь, потому что платье надо держать.

Данила обнял ее и...

Этот поцелуй в глубине темной ложи Большого — скрытый, тайный, а может, и не такой уж тайный, может, и на виду у всего театра, у тех, кто смотрел сюда, а не на освещенную сцену.

Его губы...

Катя почувствовала, как он приподнимает ее и...

Левченко он трахал в туалете клуба. А меня решил употребить тут, в Большом, нанюхавшись кокаина...

— Я закричу. Пусти. Я тебя не хочу.

А на сцене танцевали великую любовь, побеждающую все, все, все...

Катя вырвалась из объятий. Нет, неверно — это он сам отпустил ее, у такого не вырвешься.

Она вылетела в фойе. Испугалась — билетерша увидит ее, полураздетую. Но нет билетерши — только зеркало отражает позолоту и все эти смешные усилия, потуги, когда пытаешься застегнуть до предела расстегнутую сзади «молнию» на платье.

Вот черт, черт...

А он ведь сейчас выйдет сюда, в фойе.

Катя кое-как привела себя в порядок и ринулась вниз. И только тут поняла — ее номерок от пальто у Данилы.

Плевать на пальто.

Она остановилась перед другим зеркалом, поправила выбившиеся из укладки пряди (все утро в салоне красоты, столько усилий. И все для того, чтобы вас попытались раздеть прямо в ложе, как шлюху).

Она даже не стала заходить в гардероб, а направилась прямо к выходу — туда, где охрана и рамки металлоискателей.

И тут она увидела Данилу. Он стоял посреди вестибюля. На банкетке — Катино пальто.

Он шагнул к ней и прямо на глазах у гардеробщиц, билетерш и охранников Большого пал на колени.

— Не уходи, не бросай меня, просссссти!

Катя застыла столбом. И вот не поймешь в его тоне — то ли это кокаиновая истеричная мольба, то ли стеб, издевка высшей пробы.

Гардеробщицы пялились, билетерши высыпали в фойе. Охрана ухмылялась.

— Я люблю тебя!

Голос Данилы дрожал. Он протянул к Кате руки, как на сцене. Он ломал комедию. Но делал это столь виртуозно, что...

— Девушка, да что ж вы парня-то довели.

— Такой милый молодой человек...

— Что уж вы так строго, простите его, чем он так перед вами провинился-то.

Голоса пожилых билетерш.

Катя подошла к банкетке и взяла свое пальто. Данила тут же резво поднялся и подскочил помогать ей одеваться. Она отпихивала от себя его руки. Молча, чуть не била его на глазах у всех.

— Девушка, ну что же вы так злитесь, муж-то какой хороший, видный у вас.

Это сказал охранник, давясь смехом. Вот картина в вестибюле — какой уж там балет.

Данила снова взял ее крепко за руку и потащил к выходу. Она ухитрилась съездить ему по спине. На улице, среди колонн, он поймал ее, как птицу, сжал руки.

— Ну все, все, все, все.

— Наркоман! Пошел к черту! Пошел к черту от меня!

Он потащил ее к стоянке. А там внедорожник. Сопротивляясь, Катя подумала — Лилька не спросила у него про машину на допросе, а я видела его лишь на мотоцикле.

— Ну все. Я идиота свалял. Ну прости.

Они застыли у машины, тяжело дыша оба, смотря друг на друга.

— Может, я голову потерял от твоей красоты.

— Врешь, ты голову не теряешь.

— Ладно, вру. — Данила открыл дверь внедорожника.

— Ты ведешь себя как хам, — сказала Катя, — а в школе, — я же помню, ты нас с Женькой защищал. Старший брат. Я завидовала твоей сестре, потому что она имела брата.

Защищал, не защищал, кто сейчас это помнит...

— Я прошу у тебя прощения.

Катя отвернулась и пошла прочь. Но Данила снова преградил ей путь.

— Я прошу у тебя прощения, — повторил он уже совсем иным тоном.

А тут и балет в Большом закончился. Из театра валом повалила публика, многие шли к стоянке. Тут же останавливались желтые такси. Сразу стало очень людно и оживленно, несмотря на поздний час.

В конце концов, это оперативное задание. Мы же убийства раскрываем... Я не могу обрывать с ним контакт. Вот черт! Я не могу, я так все испорчу.

Катя вернулась к машине. Села впереди. Данила сел за руль.

— Куда тебя отвезти? — спросил он.

И тут Кате нежданно-негаданно пришла на ум одна идея.

Глава 28
«ШАРАДА»

— Ты испортил мне вечер в Большом, — объявила Катя.

— Готов исправиться. — Данила включил зажигание.

— Хочу туда, где весело. Где танцуют всю ночь.

Катя сказала это, имея в виду клуб «Шарада». И про себя решила — если он повезет ее сейчас не на Ленинградский проспект, а куда-то еще, она тут же начнет капризничать — это полный отстой. Если еще куда-то — то же самое: тоска зеленая, скукотища. До тех пор, пока они не доберутся до этой «Шарады».

Надо обязательно побывать с ним в клубе, куда ходили две жертвы убийств. Бородатая Кора и карлица Маришка сегодня вечером там, на работе, так что могли узнать что-то интересное.

Данила не повез ее «куда-то еще», а доставил в ночной клуб «Шарада» — через двадцать минут они уже парковались на той самой автостоянке на Ленинградском, где застрелили Василия Саянова. Катя узнала это место сразу. А вон и арка во двор, освещенный фонарем.

— И что здесь такое?

— Клуб, мы сюда порой ходим с друзьями, — ответил Данила.

И опять взял Катю за руку — как ни в чем не бывало, словно и не случилось ничего в ложе Большого.

— Ты всех своих девиц сюда водишь?

— Тридцать юнцов у меня и ровно столько же девок. Член же один, что же делать-то мне?

Катя тут же вырвала руку.

— Марциалл на все вопросы дает ответ, — Данила ухмылялся. Они уже зашли во двор.

Клуб «Шарада» не имел ни яркой сияющей рекламы, ни окон — кирпичное здание фабричного типа, напоминавшее склад или пакгауз. Мощная железная дверь. Данила позвонил в звонок и переговорил с охранником.

Момент — и дверь распахнулась.

А внутри все напоминало пещеру или катакомбы — так сначала показалось Кате: сиренево-розовая подсветка и кирпичные стены длинного коридора, испещренные граффити на античные темы. Очень много нагих мужских торсов, крылья грифонов, львиные когти химер, обнаженные всадники, юные флейтисты, прекрасные кравчие, разливающие из кувшинов вино в чаши, голые танцовщицы в браслетах и жемчугах, фантасмагорическое переплетение тел в эротических сценах. И все это яркое, свежее, словно только вчера нарисованное на старых заводских кирпичах акриловыми красками.

И музыка — толстые фабричные стены уже не могли ее заглушить.

Мгновение и — музыка громче, громче...

Охранник распахнул перед ними дверь, и они сразу попали на танцпол.

В эту ночь «Шарада» была набита битком. Катя и Данила оказались в самой гуще пляшущей толпы. Публика самая разная: молодежь, студенты и постарше; парни, девицы — кто в чем, кто в вечерних нарядах, кто в кожаных корсетах и высоких сапогах. А кто-то в гриме зомби-Эбола, кто-то в венецианской парчовой маске и смокинге.

— Тут тесно, — шепнул Данила и, снова крепко ухватив Катю за руку, повел ее куда-то — сначала к самой сцене, затем к лестнице.

Они поднялись в VIP-зону, Данила опять коротко переговорил с охраной, и вот они уже на балконе над танцполом и сценой. Мягкие диваны, столики. Тут народу мало.

Дверь в приват-комнату, и туда как раз заваливается компания парней, официант несет коктейли, виски и пиво. А внизу на сцене диджей объявляет конкурс «Золотой караоке».

— Выиграть наш приз может каждый! Кора, детка, покажи им, как надо петь!

Буря на танцполе — свистят, хлопают, смеются, кричат: «Кора, давай!»

Катя увидела бородатую Кору такой, какой еще не видела никогда — в золотом обтягивающем платье поп-дивы, в туфлях на высоченных каблуках, с микрофоном.

Ну конечно же, не ее голос и даже не караоке, а фонограмма из фильма «Кастрат Фарринелли». Кора пела его голосом «Либерта».

Шум, свистки на танцполе неожиданно стихли.

Бородатая женщина пела чужим, составленным на компьютере голосом неземной красоты и мощи.

— Местная звезда, — шепнул Данила, — она не трансвестит.

— Я знаю, — ответила Катя и... — То есть я так предположила, — тут же поправилась она быстро.

И увидела карлицу Маришку — та с подносом шла обслуживать их столик. На ней костюм Красной Шапочки, в глазах изумление — она узнала Катю, узнала и Данилу. Но вида не подала — умница.

— Так за что мы выпьем? — спросил Данила. Ноздри его раздувались.

— За дружбу. — Катя взяла бокал с коктейлем.

Ты и правда тут завсегдатай, ты и заказ на выпивку не делал — тебе Маришка сразу принесла как постоянному клиенту — коктейль и виски...

— За дружбу, — Данила выпил, — а еще за что? Кстати, я хотел спросить тебя.

— Да?

— Как муж-то на все отреагирует?

— Никак.

— А, вот даже как? Все так запущено?

— И не говори.

— Так вы в разводе, что ли? Я у Женьки добиться не мог.

— А ты опять наводил обо мне справки у сестры?

— А у кого же еще? — Данила улыбнулся. — Ты меня вон избила всего в театре.

Тут к их столику подошел какой-то парень. Данила кивнул ему и поднялся.

— Я на минуту отлучусь.

Катя поняла — хочет еще одну дозу кокаина, а это — местный «разносчик счастья».

Как только Данила скрылся, она тоже встала и покинула балкон, спустилась вниз, на танцпол. Караоке-конкурс после Коры как-то не пошел, включили «медляк», и на танцполе топтались парочки — разнополые и однополые. Влюбленные обнимались и целовались в танце. Парни-геи, девчонки и парочки-натуралы.

Кто-то тронул Катю за плечо — Кора!

— Маришка передала, вы тут с одним из этих, ну, с фото, — шепнула она.

— Кора, потанцуем? — Катя протянула к ней руки.

Это самое естественное в данной ситуации. Если Данила спросит, чего ушла с балкона, она ответит — соблазн велик потанцевать с бородатой певичкой.

Кора обняла ее за талию. Они медленно закружились под музыку. У Коры пряные духи.

— Кое-что узнала, но не много пока, — Кора шептала прямо на ухо, — про Васеньку нашего, земля ему пухом.

О покойниках плохо нельзя, но вы ж его убийцу поймать хотите, так, наверное, это важно для вас.

— Что важно? — шепнула Катя.

Посмотреть со стороны — они просто нежно любезничают, кружась в танце.

— Он собой торговал. Ну, отдавался за деньги. Тут у нас с этим строго, клуб следит, чтобы никто со стороны не лез, — ну, ты понимаешь. Так он тайком. А в клубе наши знали, но не капали на него, потому что он деньгами делился. Я ж сказала — он со всеми дружил вась-вась. А на жизнь вот так зарабатывал.

— Мужская проституция? А он не воровал у клиентов?

— Нет, что вы, Васенька не вор, — Кора затрясла головой, — а в остальном мы ему не судьи. У него клиенты постоянные были, сюда приезжали, мужики. Пока больше со вчерашнего дня ничего не узнала, постараюсь еще, фотки нашим покажу.

— Только осторожно, чтобы не вызвать подозрений, — предупредила ее Катя.

И тут...

— А, птички, спелись уже.

Катя оглянулась — Данила.

— Стоило мне отвернуться...

— Все, все, исчезаю, — бородатая Кора очаровательно улыбнулась.

Она выпустила Катю из объятий и скрылась в направлении бара.

— И как это понимать? — хмыкнул Данила.

— У нее потрясающая борода.

— А тебе что, только такие нравятся?

— Возможно.

— А такие, как я? — он привлек Катю к себе.

— Не очень.

— Плевать. — Данила улыбался.

Потом диджей «сменил тему», и танцпол взорвался новыми ритмами, но Данила Катю не отпускал, танцуя свой собственный медленный танец.

— Здесь очень шумно, — шепнул он, — пошли опять наверх, а?

Катя покачала головой — нет, нет, нет, тут хорошо. Они танцевали долго, у Кати начала голова кружиться. Данила медленно в толпе прокладывал путь к бару.

После двух часов ночи публики на танцполе стало меньше, некоторые уехали, кто-то перебрался наверх — в VIP-зону. Они с Данилой достигли бара. А по пути Катя увидела еще одну достопримечательность «Шарады». В толпе мелькнула фигура в розовом платье, густо усеянном блестками. Очень тяжелый отклеченный зад и широкие бедра, бюст, обтянутый блестками, — словно два тяжелых арбуза. Наштукатуренное косметикой лицо с нелепыми черными бровями и алым ртом. Существо в розовом — блондинка, парик цвета белой платины.

Сидя за стойкой бара и повернувшись к танцполу, Катя снова увидела эту толстую блондинку. Она вытирала со лба бумажной салфеткой обильно струящийся пот.

К Даниле подошли какие-то знакомые парни — видно, тоже завсегдатаи «Шарады», заказали виски.

А Катя отправилась в туалет. Проходя под балконом, подняла голову — блондинка в розовом уже наверху, смотрит вниз. Катя встретилась с ней взглядом.

Возвращаясь в бар, Катя столкнулась с карлицей Маришкой — та летела с очередным подносом наверх.

— Кто это в розовом и в парике? — спросила Катя.

— Это Марта Монро, — ответила быстро Маришка, — опять она тут, и вчера крутилась. Мы ж говорили — она охране платит.

— Чудная какая-то, на переодетого мужчину похожа.

— С геями не замечена — это однозначно. А там уж и не знаю как. У нас особо не допытываются, каждый прикалывается как хочет, — карлица Маришка частила. — Вы-то как здесь?

— По делу об убийстве. Инкогнито.

— Ясно, — Маришка закивала. — Я — могила. Кора с вами потолковать хотела.

— Уже.

Маришка снова закивала, скорчила самую серьезную мину, на которую только была способна, — мол, все ништяк. И чуть не выронила поднос.

— Будем на связи. — Катя вовремя поднос подхватила. И Маришка, кивнув, побежала по лестнице наверх.

В три утра в клубе «Шарада» еще продолжалось веселье.

Глава 29

МЕЧТА О РЕБЕНКЕ

Катю разбудил звонок по мобильному. Она никак не могла разлепить сонные веки, открыть глаза — только минуту назад, казалось, закрыла их, коснувшись головой подушки.

Но мобильник мелодично тренькал, призывая. Катя глянула на дисплей — одиннадцать утра, а до постели она добралась в половине пятого.

Ночь в «Шараде» закончилась совершенно неожиданным образом. У Данилы внезапно обильно хлынула носом кровь. Он зажимал нос обеими руками, потом ринулся в туалет, Катя — следом. Там он, давясь, склонился над раковиной, а кровь все хлестала. И Катя то и дело рвала бумажные полотенца в полотенцедержателе, мочила их в холодной воде и прикладывала ему к переносице, стараясь остановить алый поток.

Все указывало на то, что, несмотря на великий гонор и самомнение, Данила — кокаинист никудышный, судя по всему — новичок. С кровотечением кое-как справились и изгвазданные поехали домой. Данила настаивал с ослиным упрямством, что отвезет Катю сам.

Рулил с бумажной примочкой на переносице. Катя лишь головой качала — допрыгался со своим кокаином.

Они расстались у Катиного подъезда на Фрунзенской набережной.

— Не суди меня строго, — сказал Данила на прощание.

— Я не сужу.

— Вообще никак не суди. Ты так можешь? Ты способна не осудить?

— Данила, езжай домой очень осторожно. — Катя не приглашала его к себе.

— Но ты можешь не судить?

Он допытывался с какой-то болезненной настойчивостью.

— Я могу. И я тебя не сужу. Я никого не сужу.

— Тогда мы с тобой еще увидимся, — пообещал Данила, — и спасибо тебе за волшебный вечер.

И вот сейчас Катя, беря мобильный спросонья, была уверена — это он звонит. Но она ошиблась. Звонила Женя.

— Доброе утро, Катюш, — произнесла Женя радостно в трубку. — Ты чем сегодня занята?

— Я сплю, — призналась Катя.

— Погода чудесная, совсем не ноябрьская. Приезжай ко мне сейчас, а? Я вещи на детскую благотворительность купила, надо отвезти в фонд. Давай вместе, а? Доброе дело. И я уже соскучилась по тебе. Гена сегодня опять в мэрии. Наши — кто где, так что мы сами будем развлекаться.

Кате адски хотелось спать после вчерашнего, но... Она ведь сама взялась за это дело. У Жени можно попытаться кое-что разведать — например, про Василия Саянова и бывшую Данилину подругу Анну Левченко.

— Хорошо, приеду часика через полтора, — простонала Катя, — ты свари мне кофе покрепче.

— Идет, — засмеялась Женя.

И Катя даже не стала завтракать — после бессонной ночи никакого аппетита. Она приняла горячий душ, привела себя в порядок, оделась потеплее и спустилась во двор к гаражу.

Мы едем, едем, едем...

В воскресный день ехать по Москве — одно удовольствие. На Ленинградском проспекте она снова проехала мимо той самой автостоянки и арки, ведущей к «Шараде». После Речного вокзала свернула в сторону Прибрежного. И добралась без приключений.

Она въехала на уже знакомую улицу — заборы, особняки. Вон и кирпичная стена, отгораживающая этот дом от внешнего мира.

И тут Катя увидела маленькую женскую фигурку в желтом плаще — черноволосая, худенькая, похожая на подростка женщина с тяжелой сумкой вышла за ворота.

Катя сразу поняла — перед ней неуловимый и невидимый дух этого дома — горничная-филиппинка.

И Катя решила — допрошу ее сама! Она посигналила и приветливо помахала рукой из машины. Горничная засеменила к ней.

— Добрый день, я подруга вашей хозяйки. Я приезжала на праздники.

— Здрасте, здрасте, я вас знать, помнить. — Голосок — тот самый, что будил поутру, как колокольчик.

— Я вас подвезу, хотите? Вы куда?

— На автобус, моя выходной.

— Так садитесь, довезу вас до остановки, — Катя открыла дверь машины, — а то тут безлюдно, дорога пустая совсем. Что с вашим шофером-то произошло, какое несчастье, надо быть острожной. Садитесь, садитесь, я потом вернусь сюда, как вас отвезу к автобусу.

Горничная-филиппинка с довольным видом уселась в машину рядом с Катей. По виду — явно польщенная вниманием и заботой. Катя развернула «Мерседес».

— Спасибо, спасибо, — горничная закивала, — моя на автобус в Химки, я там жилье снимать с друзья.

— Ваш шофер Фархад тоже жилье снимал, — сказала Катя. — В гости вас не приглашал, нет?

— Нет, нет, — горничная снова закивала головой, — он не всегда уезжать домой.

— Не всегда уезжал домой?

— Нет, нет, ночевать тут дома.

Это опять что-то новое. Геннадий Савин на допросе показывал, что Фархад в доме не ночевал, уезжал, а приезжал утром.

— И часто он ночевал в доме?

— Часто, часто. Оставался, я ему ужин и завтрак.

— Так он был ваш бойфренд? — Катя заулыбалась.

— Нет, нет, Не мой. Их.

— Кого «их»?

Горничная-филипинка улыбалась, как маленький будда. Потом сказала:

— Плохо знать русский я.

И добавила:

— Остановка, автобус. Спасибо.

К остановке подъезжал рейсовый автобус до Химок. Горничная резво выскочила, вытащила свою сумку и поклонилась Кате вежливо.

А Катя отправилась снова к дому Жени.

Их бойфренд... Как это понимать?

Женя ждала ее у распахнутых ворот.

— Привет, ты чего это приехала — я из окна тебя увидела — а потом назад?

— Я твою горничную до остановки подбросила, — призналась Катя. — Знаешь, после убийства надо проявлять осторожность, мало ли. А тут у вас так тихо.

— Многие в Москве живут, а здесь просто недвижимость. Заезжай скорее, я кофе сварила.

— А где все ваши? — спросила Катя, паркуясь возле гаража.

— Гена в мэрии, там какой-то скандал с точечной застройкой на Дмитровском, он улаживать поехал с управой. Тетя с пятницы в Сретенском монастыре на Оке, на духовных чтениях о таинстве брака. Данила гуляет. — Женя покосилась на Катю лукаво. — Это ты мне скажи, где он.

— Вчера ходили в Большой, — призналась Катя, — а потом он завез меня в один клуб на Ленинградском, в «Шараду». Танцевали до утра.

Женя улыбалась. В безмятежной улыбке ее вроде ничего не изменилось. Они вошли в дом. В холле их встретил Петр Алексеевич в своем инвалидном кресле.

— Доброе утро, милости просим, — приветствовал он Катю.

— Папа, тебе ничего не нужно? Мы наверху вещи разберем, потом отвезем в фонд.

— Развлекайтесь, девочки. — Он, вертя колеса руками и не пользуясь кнопкой на пульте, направился в глубь дома.

Женя налила на кухне в чашки кофе из кофеварки, забрала тарелку с пирожками, и они с Катей поднялись наверх. Катя прошла мимо гостевой комнаты, где ночевала. Женя провела ее по длинному коридору и открыла дверь в спальню.

На супружеской постели — целый ворох новеньких детских вещей и игрушек.

— Твой Гена часто работает по выходным.

— Приходится, он сам от всего этого дико устает.

— По клубам ночным тебя не водит?

— Я не ходок на танцульки, ты же знаешь. — Женя, хромая, прошла к окну. — У нас Данила по этой части. Знаешь, я хочу тебя предупредить по-дружески. Он хоть и мой брат, но... Он мало что ценит в этом мире. Ты не очень-то верь его словам.

Катя смотрела на подругу: она — женщина с физическим изъяном, муж часто отсутствует, а тут рядом красавец брат... Тот страстный сладкий стон той ночью... Было ли это здесь, в супружеской спальне? Или в комнате брата? Не балуетесь ли вы инцестом, дорогие мои давние школьные полузабытые друзья? И не ревность ли тебя сейчас заставляет говорить так?

Но Катя тут же устыдилась своих мыслей. Нет, не надо так про Женьку. Но мысли вернулись снова. И сомнения: если у вас тут инцест, то что означают слова горничной «их бойфренд»? Какова роль во всем этом покойного шофера?

Катя села в кресло у постели и взяла чашку кофе, с наслаждением выпила. Женя тем временем начала разбирать детские вещи. Каждую она показывала Кате — маленькие пальто, платья, комбинезоны, башмачки, сандалии, брюки для мальчиков-карапузов, клетчатые юбочки, вязаные шапочки.

— Отвезем в фонд детских домов на Покровке, — сказала она. Лицо ее светилось. — Это я все в разных местах купила. И игрушки тоже.

— Пора вам своего заводить. — Катя стала ей помогать разбирать. — О чем только Гена твой думает?

— О ребенке, — ответила Женя, — о нашем ребенке, где часть его и часть меня. О наследнике, о продолжении рода.

Катю поразил тон подруги.

— Знаешь, ради этого я... то есть мы с мужем на все пойдем, — продолжала Женя тихо, но очень страстно. — Это самая главная наша мечта с Геной. Потому что мы... мы не хотим расставаться, мы хотим жить вместе до самого конца.

— А что, кто-то заставляет вас расстаться, развестись?

— Нет, никто. Что ты... Это я так. Да мы никому и не позволим нас разлучить. Гена мой муж, я его сама выбрала. Ведь это я ему в любви призналась первой. Он очень хороший человек, я от него, кроме добра и заботы, ничего не вижу. И я ему благодарна.

— За что?

— За это. — Женя указала на свою укороченную ногу. — Знаешь ведь как? Вроде сидишь в ресторане, чай пьешь. Корчишь из себя мадам. И мужики поглядывают — мол, на рожу ничего. А как встанешь, как заковыляешь — все, как ветром сдувает. А Гена на мне женился. Он назвал меня своей женой, я люблю его без памяти. Я хочу родить ему ребенка, исполнить его мечту. И я все сделаю для этого, я все стерплю.

Я все стерплю...

Что?

Катя смотрела на подругу — на нежном лице твердая решимость, вызов и еще что-то...

— А что, у вас в этом вопросе какие-то проблемы? — осторожно поинтересовалась Катя.

— Нет, что ты, никаких проблем, это я так. — Женя начала складывать детские вещи в сумки. — Ты мне лучше скажи, как вы с Данилой?

— Вчера смотрели балет в Большом, я же сказала. Потом он повез меня в ночной клуб. Эта «Шарада» прикольное место.

— Он у меня спрашивал по поводу твоего развода.

— Мы с мужем не развелись, я же говорила тебе.

— И я сказала об этом Даниле. Он и ухом не повел. — Женя продолжала деловито загружать сумки. — Он вначале очень настойчив. Но быстро охладевает. Ко всем.

— Бывшую свою бросил давно? — спросила Катя самым «женским» любопытным тоном. — Жень, ну не томи, просвети меня.

— Ее и бывшей-то нельзя было назвать — так, мимолетное увлечение. Кстати, там и подцепил в клубе, в этой самой «Шараде».

— А кто она?

— Я ее не видела. Он сюда ее не привозил. Не ночевал дома несколько ночей подряд где-то месяца полтора назад. Я стала упрекать — у нас все же отец болен, а его дома сутками не бывает. А Данила в своем репертуаре — трахаюсь, мол, нон-стоп с одной симпатяшкой. Зовут, мол, Анетт, и она то ли на радио комментатор, то ли блогер.

— А где она сейчас? — спросила Катя наивно. *Самый главный вопрос.*

— Понятия не имею. Послал он ее куда подальше. Больше они не встречаются.

Естественно. Анна Левченко в могиле на кладбище. А ты, Женечка, значит, ничего не знаешь о ее убийстве? А Данила в курсе, что его бывшая девушка убита? Если не сам он ее прикончил, неужели за все это время так и не поинтересовался ее судьбой? Хотя не так уж много времени прошло. Мы все порой месяцами не видимся, не созваниваемся. А тут законченный роман... Обрыв связи. Обрыв ли?

— В Большом театре вчера к нам Герман в ложу приходил, — сообщила Катя. — Такой импозантный мужчина, в смокинге. Данила мне потом сказал в клубе, что и «Шараду» Герман посещает охотно.

Не говорил он мне этого, я лгу тебе, подружка...

— В «Шараде» гей-вечеринки лучшие во всем городе. Нет, Герман не гей. Он пиарщик и устроитель всего.

— То есть?

— Он мастер налаживать контакты, — Женя взмахнула рукой, — тетя Рая этим его даром пользуется и ее комитет. И другие тоже. А Герман за это деньги получает — за мастерство налаживания контактов между разными, очень разными и часто далекими друг от друга людьми, группами людей.

— Не очень понятно.

— Я сама не очень понимаю. Но такие люди — вроде моста. К нему порой обращаются как к посреднику. А в плане секса он, по-моему, не очень. Слишком уж пресыщен. Если что-то там и есть, то это нечто весьма экстравагантное, а не просто девицы или парни-геи.

И тут при этих словах подруги перед глазами Кати возникла накрашенная Марта Монро в розовом платье с блестками и платиновом парике.

Мне показалось сначала, что это — переодетый мужчина...

Нет, нет, Марта — это просто Марта, достопримечательность «Шарады», при чем здесь Герман Дорф?

— Ну, мы можем ехать, все собрано. — Женя взяла две сумки с вещами.

Катя подхватила две сумки с игрушками. Они спустились вниз, в сад и начали загружать вещи в Катину машину. Возвращались в спальню они за сумками несколько раз, пока крошка «Мерседес» не оказался забитым под завязку.

— А что, Петр Алексеевич совсем один дома останется? — спросила Катя, когда Женя открыла ворота.

— А папа часто дома один остается. Что поделаешь? Да он и не в претензии. Он много сам может чего, уже привык. И потом тетя Рая к вечеру вернется из монастыря, и Данила в конце концов явится. И Гена мой. Подожди, я только скажу папе, что мы...

Она не договорила — побежала в дом доложиться отцу.

Глава 30
ГИЛЬЗА

В фонде на Покровке, куда Катя и Женя привезли игрушки и вещи, — в самом разгаре музыкальный праздник для воспитанников детских домов. Клоуны, артисты в ярких костюмах, музыканты в образе волшебников и фей, играющие на скрипках и флейтах. Сказки, сказки и веселые конкурсы.

Катя отметила, что Женю сотрудники фонда хорошо знают, рады и приезду и подаркам. Их усадили на первый ряд, и они хлопали вместе с детьми клоунам, выступавшим с кошками, и веселым жонглерам.

Все закончилось к шести часам, а после Женя уговорила ее ехать ужинать. Сидели до половины девятого, на этот раз уже не в «Мэриотте», а в битком набитом итальянском баре рядом с Домом журналистов, где подавали лучшие в Москве «великие итальянские первые блюда». Бар предложила Катя, он славился также и винотекой, и Женя с удовольствием пила красное вино под лингвини. Катя же блюла трезвость, помня, что она за рулем и что ей еще везти подругу назад в Прибрежный.

Но в конце вечера Женя вызвала такси по мобильному — нет, нет, я сама доберусь до дома, тебе, Катюш, надо отдохнуть, а то это снова такой конец в нашу деревню и обратно.

Усадив Женю в такси, Катя села за руль и не спеша двинулась домой на Фрунзенскую набережную. Она и правда устала — ночь без сна и этот сумбурный день... Хотя, конечно, она кое-что узнала. Надо завтра утром все это обсудить с Лилей, интересно, какие та сделает выводы и что предпримет в рамках расследования?

Около девяти она въехала в темный двор и медленно пересекла его, лавируя между припаркованных машин, направляясь к гаражу-«ракушке». Старенький, купленный по случаю гараж располагался в торце дома на небольшой, окруженной кустами утоптанной площадке, рядом с другими «ракушками». Пятачок избежал застройки и сноса гаражей лишь по счастливой случайности — под ним как раз пролегал узел теплотрассы и строить там было нельзя.

Катя заглушила мотор, вышла из «Мерседеса», ища ключи, чтобы открыть замок гаража, и в этот миг...

Ба-бах!

Громкий хлопок — в первую секунду Катя даже не поняла, что это — то ли петарда в кустах, окружавших пятачок, бабахнула, то ли лопнула шина. Но она сразу же услышала звон металла — в металлическую стенку гаража почти рядом с ее головой словно впилась железная оса. И...

Катя рухнула на землю. Это был выстрел!

Возле заднего колеса что-то звякнуло, с силой стукнувшись о гравий.

Совсем рядом с гаражом зашуршали кусты — стрелявший стремился занять более удобную позицию для второго выстрела.

Катя, как ящерица, поползла по земле, пятясь, стараясь укрыться за своей маленькой машиной. Она нажала на кнопку сигнализации на брелке, и крошка «Мерседес» взвыл сиреной, мигая фарами.

И...

Громко, басовито, зло вдруг залаяла собака.

И мужской голос так же громко потребовал: «Пацаны, хорош петардами баловаться, тут же машины в гаражах, бензин! Не прекратите — я сейчас в полицию позвоню».

Свидетель... слышал выстрел, но, как и я, принял его за хлопок петарды...

Снова зашуршали кусты, потом все стихло.

Катя, вжавшись в гравий, замерла. Она чувствовала себя абсолютно беззащитной.

Но ничего не происходило, минуты тянулись медленно и долго.

И вдруг — рев мощного мотора. И — оглушающая темную набережную музыка. Мгновение — и все стихло, умчалось вдаль.

Катя протянула руку, начала шарить по гравию. Нащупала, захватила в горсть вместе с камнями и комьями земли.

Крошка «Мерседес» все еще пикал сигнализацией и моргал фарами, когда она наконец поднялась, сначала на четвереньки, выглядывая из-за капота, затем уже в полный рост.

В свете мигающих фар она увидела то, что подняла с земли, — маленький продолговатый металлический предмет.

Это была стреляная гильза.

Глава 31
ДРОЖЬ

Внешнее спокойствие — на нуле, даже ниже нуля. У Кати тряслись колени, тряслись руки — она не осталась возле гаража и домой к себе в квартиру не поднялась. Села в машину и проехала квартал до сетевого кафе.

По пути позвонила Лиле Белоручке.

— В меня только что стреляли у дома.

Лиля не стала задавать заполошные вопросы: как? кто? Она ответила:

— Сейчас приеду с нашей опергруппой. Где ты меня ждешь?

— В кафе на набережной рядом с домом, — Катя назвала адрес.

— Правильно. Домой одна пока не ходи.

— Я местных полицейских не стала вызывать. И в наш главк пока не звонила. Ты сама решай, тут, на месте.

Катя припарковалась у кафе так, чтобы Лиля увидела ее машину. Освещенная витрина манила теплом, внутри молодежь, парочки. На ватных ногах она пересекла зал, уселась за столик. И вдруг побежала в туалет.

Ее вырвало в раковину. Ужас накатил запоздалой волной.

Катя смотрела на себя в зеркало. Жалкое, жалкое зрелище...

Пуля пролетела совсем рядом с твоей головой, идиотка.

Лиля с опергруппой приехала из Прибрежного через сорок минут. Позвонила и вызвала Катю на улицу из кафе. Все вместе уже поехали назад к гаражу-«ракушке». Лиля села в машину к Кате.

Та начала сбивчиво рассказывать.

— Подожди, подожди, все по порядку.

По порядку...

Катя попыталась.

— Вот что я подняла, — сказала она и показала Лиле стреляную гильзу.

Лиля кивнула эксперту-криминалисту, которого привезла с собой.

— На баллистическую экспертизу срочно. И по всем банкам данных по убийствам проверить. Катя, оставайся в машине, пока мы все тут осмотрим.

Сотрудники Прибрежного вместе с Лилей начали осматривать гараж, площадку и кусты. Извлекли пулю из металлической стенки гаража.

— Был один выстрел?

— Я же говорю — один. Залаяла собака, а мужчина какой-то, наверное, хозяин... он принял это, как и я сначала, за хлопок петарды, начал ругаться. Он спугнул убийцу. А то бы...

Лиля достала из патрульной машины термос и налила Кате горячего крепкого чая.

— На, выпей.

Катя глотала чай, обжигаясь. Во рту, после того как вырвало — противный кислый привкус.

— Что случилось? Почему именно сегодня в тебя стреляли? Вспомни, что важного произошло за эти сутки?

— Ничего такого. Одно лишь — я поговорила с горничной.

— Что?

— Я поговорила с горничной-филиппинкой. — И Катя подробно рассказала Лиле события дня.

— Значит, твоя подруга Женя уехала из бара одна на такси? — уточнила Лиля.

— Да, она отказалась, когда я предложила отвезти ее.

— А кто еще находился в доме? Кто мог видеть тебя и горничную?

— Там был Петр Алексеевич, отец Жени. Только он один.

— Этот, в инвалидном кресле? Я его так и не допросила.

Катя смотрела на подругу.

— Знаешь, как в классических детективах, — продолжила Лиля, — тип, что в инвалидном кресле, в конце концов оказывается вовсе и не инвалидом. Все думают, что он к креслу этому прикован, а он ходит себе, когда его никто не видит.

— У меня в Большом театре возникло странное ощущение, словно кто-то смотрит на меня... следит. Чистая паранойя, конечно, это же театр. Полно народу, — Катя подбирала слова, — но и до этого там, в Прибрежном, возникало такое же ощущение. Мы с Женей гуляли в лесу, пришли на берег реки. И... в общем, мороз по коже, мне показалось, за нами кто-то наблюдает.

— Убийца, кто бы он ни был, знает, где ты живешь. Кому из них ты говорила?

— Жене сказала, что живу на Фрунзенской. А Данила довез меня после «Шарады», я же рассказываю тебе, и...

Тут Катя запнулась.

Она вспомнила лицо Данилы там, в театре, когда он так картинно-шутовски протягивал к ней руки.

Вспомнила его лицо, когда он поднимал тост «за великую русскую литературу» против новоявленных мракобесов.

— Ты что-то мне недоговариваешь, подружка, — осторожно заметила Лиля.

— Я... после выстрела я слышала звук мотора, — сказала Катя. — Не во дворе, на набережной. И громкую музыку, мотоциклисты часто так врубают, но я... я не уверена, может, это просто совпадение.

— Мы получили очень важную улику, — произнесла Лиля после паузы, — гильзу. Хотя и такой вот дорогой ценой. Посмотрим, что даст баллистика и банки данных. В любом случае теперь это дело, после покушения на тебя, выходит уже на совершенно иной уровень.

Глава 32
ЧАСТНАЯ ЖИЗНЬ

Около полуночи Герман Дорф спустился в бар «Менделеев» на Петровке — тот самый, что так часто посещал и Геннадий Савин.

Впрочем, они и вместе сюда захаживали. Но сейчас Герман был один. Воскресной полночью бар полон. Герман едва нашел свободный стул за стойкой и заказал двойной скотч.

Пьяницы с глазами кроликов...

Очень хорошо и дорого одетые пьяницы, благоухающие парфюмом.

Здесь курят или не курят?

Здесь не курят.

— Частная жизнь — это та яма, куда пришло время нырнуть. Ничего не поделаешь, дружок. Се ля ви...

— Меня ничего не интересует, кроме благополучия моей семьи и моих детей. Погрузиться с головой в частную жизнь? А что — это выход. Я и семья, вот что самое главное. Как-то сохранить, сберечь... Еще можно сберечь-то?

— Нищебродам рай в шалаше.

— Но я ничего не хочу. Мне ничего не нужно ни от кого. Меня интересует только моя семья. Личное благополучие. А что в этом плохого?

Разговоры у стойки.

Герман Дорф и прислушивался, и не слышал их. Он заказал себе еще один двойной скотч.

Та яма...

Пришло время нырять...

Ничего не поделаешь, дружок.

Он покинул бар и вышел на залитую огнями Петровку, в темноту осенней ночи. Подошел к своему внедорожнику, сел за руль. Он смотрел на себя в зеркало заднего вида. Видел и не видел себя.

Но смотрел зорко.

Потом он полез в карман пиджака и достал пистолет. Взвесил его на руке. Заглянул в черное дуло-зрачок.

Затем сунул пистолет в бардачок.

Улица Петровка сияла, как новогодняя елка, — все так красиво, так богато.

Скотч разливался по жилам Германа Дорфа, как сладкий яд.

Как отрава этой жизни, что зовется частной.

Глава 33
ПЕРВАЯ ЖЕНА

Петр Алексеевич Кочергин созерцал из окна скользкие от влаги плитки патио. Мглистые сумерки за окном, рассвет ноябрьский в дожде. Голые сучья высоких деревьев, мокрые кусты в саду.

В доме — уютно и тепло, но он не ощущал тепла. Хотелось выйти под дождь в это хмурое ноябрьское утро.

Выйти, прогуляться на своих двоих, а не проехаться в кресле по дорожкам сада.

Дождь, дождь, осень...

И тот случай тоже произошел осенью, в ноябре, так что это почти что юбилей. Годовщина...

Они ехали с женой Мариной в машине. В тот вечер они не ругались, не грызлись, как это бывало прежде. Они возвращались из Театра эстрады, где слушали Михаила Жванецкого. У Марины было отличное настроение, она то и дело улыбалась, вспоминая остроты сатирика.

Его красавица жена Марина, его первая жена...

Петр Алексеевич вспомнил себя молодым — такой нескладный, долговязый, тонкошеий, но у него были способности, да, он имел способности, коммерческую жилку. Поэтому Марина — красавица Марина и обратила на него внимание. И вышла за него. А он начал заниматься бизнесом, чтобы обеспечить в первую очередь ее. Чтобы она ни в чем не нуждалась и имела возможность купить все, что пожелает. Да, обеспечить именно ее — свою ветреную красавицу жену, а не семью, не детей.

В те времена он думал исключительно о своей красавице жене. Он был безмерно влюблен в нее.

И позже тоже, но уже иные мысли приходили ему в голову.

Когда он понял, что жена изменяет ему...

Изменяет направо и налево, потому что...

Он ведь делал все, все для нее! А она начала от него гулять.

Такой уж характер — ничего не попишешь. Зов плоти. Тело у его жены было такое стройное, знойное — столько страсти, столько пыла и жара она генерировала в себе. Одного мужа, его, Петра Алексеевича, ей явно не хватало. И она заводила себе любовников. И когда дети подросли... И потом, когда они уже совсем выросли. Годы не сказывались на его красавице жене, она лишь созревала, как южный плод, делаясь все красивее и утонченнее, как выдержанное вино. И любовников у нее лишь прибавлялось.

Как это Рая ее называет — Мессалина? Распутница Мессалина. Вот кем была его первая жена.

Но он любил ее без памяти.

Данила — копия матери. Тот же темперамент в нем, та же страсть. Он пробует мир на вкус, на кончике языка, он тестирует эту жизнь, не боясь последствий.

Петр Алексеевич закрыл глаза — тот вечер после Театра эстрады, когда они ехали домой.

Кто же знал, что так выйдет — грохот, лязг металла, звон стекла. Дорожная авария.

И вот теперь он расхлебывает ее последствия. Он женат вторично. И женат на сестре Марины. Рая... Раиса Павловна снизошла до него, когда он там, на больничной койке, обездвиженный и беспомощный, уже обдумывал, как бы это поскорее все закончить. Как распрощаться с этим миром.

После смерти первой жены, изменявшей ему, он размышлял о самоубийстве.

Да, да, да, это правда.

А Рая... Раиса Павловна отвела от него эти мысли. Назвала его своим мужем, помогла.

И как же он ненавидит ее...

Как же он ненавидит и свою первую жену Марину, растоптавшую все, все, все.

Все лучшее, все самое святое. Его любовь...

Петр Алексеевич глядел в окно.

Там, за окном, словно метелки, мотались на осеннем ветру кусты.

Петр Алексеевич закрыл глаза.

И вспомнил — они остановились на светофоре. Перед тем, как все случилось, — тогда, после Театра эстрады, они остановились на светофоре. Его первая жена, мать его детей, Марина обернула к нему прекрасное лицо свое и улыбнулась.

И повторила какую-то шутку Михаила Жванецкого.

А через две минуты ее не стало.

Глава 34
НЕСТЫКОВКИ

— Завтра... то есть уже сегодня ты весь день дома, — объявила Лиля Белоручка, взглянув на наручные часы, показывавшие полночь.

После осмотра и отработки места происшествия у гаража она и оперативники Прибрежного проводили Катю до квартиры.

— В главк позвонишь и скажешь, что всю неделю работаешь у нас в Прибрежном, — продолжала Лиля. — Но пока будешь сидеть дома и никуда не выходить.

— Как долго? — спросила Катя.

— Пока я кое с чем не разберусь.

Лиля в эту ночь не собиралась тратить слова понапрасну. А Катя... у нее темнело в глазах и подкашивались ноги. Она не спала всю прошлую ночь, да и эта уже под откос.

Когда опергруппа уехала, она закрылась на все замки, умылась и рухнула на постель. Сон — лучший доктор. И спала она долго и проснулась среди бела дня, а не в утренней тьме.

Мобильный звонил, звонил... Опять звонил, призывая.

— Ну как, отдохнула чуток? — спросила Лиля после «доброго утра».

— Голова как чугун, — призналась Катя. — Есть новости? Как дела с гильзой?

— Баллистик работает и по банку данных проверяет. Все же это редкая удача, что гильза теперь у нас.

— Чистая случайность, она просто упала рядом со мной, и я слышала звук.

— Тот свидетель с собакой помешал убийце. Покушение на тебя вписывается в картину убийств Саянова и Левченко — тоже у машины. Но тут у нас свидетель нарисовался и стрелявшего спугнул. Поэтому не было второго выстрела и гильзу убийца не сумел поднять.

— Но там же темно было. Хотя моя машина фарами светила... Но все равно ночью в темноте на гравии отыскать...

— Гильза лежала бы рядом с телом.

С моим телом?

Катя ощутила, как ее всю облило новой волной ледяного холода. И Лиля поняла, что ляпнула что-то уж чересчур... Она смущенно кашлянула на том конце.

— В общем, убийце пришлось бы искать...

— Нет, — пылко возразила Катя, — это же чистая случайность. И в моем случае, и там, на аллее у станции в Прибрежном, убийце крайне сложно было бы найти гильзу. Нет, Лилечка, тут какая-то нестыковка. По-моему, все-таки этот твой вывод о том, что убийца намеренно забирает гильзы с мест происшествий, он... ошибочен.

— Или же мы пока не знаем какого-то обстоятельства, — возразила Лиля.

— Какого обстоятельства?

— Помогающего убийце находить гильзы. В любом случае надо подождать, что даст баллистическая экспертиза и банки данных по убийствам с использованием огнестрельного.

— А мне что, так и сидеть дома? — спросила Катя.

— Да. Ты пока отдыхай. Спи, отсыпайся. Я допрошу их горничную с переводчиком, я уже это организовала, переводчик тут, в ОВД. Мы эту филиппинку перехватим на автобусной остановке. У нее еще выходной со вчерашнего дня, но она во второй половине дня вернется в поселок. Мы ведь не знаем адрес, по которому она квартиру снимает, так что перехватывать станем здесь, на подходе к их дому. Посмотрим, что даст допрос. Что такого знает эта горничная, раз из-за вашего с ней разговора тебя попытались убрать.

— Тогда, по логике вещей, если она знает что-то опасное, ее саму должны были убить!

— Она же работает в их доме, — сказала Лиля, — а у них прикончили шофера. Два убийства на трагический случай с мифическими уличными хулиганами уже не спишешь. Убийца, кем бы он ни был, это прекрасно понимает. Поэтому горничная в относительной безопасности, пока...

— Что пока?

— Они ведь могут ее уволить, правда? И даже сегодня. А потом, уже после увольнения и разрыва связи с ними как работодателями, эта филиппинка просто исчезнет, пропадет без вести. В общем, найти ее и допросить — сейчас нет важнее задачи.

— Когда найдете ее и допросите, позвонишь мне?

— Непременно, — пообещала Лиля. — Я еще и по Василию Саянову кое-что попытаюсь выяснить по своим связям. Раз ты узнала, что парень собой торговал, то...

Она умолкла, не стала продолжать. Она о чем-то размышляла.

Вот так все и повисает в воздухе, все нити... Никакой пока конкретики при обилии разрозненных фактов и сведений. А с гильзами — нет, это ошибка, тут все не стыкуется...

Так думала про себя Катя. Весь долгий день затворничества, отдыхая и вынужденно занимаясь только домашними делами, она надеялась, что Лиля ей вот-вот позвонит и поделится новостями.

Но Лиля Белоручка почему-то не звонила.

Глава 35
«КОЛЧЕНОГАЯ ТВАРЬ»

На остановке автобуса дежурили посланные Лилей Белоручкой оперативники. Горничная-филиппинка вернулась в Прибрежный из Химок после своего выходного дня лишь в четыре часа. Оперативники прямо с автобусной остановки забрали ее в отдел, где уже ждал приглашенный Лилей переводчик.

Допрос горничной продолжался долго и обстоятельно. И в это же время Лиле по ее московским каналам поступила информация, о которой она намекнула Кате.

Лиля давно уже интересовалась содержимым мобильных телефонов Василия Саянова и Анны Левченко. Насчет Левченко, увы, «канал» не помог. С Саяновым дела обстояли лучше.

Номера телефонов в адресной книге мобильного были лишь первым шагом. Лиля от коллег узнала, что в телефоне Василия Саянова имеются также и любопытные фотографии.

«Чрезвычайно любопытные», — сообщил «канал». Но снимки сначала проходили проверку и идентификацию. И только спустя некоторое время «канал» обещал Лиле доступ и к ним.

И вот информация пришла. Едва взглянув на фотографии из телефона Саянова, Лиля узнала всех фигурантов.

Вместе с показаниями горничной-филиппинки фотоснимки открывали в этом деле совершенно новую страницу.

И с содержимым этой страницы Лиля решила разбираться сама, на месте, в доме.

И без Кати.

Она послала сотрудников понаблюдать за особняком. В половине девятого вечера ей доложили, что «те, кто нас интересует», — дома.

И точно, вечером собрались все домочадцы. Не было там лишь Данилы. Но он Лилю в этот момент, несмотря на высказанные Катей подозрения насчет звука мотора мотоцикла на месте покушения, не интересовал.

После снимков из айфона Саянова и показаний горничной Лилю интересовали другие фигуранты этого дела.

Без четверти девять, одетая в полицейскую форму, вместе с двумя коллегами-оперативниками она уже звонила в домофон у ворот дома.

— Откройте, это полиция!

Калитку открыли. На крыльце Лилю и полицейских встречал Геннадий Савин. Он недавно вернулся с работы, приехал на служебной машине департамента благочиния, как об этом и доложила группа наблюдения.

— Что случилось? — встревоженно спросил он.

— Нам надо с вами поговорить. И, пожалуйста, пригласите свою жену, — потребовала Лиля. — Ваш тесть, конечно, дома?

— Естественно.

— Я хочу, чтобы он тоже присутствовал, и Раиса Павловна Лопырева также.

Лиля и так знала, что они все дома, она просто хотела выиграть время. Геннадий указал ей в сторону гостиной.

Раиса Павловна сидела в кресле и громко разговаривала по мобильному телефону. Она вернулась домой накануне, после поездки в монастырь, и в этот день отдыхала. Но к вечеру вспомнила о делах.

Разговаривала она о них с Германом Дорфом — Лиля поняла это потому, что услышала, как она называет его по имени.

— Нам надо подчеркнуть, что мы придаем очень важное значение этой конференции, посвященной крепкому браку и традиционным семейным ценностям. Да, да, уклад жизни... Герман, что у вас там так шумно? Спорт? Какой еще спорт? Матч? Так вы слушаете меня? Из истории нужно что-то привлечь, какой-нибудь яркий пример. Нормальная здоровая семья — вот наш приоритет и наша опора. Да, да, именно в таком ключе... Не как у коммунистов — ячейка общества, а, так сказать, крепкий кирпичик... Этакая духовная скрепа... Что? Вы не хотите слово «скрепа», ну ладно, там ведь дискуссия состоялась, а мы откроем свою дискуссию на тему торжества вечных семейных и моральных ценностей. На тему торжества духовности. Подождите, Герман, тут посторонние... А вы по какому делу?

Раиса Павловна спросила это надменно у Лили Белоручки.

— Все по тому же, по делу об убийстве вашего шофера Фархада Велиханова, — сказала Лиля. — У меня возникли вопросы к членам вашей семьи.

— Пожалуйста, только я не понимаю... — Раиса Павловна отключила мобильный.

Тут в гостиную вошли Геннадий и Женя. А из противоположных дверей со стороны террасы въехал в кресле Петр Алексеевич.

— Я допросила вашу горничную Мерседес, — объявила Лиля Белоручка. — Вот протокол ее показаний. Она утверждает, что ваш шофер Фархад Велиханов не всегда уезжал после окончания рабочего дня. Иногда он оставался у вас в доме, в комнате для гостей.

— Я не знаю, ну наверное. — Это произнес Петр Алексеевич. — Когда надо было утром рано куда-то ехать...

— И когда не надо было ехать рано, он тоже оставался, — перебила его Лиля. — Евгения, у меня вопрос к вам... — Лиля обернулась к Жене.

— Моя жена не станет давать показания, только в присутствии адвоката, — сказал Геннадий Савин.

— Тут сейчас вся семья собралась, вам не хотелось бы самим разобраться с тем, что происходило у вас в доме? — Лиля достала протокол допроса горничной из папки. — Я зачитаю фрагмент показаний вашей прислуги, допрошенной с переводчиком: «Фархад иногда оставался ночевать в доме. И я готовила ему ужин. Молодая хозяйка оказывала ему знаки внимания. Ее муж не возражал, то есть он поощрял это. Я же не слепая и не глухая, я слышала, как они втроем развлекались по ночам. Они приглашали его в свою спальню. Я потом убиралась там и находила использованные презервативы и салфетки, а также смазку».

— Горничная врет, — сказал Геннадий Савин.

— «Фархад шутливо жаловался, что от ночных игр у него болит спина и зад, — продолжала Лиля читать показания горничной, — он говорил, что молодой хозяин очень настойчив. Он говорил также, не стесняясь, что плата, которую он получает за секс втроем, поможет ему рассчитаться за учебу в колледже дизайна и что, возможно, скоро он получит еще денег и тогда переедет из квартиры, где они живут вшестером, в однушку, которую он уже себе присмотрел. И мы станем с ним соседями по Химкам».

— Что все это значит? — звенящим от негодования голосом спросила Раиса Павловна. — Что вы себе позволяете?

— Я расследую убийство вашего шофера, — отрезала Лиля. — Геннадий, Евгения, что вы можете сказать по этому поводу?

Савины молчали.

— Не желаете сотрудничать со следствием, я так понимаю. — Лиля кивнула и достала из папки пачку фотографий. — В ходе расследования убийства вашего шофера мы вышли еще на одного фигуранта, точнее жертву, — некоего Василия Саянова, девятнадцати лет, его тоже убили. При проверке оказалось, что в мобильном покойного имеется номер вашего телефона, Геннадий. Вы знали Василия Саянова?

— Нет, — хрипло ответил Геннадий Савин.

— Я советую вам подумать, прежде чем отвечать. Так вы знали Василия Саянова?

— Нет!

— А вы? — Лиля повернулась к Жене.

— Нет, — ответила та еле слышно.

— Тогда как вы объясните наличие в его мобильном вот таких снимков?

И Лиля широким жестом бросила на журнальный стол у дивана фотографии.

Они рассыпались веером.

А на снимках...

Постель — обнаженные тела. Женщина и двое мужчин. Вот — глубокий поцелуй, вот смена поз. Геннадий и Женя — его жена и Василий Саянов в постели втроем. Жадная юная плоть, кожа как фарфор, глаза как фиалки, затуманенные страстью. Мужские тела, сплетенные друг с другом, и рядом женское тело. А вот другой снимок — муж и жена, слившиеся друг с другом, а сзади мужа пристроился прекрасный светлокудрый купидон Васенька.

Раиса Павловна пялилась на снимки, и лицо ее покрывали алые пятна. Она задыхалась.

— Да как вы посмели... — прошипела она.

— Это полицейское расследование. А это — улики. Саянов во время оргии фотографировал на свой мобильный. С какой целью — еще предстоит разобраться. Возможно, с целью шантажа.

— Да заткнитесь вы! Я не с вами говорю. — Раиса Павловна крикнула это майору Белоручке и повернулась к Жене и ее мужу: — Да как вы посмели?

— Раиса Павловна, вы же сами знаете, — сказал Геннадий.

— Что я знаю? Что?! Ты... грязный, вонючий развратник... И где? Здесь, под этой крышей, в нашем доме! В моем доме! Ты устраивал с Женькой и этими продажными мужеложцами оргии по ночам!

— Это не были оргии! Тетя, мы были вынуждены с Геной, ты же знаешь, о чем я! — воскликнула Женя.

— Молчи, КОЛЧЕНОГАЯ ТВАРЬ!! — заорала Раиса Павловна так, что в темных окнах задрожали стекла. — Это ты, ты во всем виновата! Вместо нормального мужика выбрала этого скользкого червяка, ты привела его в наш дом, в нашу семью. Ах, я люблю его, я жить не могу без него, своего Геночки! А Геночка-то тьфу на тебя! Ему ты, колченогая дура, и нужна была, только чтобы в нашу семью втереться, чтобы с нашей помощью карьеру в Москве устроить, чтобы по моей протекции должность в департаменте получить, чтобы ни в чем не нуждаться, как сыр в масле кататься и развратничать с продажными говнюками!

— Тетя, не смей оскорблять моего мужа!! Не смей так говорить о Гене! — крикнула Женя.

— Да я не только посмею, я сейчас... Вон отсюда! — заорала Раиса Павловна, обернув к Савину перекошенное бешенством лицо свое. — Вон из моего дома, негодяй, подонок грязный! Мы этого терпеть... я этого терпеть не буду! Вон отсюда, и чтоб ноги твоей больше в доме не было! И Женька с тобой разведется!

— Тетя, не смей!

— Это ты не смей орать на меня, колченогая тварь! — Раиса Павловна затопала ногами. — Мужеложца своего покрываешь? Поощряешь разврат? А потом плачешь, что бог тебя бесплодной сделал? Так и поделом! Поделом тебе! Я вот завтра же позвоню в департамент его начальству, и его в пять минут вышибут с работы с волчьим билетом и никуда вообще не возьмут больше — я этого добьюсь!

Лиля Белоручка... она смотрела на них и... она внезапно поняла — процессуальный ход, на который она возлагала такие надежды, не сработал... Грянула буря, грянул скандал, но...

Возможно даже, она все испортила и теперь...

— Вон из моего дома, меррррррзавецщ!!

Геннадий Савин повернулся и...

— Гражданин Савин, постойте, куда вы? Мы еще не закончили. — Лиля не могла его удержать.

И оперативникам она не дала приказа удерживать, потому что...

— Вон, все вон, все пошли вон, подонки! — орала Раиса Павловна так, что у всех закладывало уши.

Геннадий Савин, как был, без пиджака, в домашних брюках и белой рубашке, вылетел из дома.

Секунда, и взревел мотор «Ауди», той самой машины, которую водил шофер Фархад.

— Подождите, не смейте уезжать! Геннадий, не смейте покидать дом! Допрос не закончен! — кричала Лиля в распахнутую дверь.

— Вон, негодяй, и чтобы ноги твоей... и с работы завтра вылетишь! И не вздумай препираться там в департаменте или в позу вставать! Позорить меня и нашу семью своим непотребством! Только попробуй что-то предать огласке — жизни потом не обрадуешься, я тебя уничтожу! — бесновалась Раиса Павловна.

— Гена! Генка, подожди, не уезжай! — кричала Женя.

Скрип ворот, фары — как ножом по окнам и...

Лиля собрала фотографии.

— Что вы наделали?! — крикнула ей Женя. — Вы же ничего не знаете и не понимаете! Что вы наделали!!

Глава 36
ПЕРОЧИННЫЙ И ПУСТОТА

Геннадий Савин ехал на машине, принадлежавшей его жене, очень аккуратно. По Ленинградскому шоссе, проспекту, по Тверской и далее налево — через Лубянку и Варварку.

Не игнорируя правил, не превышая скорости, законопослушно, как и полагается столичному чиновнику среднего класса, сотруднику департамента благочиния и благоустройства.

Он совершил лишь одно нарушение — припарковался в неположенном месте — в конце Варварки у Васильевского спуска.

Как был, без верхней одежды, в одной белой рубашке, вышел из машины, не потрудился закрыть ее. Очень медленно и аккуратно засучил рукава рубашки до локтей и что-то достал из кармана брюк, зажал в кулаке.

Он поднялся по Васильевскому спуску до Красной площади, до Лобного места.

В этот поздний час ноябрьской ветреной ночи Красная площадь поражала красотой и великолепием. Все эти масштабные декорации — кремлевские башни и стены, купола храма Василия Блаженного и Большой Кремлевский дворец, храмы, Исторический музей — все это словно кружилось в медленном хороводе. И плыло, как мираж... В кромешной космической пустоте. И одновременно застывало совершенством архитектурных форм, как монолит, как основа основ, как нерушимый символ прекрасного.

Геннадий Савин запрокинул голову — темное небо. Вокруг фантастическая подсветка, и в ней, словно покрытая лаком, блестит брусчатка под ногами.

Он стоял на том самом месте... на Лобном... самой красивой на свете площади. Белая рубашка выделялась на фоне громады храма Василия Блаженного. И за исключением многих деталей современности, место это было точь-в-точь как на картине «Утро стрелецкой казни». **Где на фоне виселиц и плах царь — персонаж истории, государственник и строитель мрачно взирал на народ свой... Погасший, как свеча...**

Погасший...

Угасший...

Геннадий Савин вытянул вперед левую руку с засученным до локтя рукавом. В правой его руке оказался перочинный нож. И он этим ножом очень медленно и глубоко вспорол себе вены — сначала вдоль, потом, стиснув зубы от боли, уже поперек. И быстро переложил нож в левую, начавшую неметь и одновременно гореть от нестерпимой боли. И всадил нож себе в сгиб локтя на правой — разрезал и эту руку, — сначала вдоль, вниз к запястью, а потом поперек, вспарывая вены как можно глубже.

Чтобы кровь потекла...

Чтобы смерть пришла.

Но сначала он хотел заявить во весь голос.

— Слушай меня, страна! — он поднял руки, и кровь хлынула из порезов. — Слушай меня, страна! Я — гей! Я женат, я женился по расчету! Но нет человека в мире ближе для меня духовно, чем жена. Когда я болел, жена спасла меня. И я люблю ее, как могу, и хочу быть с ней. Но я — гей! Слышишь меня, моя великая страна? Я — гей! Как тебе объяснить, чтобы ты поняла, моя великая страна, я — гей, и у меня на жену не стоит! У меня член не стоит на женщин! А мы с женой мечтаем о ребенке! Слышишь меня, моя страна, — я гей, и я хочу ребенка! Чтобы, когда придет мой смертный час, мое дитя было рядом со мной, чтобы было кому закрыть мне глаза, чтобы род наш не кончился на этой земле!

Несмотря на поздний час на площади — туристы, приезжие. Сначала никто ничего не понял. Затем увидели кровь, хлещущую на брусчатку.

— Эй, парень, ты что?

— Врача, «Скорую» сюда вызывайте!

— Мужик, да что ж ты плачешь и кричишь?

Это спросил басом здоровенный мужчина в кепке и кожаной куртке — вместе с женой и группой туристов он любовался ночной подсветкой башен Кремля.

Подошли сотрудники полиции и охраны, зашипели рации.

— Мужик, да ты не в себе! Дайте что-нибудь руки ему перетянуть, он так кровью истечет!

— Я — гей! — кричал Геннадий Савин. Его белая рубашка пропиталась, слиплась от крови, из глаз текли слезы. — Слышишь меня, страна? Я — гей! Ну закатай меня катком в асфальт за это! Сотри меня в пыль, в порошок! Сожги меня в печке! Ненавидь меня, оскорбляй! У меня на жену член не стоит, мы измучились из-за этого с ней!

— «Скорую» сюда немедленно!

— Дайте шарф или ремень брючный, чтоб как жгутом ему перетянуть!

— Да не кричи ты, не плачь, ох, дурак, да что ж ты плачешь-то, парень?

Все как-то растерялись и сбились вокруг Геннадия Савина в кучу — туристы, зеваки, полицейские, охранники. Все одновременно испугались и... кинулись помогать, спасать.

— Руки, руки, осторожнее!

— Парень, милый, дорогой, да что ж ты так, зачем?

— У него истерика. А кровотечение сильное, да где же «Скорая»-то?

«Скорая помощь» появилась очень быстро со стороны Васильевского спуска. Врачи сразу засуетились около Савина, начали оказывать первую помощь на месте. Жгутами перетягивать вены. Народ — ошарашенный, взволнованный, тоже помогал чем мог — выгрузили носилки, уложили Геннадия Савина на них.

— Повезем в больницу, с ним кто-то есть? Есть сопровождающие или он один? — спросил врач.

Тот самый мужчина в кепке и куртке решительно отстранил от себя жену:

— Погоди, Надя. Ты ступай с группой в автобус, я потом в гостиницу приеду. Тут надо помочь — такое дело. Нельзя, чтобы парень один. Тут надо помочь. Я поеду с ним!

Он, кряхтя, влез в «Скорую», оставив растерянную жену. Медсестра проверила жгуты, начала готовить шприц для инъекции. «Скорая» тронулась, воя сиреной.

Геннадий Савин метался на носилках и плакал. Его спутник старался удержать его, успокоить.

— Ну, тихо, тихо, ну что ты, парень. Зачем ты так? Жизнь ведь одна. И чего ты кричишь? Ну, гей ты и ладно. Ты — гей, а я шахтер с Кузбасса. У тебя не стоит на баб, думаешь, у меня стоит? Ты в шахте бывал, нет? Глубина — километр. Каждую смену спускаешься туда вниз и не знаешь — поднимешься ли наверх. Не знаешь, как смена сложится — такое напряжение. Вылезешь наружу, как черт, грязный — мысли одни: как бы пожрать да выпить. Уж не до жены тут, не до постели. Она тоже у меня обижается. А что я могу? Высосан я за смену работой в шахте, высосан страхом до нутра. Так, иногда, ночью жену между ног пальцем пощекочешь, и все... Она уж и не ропщет. А ты кричишь, плачешь, режешь себя... Эх ты, парень... По виду вроде не бедный ты, сумеете уж как-нибудь с женой это самое, ребенка-то... Сейчас вон сколько способов разных насчет искусственного зачатия...

Геннадий Савин смотрел на своего спутника. Его всего трясло — то ли от холода, то ли от боли.

Мужчина снял свою кожаную куртку и укрыл его до пояса.

— Вот так... Ничего, ничего, парень, все образуется. Сейчас в больницу приедем, заштопают там тебя. Жизнь, она пестрая и так вот не кончается. На-ко вот, глотни, авось полегчает.

Он снял с пояса запрятанную под свитером на брючном ремне флягу.

— Вы что, ему водку, что ли, суете? — спросила медсестра. — Ничего лучше не придумали? Нате вот ватку с нашатырем, держите у его носа. Не видите, что ли, он в полуобморочном состоянии?

Глава 37

ПОКАЗАНИЯ ПО СУЩЕСТВУ

— Вы же ничего не знаете, — повторила Женя.

— Я приехала сюда, чтобы узнать и официально допросить вас с мужем. Куда он уехал? — Лиля Белоручка достала протокол допроса.

Женя закрыла лицо руками и опустилась в кресло.

— Пожалуйста, оставьте нас наедине, — попросила Лиля Петра Алексеевича и Раису Лопыреву.

— И не подумаю, это мой дом. И вы сами настояли, чтобы мы все присутствовали. — Раиса Павловна Лопырева после крика все никак не могла успокоиться.

— А сейчас я настаиваю, чтобы вы нас покинули. Я не хочу, чтобы допрос снова превратился в семейный скандал.

— Вы этого уже добились, — буркнул Петр Алексеевич, дернул за руку жену. — Рая, идем отсюда.

Он повернул кресло и поехал к дверям. И Раиса Павловна послушно последовала за ним. Еще минуту назад она орала на домашних, но как только муж велел, сразу ему подчинилась.

Лиля отметила это про себя как любопытную деталь, не более того. Все ее внимание сейчас поглощала Женя.

— Ну и что же происходит между вами и вашим мужем? — спросила она, едва лишь они с Женей остались одни в гостиной.

— Мы — семья. Мы хотим ребенка, нашего ребенка.

— И?

— И мой муж — гей. У него нет физического влечения к женщинам и ко мне.

— И при этом вы живете вместе?

— Да, и мы любим друг друга. — Женя подняла голову. — Я его люблю. Мы с Геной очень близки интеллектуально, духовно. Мы — семья. Гена признался мне, что он гей, после свадьбы, и я это приняла. Мы очень хотим с ним ребенка. Нашего ребенка.

— Вы знали Василия Саянова?

— Васю? Я не знала его фамилии... Только имя — Васенька... Он был партнер мужа, не постоянный, и он пытался нам помочь.

— Как же он пытался вам помочь? — спросила Лиля.

— Это не оргия, то, что на фотографиях, — сказала Женя. — Мы с Геной пытались зачать ребенка естественным способом. Потому что до этого мы очень старались сделать искусственное оплодотворение. Но у меня все отторгается. Врач сказал — это очень долгий процесс, а у меня время ограничено. Надо стараться естественным путем, надо жить с мужем как можно чаще. Ехать за границу лечиться — у нас денег не хватит. Мы вон квартиру купили. И то это тетя денег дала нам, мне... На «суррогат» она денег не даст. Мы с мужем пытались сделать ребенка. Гена увереннее себя чувствует со мной, когда в постели с нами третий — его партнер-гей.

— И вы это терпели?

— Да, я терпела. Я на все пойду ради того, чтобы забеременеть и родить нашего с Геной ребенка.

— А ваш шофер Фархад Велиханов?

— Он играл ту же роль, что и Вася. Он не гомосексуалист. Но он согласился за деньги. Ему нужны были деньги. Гене он нравился, он сам выбрал его по Интернету. И спросил меня — приятен ли он. Я сказала — ничего, сойдет.

— Вы знали о том, что Василия Саянова убили?

— Да, Гена сказал, что его застрелили в машине у клуба, где они познакомились. Клуб «Шарада».

— И что, после смерти Саянова в вашей постели появился ваш шофер, так, что ли?

— Так. Я хочу забеременеть.

— Шофер Велиханов вступал с вами в половую связь?

— Да нет же, не со мной. Гена возбуждается таким образом. — Женя говорила все это совершенно бесстрастно.

— И Саянов, и ваш шофер были убиты. Что можете сказать по существу этих фактов?

— Я не знаю. Мы с Геной их не убивали.

— Вы с Геной?

— Я их не убивала. Мой муж тоже не убивал.

— Вы обсуждали это с мужем?

— Мы говорили. Гена очень переживал из-за Васеньки. У них были теплые отношения.

— В вечер убийства вашего шофера где вы находились? — спросила Лиля. — Я вам задавала этот вопрос на первом нашем допросе и задаю снова. Так где?

— Тут, дома.

— Значит, в первый раз вы солгали?

— Получается, что солгала. Я не хотела... я думала, лучше сказать, что я отсутствовала.

— Вы платили шоферу за его секс-услуги?

— Гена платил ему. Но в тот раз Фархад просто привез машину и документы из автосервиса... ну, в ту ночь он был свободен, мы не стали оставлять его.

— А Василию Саянову ваш муж платил?

— Я не знаю. Думаю, что нет, у них же был роман.

— И тем не менее Саянов фотографировал вас и вашего мужа в постели. Он вас не шантажировал этими снимками?

— Нет. Он нас не шантажировал. Я же говорю — у него был роман с моим мужем. И, может, он эти снимки просто на память делал, для себя.

— Для себя он бы сделал снимки, когда он с вашим мужем вдвоем, а он делал снимки, когда вы в постели втроем, — отрезала Лиля. — Это повод для шантажа. Ваш муж — государственный чиновник, сотрудник департамента мэрии.

— Вася нас не шантажировал, — с упорством повторила Женя.

— Может, муж вам об этом не говорил?

— Вы что, хотите сказать, что это Гена его убил?

— Очень вероятная версия. И мотив налицо.

— Гена никого не убивал. И я никого не убивала. Мы хотели зачать своего ребенка!

— Два человека, находившихся с вами в близком контакте, убиты.

— Мне очень жаль.

— Вы кого-нибудь подозреваете? — спросила Лиля.

— Но вы же сами рассматриваете версию о том, что на Фархада у станции могли напасть хулиганы, — ответила Женя. — А Васю убили у ночного клуба, там весь клуб в курсе — так мне муж сказал. Это же такая среда — драки, музыка, молодежь.

Глава 38
НОЧНЫЕ ГОСТИ

О событиях в Прибрежном Катя узнала позднее. Весь день она просидела дома и успела отдохнуть. А ночью нагрянули незваные гости. Причем такие, каких она никак не ожидала.

Звонок по мобильному.

Катя открыла глаза — темнота. Она в своей постели, и мобильный пищит.

Она нашарила его на тумбочке рядом с кроватью, на дисплее время — 3.40 и «номер не определен».

Кто звонит в такое время? И после того, как прошлой ночью вас попытались убить?

— Алло, кто это? — спросила Катя спросонья.

— Катя, это Герман.

— Кто?

— Герман Дорф.

Катя села в подушках.

— Герман?

— Я номер ваш отыскал в телефоне Данилы. Он тут со мной. Мы у вашего дома. Он дом визуально помнит, но не знает, какой подъезд и код домофона.

— А что случилось? — Катя сползла с кровати.

— Он... в общем, ему плохо.

— А что случилось?

— Его избили на ринге сильно. Подпольный матч. Я хотел его домой везти, но он уперся — нет, к вам домой. А сейчас ему плохо, ему очень плохо. Впустите нас.

Катя похолодела. Что это? Зачем приехал этот Герман Дорф? Правду ли он говорит?

Она подошла к окну — выглянула. Нет, ничего не разглядеть. Если они у самого дома, во дворе она их не увидит.

— Какой код и этаж? Впустите нас, — повторил Герман Дорф настойчиво. — Он хотел, чтобы я его именно к вам отвез, не домой.

И Катя... Она на ватных ногах приблизилась к входной двери. Одна в квартире. А только вчерашней ночью в нее стреляли. И вот... не этот ли Герман Дорф? Не он ли приехал закончить начатое?

Так поступают убийцы? Или они так не поступают?

Первый порыв — отключить связь и тут же позвонить Лиле, но... Порой мы сами с собой впадаем в странное противоречие — одна половина нас кричит и требует: соблюдай осторожность! Это опасность! Это ловушка! Но другая... другая наша половина сгорает от любопытства, трепещет от страха, но тем не менее на осторожность и инстинкт самосохранения плюет.

Катя назвала Герману код домофона, этаж и номер квартиры.

Она прильнула к дверному глазку. Вот стукнул лифт, вот лифт поднялся. Вот они вышли — двое мужчин, один волок другого на себе.

Звонок в дверь.

— Катя, откройте нам!

Как поступить после того, как ты сама впустила их в подъезд? Катя... она все еще колебалась.

Вчера ночью в тебя стреляли. Они могли вернуться, чтобы убить тебя...

Не смей им открывать... ты же не знаешь... ты что, совсем с ума сошла?

Катя звякнула цепочкой и открыла замок.

— Привет, — Герман Дорф тяжело дышал. На его плече повис Данила. Лицо — в пластырях и в крови.

— Ой, что с ним?

— Я же говорю — досталось ему на ринге. Такой бугай против него вышел, отделал, как котлету мясник. А Данила после в раздевалке вместо обезболивающего еще кокса нюхнул. Вот и отключился. Но до этого велел мне везти его к вам, а не домой к тетке. — Герман оглядывался. — Куда его положить?

— Вот сюда, на диван. Надо в «Скорую» звонить!

— Не надо в «Скорую». Я ж говорю — избили его, а он сразу в раздевалке за кокс. Врачи мигом учуют, что он в наркоте. Вы что, неприятностей ему хотите?

— Нет, не хочу, но я боюсь, может, ему сломали что-то — ребра?

— Нет, ребра целы. — Герман Дорф сгрузил Данилу на диван.

Как есть, в грязных берцах, в расстегнутой кожаной куртке, Данила лежал, запрокинув голову, и слабо постанывал. Глаза его закрыты. На Катю он никак не реагировал.

— Кокаин, — сказал Герман Дорф. — Я измучился с ним сегодня. Катя, у вас не найдется крепкого кофе?

Катя указала ему на кухню. Сама прошла в ванную, намочила полотенце и попыталась протереть Даниле лицо.

— In nubibus...

Он шептал это разбитыми губами.

— Вот именно — «в облаках», он сейчас там, далеко, — усмехнулся Герман. — Пусть лежит бревнышком. Знаете, Катя, он ведь книжный мальчик, а вот стал забиякой. Не бокс даже, а банальный мордобой. На этот раз в авторемонтной мастерской в Люблино. Народу съехалось смотреть — тьма... Ставки взлетели.

— И вы тоже посещаете такие мероприятия? — спросила Катя.

— Угу, не только Большой театр.

Четыре часа утра... Кофеварка пыхтит, мелет для крепчайшего эспрессо.

— Он настоял, чтобы я отвез его именно к вам, — повторил Герман.

Катя запахнула поплотнее махровый халат, что накинула на себя в спальне. Она чувствовала на себе его пристальный взгляд. Вот ведь как... Они практически не общались и не разговаривали до этого, так — пара фраз за столом и в ложе Большого театра.

Герман подошел к окну и встал рядом с ней.

— Как ни взглянешь в окно, все время темно, — сказал он. — Как в аду. Маленький такой местечковый ад...

— Кофе с сахаром? — спросила Катя.

— Горький. А где ваш муж?

— Он живет за границей. Мы никак не договоримся насчет развода.

— Значит, долго ждать?

— Чего?

— Когда вы станете свободной женщиной. — Герман усмехнулся. — Я не Данилу имею в виду. Нашему забияке никто не нужен. Учтите.

Катя ощущала смятение, она не понимала этого человека, которого она не воспринимала как мужчину, а лишь как возможного фигуранта, подозреваемого по делу об убийствах. Он и сейчас подозреваемый. Как и Данила. Но тот снова под дозой, а этот...

Если пришел убить меня, то что же ты медлишь?

Или когда приходят убивать, не просят сначала чашку черного кофе?

— Я закурю, позволите? — Герман сунул в рот сигарету. — Тогда, в ложе, забияка скверно вел себя?

Катя молчала.

— Когда балет кончился, я увидел, что ваша ложа пуста. Умыкнул вас с середины действа?

— Я сама решила уйти раньше.

— Вы такая самостоятельная?

— Да, я самостоятельная.

— Это хорошо. Им там нужна опора, сильное дружеское плечо.

— Кому — им?

— И забияке, и его сестренке. Кстати, знаете, что я слышал, пока вез его сюда к вам? Включил в машине ночные новости, там все захлебываются — случай суицида на Красной площади — чиновник столичного департамента вышел на площадь, вскрыл себе вены и публично признался в том, что он гей. Имя называется чиновника — Женин муж.

Катя похолодела.

— Он жив?

— Жив, не волнуйтесь. Сказали, что увезли в больницу. У нас все талдычили, что, мол, никто из чиновников никогда не посмеет признаться в своей госомосексуальности открыто. А Генка вон вышел на площадь сегодня. Я все думал — когда прорвется в нем этот нарыв?

Катя не задавала вопросов, но все мысли ее уже вертелись вокруг того, что же произошло в Прибрежном.

— Как только государство начинает заботиться о моральном облике граждан и этот облик «оздоравливать», в постель лезть, так сразу резко подскакивает число самоубийств. Это как прокрустово ложе — отсекут либо голову, либо ноги. А в результате множится отряд самоубийц и духовных калек. И где же тут тезис о «сбережении народа»? Ну, мой кофе готов. — Герман по-хозяйски налил себе кофе. — А вы пьете только сладкий, Катя?

— Иногда тоже горький.

— Значит, хоть в этом наши вкусы совпадают. Можно вам задать один вопрос?

— Да, конечно, — Катя смотрела, как он дымил сигаретой в окно.

В непроглядную тьму раннего утра.

— Вопрос на засыпку. Если бы вы не были замужем и я предложил бы вам руку и сердце, вы пошли бы за меня?

Катя смотрела на него, широко раскрыв глаза.

Он тоже под кокаином?

— Вы бредите, Герман?

— Почему? Знаете притчу о последней соломинке?

— Знаю, но я не понимаю...

— Я вот все ищу ее, ищу... В разных местах. Вот бизнес веду — пиар сейчас хороший бизнес. Бабло приносит. Пусть все ложь, зато духоподъемно, как сейчас говорят. И на бокс езжу смотреть, как из забияки нашего, вольтерьянца, выбивают дерьмо. Вот завтра к попам поеду слушать проповеди про «русский мир». А сейчас спрашиваю вас, Катя, вы согласились бы стать моей женой?

— Нет.

— Я так и знал. — Герман улыбнулся ей невыразимо прекрасной, светлой улыбкой и отхлебнул кофе.

Данила в комнате слабо застонал, и Катя пошла к нему. Он лежал, раскинувшись на диване, — глаза закрыты, губы что-то шепчут беззвучно.

Герман с чашкой кофе тоже прошел в комнату, прислонился к дверному косяку.

— Я сейчас уеду, не беспокойтесь, — сказал он. — Вы уж тут сами с забиякой разбирайтесь.

Глава 39
ВСЕ ЕЩЕ БОЛЬШЕ ЗАПУТЫВАЕТСЯ

Герман Дорф уехал. Катя вымыла кофейные чашки. Пошла в комнату — Данила крепко спал, раскинувшись на диване. Катя подумала — сон лучшее лекарство и от боли, и от кокаина.

Она не стала его тревожить, тихонько оделась, закрыла квартиру. Вышла из подъезда в темноту ноябрьского утра. В кафе на углу готовили завтраки с шести часов. Катя решила — если что, она скажет потом Даниле, мол, ходила за горячей выпечкой и йогуртами к завтраку.

Если он, конечно, спросит, очнувшись.

На самом деле она хотела позвонить Лиле из кафе, а не из дома. Мало ли... отключка отключкой, но кто знает. Лучше служебные разговоры вести так, чтобы фигурант не слышал.

Лилю она разбудила. У той — голос осиплый спросонья. Катя подумала: и у меня не лучше после ночных бдений.

Она быстро рассказала о ночном визите. И спросила, что произошло в Прибрежном.

— Значит, парень у тебя? — уточнила Лиля, поведав свою часть. — Ты мне в прошлый раз про кокаин не говорила.

— Его избили во время матча. Герман сказал, что... В общем, ночью они явились ко мне по желанию Данилы. И я вот все думаю теперь...

— О том, кто из них в тебя стрелял?

— Нет, наоборот. Можно ли их исключить из списка?

— Не обольщайся. Если убийца кто-то из них — я говорю о всей этой компании из Прибрежного, — то... он ведь промахнулся в тот раз у гаража. И будет наблюдать твою реакцию. Какова нормальная реакция любого человека, на чью жизнь покушались? Он начнет всем знакомым рассказывать: а что со мной произошло, ужас, кошмар! А ты в разговоре с этим Дорфом ни словом не заикнулась о случившемся. И с Данилой говорить не станешь об этом, так? И с твоей подругой Женей... Если убийца кто-то из них, то как он воспримет твое умолчание? Меня беспокоит, что Данила у тебя в квартире. Слушай, давай я вышлю сотрудников с машиной.

— И что они сделают? Станут дежурить на моей кухне, меня охранять от него? Нет, Лиля, это не выход.

— После показаний горничной, этого скандала в их доме и признаний твоей подруги первые кандидаты в подозреваемые — Женя и Геннадий Савины, но... я в новостях слышала, что Савин учудил.

— Мне Герман сказал, он тоже слышал.

— Вот и имей теперь дело с людьми с суицидальными наклонностями. — Лиля вздохнула. — Я понимаю, у каждого из них может быть своя правда и своя боль. Но мы дело об убийствах расследуем, три человека убиты. И тебя пытались убить. Я в их доме наблюдала за Савиными. У твоей подруги и ее мужа есть веский мотив убийства Василия Саянова и шофера. Савина отрицает факт шантажа с их стороны, но это ничего не значит. Возможно, шантаж был. Но, с другой стороны, есть один нюанс. Горничная показывает, что она «не слепая и не глухая» — то есть слышала, видела и догадывалась, чем занимаются втроем Савины и их шофер. А тогда как насчет отца Жени и Раисы Лопыревой? Они что — слепые и глухие? Они не подозревали, что происходит под крышей их дома? Раиса Павловна демонстративно устроила скандал и выволочку, но...

— Думаешь, она тоже могла бояться огласки и шантажа со стороны шофера? И отец Жени?

— Ну вот, огласка произошла — и что? Ничего — все вылилось лишь в безобразную семейную сцену и попытку суицида. Нет, тут только все сильнее запутывается, Катя. А потом эта девушка, Анна Левченко, — она-то тут при чем, если все дело в боязни шантажа?

— Она же блогер, могла написать.

— А что она могла написать? То, что муж племянницы Раисы Лопыревой — гей? Нет, опять не сходится что-то.

— А как дела с баллистической экспертизой? — спросила Катя.

— Гильза от пистолета «ТТ», как и пули в предыдущих случаях.

— А что дала проверка по банку данных?

— Ничего.

— Ничего? Значит, этот пистолет «ТТ» нигде до этого раньше не светился?

— Ни по одному зарегистрированному в банке данных преступлению.

Катя замолчала. И тут — провал...

— Ладно, я буду на связи, мне надо домой возвращаться, — сказала она.

— Слушай, я тревожусь за тебя.

— Я буду осторожной, — пообещала Катя.

Она купила в кафе горячие вафли, круассаны и булочки с корицей. Взяла кофе в картонном стаканчике. Пока шла до подъезда, жадно пила его на ходу.

Тихонько открыла дверь квартиры ключом. Прислушалась, потом заглянула в комнату.

Данила по-прежнему спал. Катя решила ждать, когда он проснется.

Она села в кресло у окна, обдумывая события минувшего дня и ночи. Лиля права — вроде бы в сложившейся ситуации именно Женя и ее муж — главные подозреваемые в убийствах Саянова и шофера — Фархада. Исповедь Жени лишь подтверждает эту версию, несмотря на то, что она отрицает их с мужем причастность к убийствам.

Тогда, выходит, именно Женька стреляла в меня ночью? Или она сообщила мужу, что я говорила с их горничной, и это он меня подкараулил?

Катя ощущала внутри себя холод, когда думала о том, что случилось у гаража. Можно ли верить школьной подруге? То, что Женя поведала об их супружеской жизни...

Катя вспомнила, как невольно подслушала ночью в их доме, в Прибрежном... Сладкий, бесстыдный стон наслаждения... Она ведь тогда решила, что это муж так ублажает Женьку. А что же теперь, после его публичного признания?

Катя бросила взгляд в сторону Данилы.

Или это кто-то шалил в ту ночь не с Женькой, а с горничной-филиппинкой?

Или все же инцест — брат, утешающий сестру, муж которой гей...

Или Герман?

Катя закрыла глаза — Герман... Вот он уехал, а его образ остался. Катя видела его перед собой — сильный мужчина, она не обратила внимания на него как на мужчину, думала о нем лишь как о подозреваемом. А он... он вдруг спросил, вышла бы она за него замуж?

К чему такие вопросы в четыре утра?

Герман... И при чем тут притча о последней соломинке?

— Sub umbra...

Это тихо произнес Данила.

Катя встала с кресла и подошла к нему. Глаза его по-прежнему закрыты, лицо — бледное, как у вампира.

Sub umbra... Во мраке...

Она протянула руку, чтобы убрать волосы с его лба.

И — он поймал ее руку за запястье. Крепко, крепко сжал.

Его взгляд...

— Ты мне снишься?

— Не валяй дурака, — сказала Катя.

Не отпуская ее руки, он приподнялся, сел.

— Я же сказал, что мы еще встретимся.

— Где у тебя болит?

— Везде, — Данила улыбался разбитыми губами. — Сыграй роль доброй самаритянки, а?

Катя высвободила свою руку из его ладони.

— До ванной сам дойдешь или тебя довести? Тебе надо умыться.

— А мы все же провели с тобой ночь. — Данила усмехнулся и встал. — Ночь, проведенная вместе, сближает.

Глава 40
ТУДА И ОБРАТНО

Все закончилось ничем. Данила умылся в ванной. Подошел к Кате на кухне — она заваривала крепкий чай.

Данила встал сзади, Катя чувствовала его дыхание на своей шее. У нее стягивало затылок. *Вот что это такое, когда подозреваешь, что тот, кто рядом с тобой, — убийца...*

Данила сзади взял ее за локти и попытался поцеловать.

— У вас дома ЧП, мне Герман сказал, — произнесла Катя. — Геннадий пытался вскрыть себе вены, он публично признался, что он гей.

Она обернулась, увидела, как сразу изменился Данила в лице. Он словно разом забыл про Катю, начал шарить по карманам куртки, достал мобильный, стал звонить.

— У Женьки телефон отключен. — Он набирал снова и снова в одно касание. — Что ж ты мне раньше не сказала?

— Ты же витал в облаках. Постой, куда ты?

Данила ринулся в сторону прихожей. Его шатало, он держался за стену.

— Я пойду, мне надо домой, надо к Женьке, к Генке.

— Подожди, куда ты такой? Я тебя сама отвезу.

— Катя... она...

Вот ведь как бывает — подозреваешь человека в том, что он убийца и стрелял в тебя, но хочешь ему помочь?

Катя бросила завтрак, чай, схватила с тумбочки в прихожей ключи от машины, накинула куртку.

Они медленно пересекли двор, направились к тому самому месту — к гаражу, к которому Катя шла с опаской. Она наблюдала за Данилой — тот, казалось, ни на что вообще не реагировал. Он снова и снова с упорством маньяка набирал номер на мобильном.

Весь путь до Прибрежного, сидя рядом с Катей в машине, он все пытался дозвониться сестре.

И вот — знакомая аллея к станции, поворот на дорогу в поселок на берегу Москвы-реки и тихая улица. Особняк за кирпичным забором.

Данила вышел из машины, ринулся к калитке. Катя, опустив стекло, смотрела на дом — никто не встречает. Сумрачное ноябрьское утро, небо серое в клочьях туч.

Она включила зажигание — что ж, сегодня ей лучше не заходить в этот дом.

Данила внезапно вернулся и...

Он порывисто наклонился, буквально сгреб Катю в объятия и сильно и страстно поцеловал ее в губы.

Совсем иного вкуса поцелуй, не такой, как в ложе Большого театра.

Катя, когда ехала назад, все никак не могла...

Эта дрожь во всем теле. Не жар, не желание, не холод страха, не трепет перед судьбой, не предчувствие, а что-то иное.

Невыразимое словами, но поглощающее целиком, почти разрушающее все то, что так хочется еще сохранить.

На развилке она остановилась у светофора. Затем повернула в сторону Прибрежного ОВД, к центру микрорайона.

Лиля Белоручка давно уже на работе. То-то она удивится, когда узрит Катю после заполошного утреннего звонка.

А мы тут как тут...

А мы в полном смятении чувств...

Но Лиля Белоручка — человек действия и какой-то внутренней, своей, весьма странной логики — поступку Кати не удивилась.

— Я так и знала, что ты явишься, — сказала она, когда они встретились в ОВД в кабинете, — не высидишь там в четырех стенах. А где кавалер?

Катя снова рассказала ей все.

— А тут кое-что интересное вырисовывается, — сообщила Лиля бесстрастно. — Мне сейчас наша бородатая подруга звонила. Они с Маришкой дома, проснулись после трудовой ночи. Кора просит приехать, у нее какие-то новости для нас насчет клуба «Шарада».

Они отправились на знакомую улицу Космонавтов. По набережной, мимо Москвы-реки, серой, как свинец.

На их звонок в дверь им открыла Кора. В крохотной прихожей пахло подгоревшими котлетами. Карлица Маришка гремела сковородками на кухне. Кора — заспанная, непричесанная, со всклокоченной бородой. (Катя ловила себя на мысли, что странно вот так характеризовать женщину, но что поделаешь? Она воспринимала Кору такой, какая есть, и уже своей.)

— Хорошо, что так быстро приехали, — обрадовалась Кора. — И вы тоже, Катя. Как раз о вас речь.

— Обо мне? — удивилась Катя.

— Эй, чего вы там, в прихожей, идите сюда, у меня котлеты и макароны, — возвестила карлица Маришка. — Для нас с Корой завтрак, а для вас, служивых, уже обед.

— То есть не о вас, а о том вашем красавце, с кем вы в клуб пришли, ну про него мы уже вам говорили, — Кора слегка путалась в словах.

Катя ощутила от нее похмельное амбре.

Ну что ж, клуб «Шарада» — его тоже надо принимать таким, каков он есть. И танцы, и пьянки, и то немного призрачное веселье, как роение мотыльков ночных, что вот-вот умрут, потому что жизнь их коротка.

— Да не о красавчике, — быстро поправила ее Маришка, — Кора, ты все путаешь, ты еще не протрезвела, радость моя. Это про его прежнюю подружку, ту, с фото.

— Про Анну Левченко? — спросила Лиля.

— Ну, это вы ее фамилию знаете, а для меня она та, что с фотки. Которая с ним в туалете это самое — тыр-пыр. — Маришка прыснула со смеху. — Мы тут с Корой наших пташек порасспрашивали в клубе. Так вот — мы-то думали, она так просто, потаскушка богатенькая. А пташки чирикают — нет, она, мол, в клуб не только парней снимать приезжала, она какая-то журналистка.

— Она блогер, — сказала Катя.

— Пусть блогер. — Маришка махнула крохотной ручкой великодушно. — Она все пташек расспрашивала — как им, мол, живется-работается. Кто как приспосабливается. Но пташки говорят, не только они ее интересовали. Марта Монро тоже. Она хотела про нее написать, и Марта согласилась. Они пили вместе в баре за это — это и бармен наш Миша подтвердил.

— Марта — эта та толстая, накрашенная, в парике? С ней Анна Левченко общалась в клубе? — уточнила Катя.

— Угу. Журналистка про жизнь таких, как мы, писать хотела — уж не знаю, в газете или в блоге, — сказала Кора.

— А где найти эту вашу Марту Монро? — спросила Лиля.

— В клубе она появляется.

— Она в клубе работает?

— Нет.

— А где живет?

— Понятия не имею. — Кора пожала плечами. — Это... я несколько раз видела, ее такси к клубу привозит. Может, она нашим такси пользуется, что клуб обслуживает?

— А можно это как-то узнать?

— Сейчас я Душечке позвоню, это диспетчерша. — Кора ринулась в комнату за мобильным.

— Поешьте пока, — гостеприимно предложила Маришка. — Сейчас, что можно, узнаем для вас.

Она разложила котлеты и макароны по тарелкам, полила соусом. Катя и Лиля сели за стол. Тут и завтрак, и обед.

Кора в комнате вела с кем-то долгие беседы. Наконец она появилась на кухне.

— Ну что я узнала-то? Наши ее не возят. Душечка позвонила нашему таксисту, тот позвонил напарнику. Напарник Веронике какой-то — сменщице. У нас и женщины ведь в такси работают. Короче, целый список, и там один Жорик есть. Оказывается, он Марту как-то возил — из клуба домой на квартиру. Она у «Динамо» живет, он улицу назвал, Планетная, что ли, дом такой серый, на углу. Там два подъезда, так вот он сказал, правый подъезд. Квартиру он не знает.

— Спасибо, — Лиля кивнула, — надо с этой Мартой побеседовать. Я пошлю сотрудников на Планетную, постараемся установить ее адрес. А к вам у меня большая просьба. Если она появится вечером в клубе, позвоните мне, ладно? Я найду способ переговорить с ней, не привлекая к вам внимания.

Глава 41

НЕ ТОТ, КЕМ КАЖЕТСЯ

Эта поездка — туда и обратно — в Прибрежный к *их дому* и затем на улицу Космонавтов после новой фактически бессонной ночи далась Кате тяжко.

Но день готовил новые сюрпризы.

Катя уже подъезжала к своему дому на Фрунзенской набережной, как вдруг зазвонил мобильный.

Герман... Нет, Данила... Нет, пусть лучше Герман...

Эти мысли... вот такие мысли... Прежде чем взять телефон и посмотреть на номер.

Взяла, глянула.

Звонила подружка Женя.

— Катя, это я. Послушай, тут такое дело. Ты не можешь мне помочь?

— Женечка, как твой муж? Мне вчера Герман рассказал, что... — И Катя очень коротко поведала подруге о ночных незваных гостях.

И ни слова о том, что случилось раньше, когда стреляли из кустов...

— И ты уже все знаешь. Вся Москва знает, — сказала Женя. — Гене сделали операцию ночью. Мы тут с ним в больнице. Я заплатила, взяла палату двухместную, чтобы мне с ним все время находиться рядом. Но сейчас позвонили со штрафстоянки. Туда нашу машину эвакуатор отвез. Гена... бросил машину у Васильевского спуска, и не угнали, надо же... Забрал эвакуатор, а теперь звонят и требуют, чтобы я заплатила и забрала. А ты же знаешь, я не умею водить. Может, ты мне поможешь, Катя? Ты же так хорошо водишь.

— Конечно, о чем разговор. Женя, где встречаемся?

— Они адрес продиктовали штрафстоянки — это на шоссе Энтузиастов. Катя, я там никогда не была и ничего не знаю.

— Я тоже, ладно, не волнуйся. Бери такси и приезжай к метро «Римская». — Катя сверилась с навигатором. — Давай встретимся через час, я тоже туда подъеду, и мы отправимся вызволять твою машину.

Она загнала «Мерседес» во двор дома. Вот так... и снова в дорогу. И на этот раз на такси — не волочь же потом Женькину машину на тросе.

Катя облокотилась на капот — чувство такое, что сейчас вот-вот свалишься, такая усталость...

Но она взяла себя в руки.

Женечка, если это ты тогда стреляла в меня, то... надо тебе помочь... Вот ведь какие странные дела у нас, вот ведь какие дружеские отношения...

Оставив свою машину, она поймала на набережной частника и отправилась в сторону метро «Римская».

Ехала по вечным московским пробкам. Женя уже ждала ее у метро на автобусной остановке — в джинсах, в кедах, в куртке, с растрепанными светлыми волосами. Очень бледная и тоже усталая.

Штрафстоянка располагалась в нескольких кварталах от метро, на территории какого-то бывшего завода. Они побрели пешком.

— Женя, что у вас случилось? — спросила Катя.

Надо услышать твою версию происшедшего, моя подруга...

— Вечером к нам приехала полиция. Женщина-следователь, она меня к себе тогда вызывала, а тут сама явилась вдруг. Они допросили нашу горничную Мерседес.

— И что?

— Катя, они, полиция, ничего не понимают. Они меня и Генку подозревают в убийствах.

— В убийствах?

— Фархада и... там еще один парень, они его убийство расследуют, а он... он был любовником моего мужа. Гена ведь гей, и я всегда это знала, с самой свадьбы, но это не влияло на наши с ним отношения, на нашу семью.

— А ваш шофер, с ним твой муж тоже...

— Мы с Геной мечтаем о ребенке. Но со мной в постели он не может, со мной он импотент. А я не могу зачать искусственно, у меня проблемы со здоровьем. Только естественный путь, так врач советовал нам. И мы... в общем, когда Гена со своими партнерами в постели, он... тогда способен и со мной. Мы это вместе с ним решили. Я согласилась. Нам нужен наш ребенок. Я на все готова ради этого.

— Полицейским это трудно понять, — осторожно заметила Катя.

— О чем я и говорю, хоть ты меня не осуждай.

— Я не осуждаю, Женечка. А что произошло вчера?

— Полицейские допросили нашу горничную, и эта женщина — следователь... в общем, она в присутствии папы и тетки обвинила нас, ну, не обвинила прямо, но... Тетка набросилась на Генку, стала его позорить, оскорблять. А он... он сел в машину и... А потом мне позвонили, уже ночью, из больницы — так и так: ваш муж покушался на самоубийство на Красной площади.

— Значит, ваш шофер Фархад был любовником твоего мужа? — спросила Катя.

— Он за деньги согласился. Он не «голубой», но за деньги согласился. Он оставался иногда у нас ночевать.

— А тот, второй? Любовник твоего мужа?

— Совсем молодой парнишка, Васенька... Генка от него был без ума. Их Герман свел в клубе. Я не ревновала, нет. Я тебе уже говорила — я благодарна Гене за наши отношения, за наш брак.

— И этот Васенька тоже приезжал к вам домой?

— Мы сначала в его квартире встречались на Пятницкой. Муж там с ним... а потом и меня туда привез. Полиция вон про оргию твердит, но это не оргия была, это все ради нашего ребенка. Я терпела это. Несколько раз парень и к нам домой приезжал.

— Женя, прости, а твой отец — он же все время дома. Если горничная все знала про вас, то как же он и как же твоя тетка? — спросила Катя.

Женя посмотрела на нее. Прозрачный и вместе с тем отстраненный взгляд.

Они дошли до штрафстоянки и начали разбираться с парковщиками. Женя уплатила деньги. Катя открыла машину «Ауди». Место шофера Фархада теперь свободно...

— А Данила знал про вас? — спросила она, когда они сели в салон «Ауди».

— Он про нас знал.

— Он очень тревожился о тебе, всю дорогу в Прибрежное пытался тебе дозвониться.

— Я в палате у Гены телефон отключаю. Звонки замучили — корреспонденты откуда-то наши номера телефонов достали — и ему трезвонят, и на мой телефон. Он же на Красную площадь вышел. Я сначала Данилу хотела насчет машины просить, перед тем как тебе звонить, ему позвонила, так он мне не ответил на звонок.

— Не ответил? Но он же дома и сам тебе звонил сотню раз! Я свидетель.

— Может, тетка ему не позволила, — сказала Женя. — Значит, ночью его Герман к тебе домой привез после ринга?

Катя включила зажигание «Ауди» — она слегка дрейфила, она никогда не водила такую громоздкую машину.

— Знаешь, Катя, я хочу тебя еще раз предупредить по-дружески, — тихо произнесла Женя, когда они вырулили со стоянки и остановились на светофоре на шоссе Энтузиастов.

— О чем?

— Данила... он добивается отношений с тобой. Я не хочу вмешиваться в ваши с ним дела. Но ты должна знать про него одну вещь. Он не тот, кем кажется.

— Не тот, кем кажется?

— У него на жизнь свой взгляд. Он эгоист. Он ни в чем не знает меры. Он хочет всего на свете. Он так устроен — он хочет всего. И он... это ведь он отбил Васеньку у Гены.

Катя от неожиданности пропустила зеленый свет. Сзади тут же начали сигналить. Она тронулась.

— Он что, тоже... как твой муж?

— Нет, не гей, то есть... он просто все хочет попробовать в этой жизни. И он дьявольски красив, на свою беду. Он, как античный герой, позволяет всем собой восхищаться, любоваться, любить себя. Этот бедный парнишка Васенька, он просто обомлел, когда увидел его, и... Он влюбился в Данилу! Бегал за ним как собачка. Домогался близости. И Данила переспал с ним. Мой Генка испереживался весь и ревновал. А я все это наблюдала и... А что я могла поделать?

Тридцать юнцов у меня и столько же девок, член же один, что же делать-то мне...

— А ваш шофер? — спросила Катя.

— Данила и с ним переспал тоже. Фархад за деньги на все был готов. Ему только деньги грели душу, он хотел учиться, получить профессию и остаться в Москве насовсем уже не в роли шофера или мужской проститутки.

— Данила с Германом дружит. И они тоже...

— Нет, — Женя покачала головой, — между ними я ничего такого не замечала. Но друзьями их сложно назвать, потому что...

— Что?

— Они оба ни в какую дружбу давно не верят.

Глава 42
АВАРИЯ

После отъезда Кати майор Лиля Белоручка послала сотрудников к метро «Динамо» проверить дом на Планетной улице.

Дом нашли — серая хрущевка в пять этажей, подъезд, о котором упоминала Кора. Сотрудники Прибрежного ОВД решили опросить жильцов. Однако на первом этаже ни в одной из двух квартир на звонки не открывали. На втором и третьем жильцы, в основном пожилые люди, понятия не имели ни о какой Марте Монро и не знали, сдают ли в доме квартиры. На четвертом этаже в квартирах тоже на звонки никто не отвечал. На пятом оперативники наткнулись на квартиру, полную узбекских гастарбайтеров, а в другой квартире проживал буйный алкаш, пославший всех через дверную щель на цепочке матом и лесом.

Единственно, кто помог в опросе, — это местный дворник-таджик. Он вспомнил, что пару раз вечером видел у подъезда такси и садящуюся в него толстуху блондинку в розовом жакете. Вспоминая о ней, дворник поцокивал языком и качал головой.

Дом на Планетной Лиля Белоручка решила иметь в виду и наведаться туда еще раз с проверкой как-нибудь утром. Если эта Марта Монро — клубный завсегдатай и посещает не только «Шараду», то застать ее дома легче всего до полудня, когда клубные спят.

Лиля раздумывала — не отправить ли сотрудников в саму «Шараду», но это означало, что за клубом надо устанавливать ежевечернее наблюдение. Проще подождать звонка Коры и Маришки — они обещали дать знать, если Марта Монро появится.

Однако внезапно Лиля Белоручка была отвлечена от поисков свидетельницы.

Позвонил эксперт-баллистик из лаборатории.

— Я еще раз запросил федеральный банк данных по гильзе, что теперь в нашем распоряжении. Расширил максимально критерий компьютерного поиска — не только дела об убийствах, но и все остальные случаи. Так вот, есть совпадение.

— Где? Когда?

— Наши данные совпали с данными по стреляной гильзе, найденной в машине, попавшей в ДТП на набережной. Не так много сведений в справке банка данных — сказано, что машина «Мерседес» врезалась в опору Устьинского моста. В машине находились двое — женщина погибла на месте в результате аварии, а мужчина получил тяжелые травмы, перелом позвоночника. Во время осмотра в машине на полу была обнаружена стреляная гильза пистолета «ТТ». Характеристики полностью идентичны нашим по гильзе. В информации банка данных сказано: водитель машины утверждал, что по нему выстрелили на светофоре. Из-за этого и произошла авария под мостом. Однако каких-то объективных доказательств этому утверждению в ходе расследования ДТП не получено. На машине не найдено следов пуль. Во время аварии вдребезги разбились все стекла, так что установить, был ли выстрел и откуда он производился, не представилось возможным. Дело не стали переквалифицировать ни на покушение, ни на какой-то иной состав преступления, оно так и числится в банке данных как ДТП со смертельным исходом.

— Фамилии потерпевших указаны? — спросила Лиля.

— Это супруги Кочергины — Петр и Марина.

— Но дело все еще в архиве или уничтожено?

— Дела в архиве нет, это же ДТП, срок давности короткий. Все, чем мы располагаем, — эта вот информационная справка в банке данных. И теперь у нас есть с чем сравнить — наша гильза идентична той, от пистолета «ТТ», обнаруженной на месте старой аварии.

Лиля поблагодарила эксперта-баллистика. Взглянула на часы, на стремительно наступающий сумрак осеннего вечера за окном. Она решила не откладывать дела в долгий ящик. Она снова лично отправилась в дом на реке.

Глава 43
ПОКАЗАНИЯ ВДОВЦА

Калитку на звонок Лиле Белоручке открыл Данила. Окинул взглядом полицейскую машину и заявил:

— Вы что-то к нам зачастили, майор.

— Обстоятельства вынуждают, — ответила Лиля. — Я могу поговорить с вашим отцом?

— Конечно, ваше право. — Данила пригласил ее в дом.

Лиля вспомнила слова Кати — да, избит парень на ринге жестоко. Но все равно прекрасен. Уж на что она, человек закостенелый, так сказать, на полицейской службе, но и на нее физическая, мужская привлекательность этого фигуранта действует...

В гостиной Лилю встретила Раиса Павловна Лопырева. Она сидела на диване и пила травяной чай.

— Извините за вторжение, — сказала Лиля, — но я вынуждена допросить вашего мужа.

— Ох, да пожалуйста, кто против. — Раиса Павловна поставила чашку на блюдце. — Мы еще от вчерашнего тут никак не оправимся. Такой скандалище, такой позор. Данила, позови отца.

Данила скрылся в недрах дома и вскоре появился вновь, толкая перед собой кресло, в котором сидел Петр Алексеевич Кочергин.

— В чем дело? — спросил он. — Чем я-то могу вам помочь, беспомощный инвалид?

Лиля смотрела на него в упор.

Беспомощный инвалид... Да, в дешевых детективных романах такие как раз и дурят всех и оказываются вполне на ногах...

— У меня к вам несколько вопросов в связи с происшедшей аварией на набережной, когда вы пострадали, а ваша жена... ваша первая жена погибла.

— Моя мать? — Данила прислонился к стене и сложил руки на широкой груди. — А при чем тут это?

— Мы расследуем уголовное дело.

— Да кто спорит? Но при чем тут это?

— Данила, помолчи, — велела Раиса Павловна, — следователю виднее. Надо — значит, надо.

— А что вас интересует? — спросил Петр Алексеевич. — Дело давно закрыто. Виновным меня в ДТП не признали.

— Меня интересует тот факт, что в салоне вашего «Мерседеса» была обнаружена стреляная гильза. А вы сами утверждали, что вас обстреляли, потому и авария случилась.

— Так это ж правда, только меня и слушать никто не стал, — ответил Петр Алексеевич.

— Я хочу вас послушать. — Лиля села на диван рядом с Раисой Павловной. — Петр Алексеевич, так что же произошло? Кто в вас стрелял?

— Думаете, я знаю? — Петр Алексеевич пожал плечами. — Мы вот потом с Раей сколько раз это обсуждали, гадали... Правда, Рая? А следователь тогда ничего не предпринял.

— Расскажите все по порядку, как было дело.

— Мы с моей женой Мариной возвращались из Театра эстрады. Тоже, как сейчас, стоял ноябрь — темно, дождь шел. На набережной я остановился на светофоре — красный свет и тут вдруг выстрел — бах! Жена закричала с испугу, я нажал на газ и... в общем, мы врезались в опору моста.

— А с какой стороны в вас стреляли?

— С моей, в меня стреляли.

— А стекло вашего «Мерседеса»?

— Стекло? Разбилось, нет, треснуло... я не помню, я очнулся уже в больнице в реанимации. Мне сказали, что жена погибла в аварии, а я вот потом год лечился и до сих пор... Видите, в инвалидном кресле.

— Был только один выстрел?

— Один.

— Раз гильзу нашли в салоне машины, то стреляли с очень близкого расстояния. С вами рядом на светофоре машина остановилась?

— Не обратил внимания. Нет, скорее, это кто-то подошел к нашей машине на светофоре — знаете, как сейчас бродят между авто — нищие, торговцы.

— Но вы никого не видели?

— Нет, я никого не видел. Мы разговаривали с женой. Марина концерт Жванецкого вспоминала, мы как раз с него возвращались. Шутила, я ее слушал. А тут вдруг бах!

— Кто, по-вашему, мог в вас стрелять?

— Я не знаю.

— У вас были какие-то проблемы с бизнесом?

— Именно в то время даже очень большие проблемы я имел. Но я отказываюсь верить — это ведь не повод для убийства.

— Но кто-то желал вашей смерти — конкуренты, недоброжелатели? Вы кого-нибудь подозревали?

— Я думал, конечно, но следствие все это на тормозах спустило. Меня ведь не застрелили, мы в аварию с женой попали. Так это и осталось на бумаге — ДТП. А потом все затмил мой недуг, инвалидность... Сейчас вспоминаешь все это как кошмарный сон.

— А в каких отношениях вы были со своей первой женой?

— Детей она мне родила, в каких отношениях — в супружеских, в каких же еще. Но не стану скрывать, — Петр Алексеевич глянул на Данилу, — у нас с Мариной был и сложный период. Одно время мы даже хотели развестись. Но потом подумали и... в общем, жизнь нас обратно друг к другу притянула, а смерть ее... Ох, не могу спокойно об этом вспоминать... вы уж простите... Когда Марины не стало, свет для меня померк. И вот только Рая, ее сестра, вытащила меня из этого мрака, спасла.

Петр Алексеевич глянул и на Раису Павловну.

— А вы что можете сказать по этому поводу? — спросила ее Лиля.

— Я? Это такая трагедия. Погибла моя сестра. И заметьте — Пете никто из полицейских вроде как и не поверил, что выстрел был. Все пытались его обвинить в ДТП. Но потом признали, что вины его нет. А по поводу того, что в Петю стреляли, — его бизнес в то время увяз в долгах, имелись крупные кредиторы, я потом все это улаживала с помощью своих связей. Но... понимаете, там люди серьезные, они долгов не прощают, с ними надо вести себя предельно осторожно.

— Вы кого-то подозреваете конкретно?

— Нет, нет, — Раиса Павловна покачала головой, — я никого не подозреваю, как и мой муж.

— А почему вы сейчас вспомнили об этой нашей семейной трагедии? — спросил Петр Алексеевич.

— Ну как же — в вас вот стреляли. А теперь убит ваш шофер. И еще мы пытаемся раскрыть убийство любовника мужа вашей дочери, некоего Василия Саянова.

— Как это отвратительно, противоестественно звучит — любовник мужа Женьки! — Раиса Павловна всплеснула руками. — Это что же такое делается-то?

— Убийства происходят, — ответила ей Лиля, — и выясняется, что несколько лет назад некто хотел убить и Петра Алексеевича.

— Вы бы искали этого «некто» тогда, сразу после аварии, в которой погибла моя мать, — сказал Данила, — но вы же палец о палец тогда не ударили.

— Мы вот сейчас во всем этом пытаемся разобраться.

— А вы что, думаете, здесь есть какая-то связь с убийством нашего шофера? — Данила прищурился.

— Работа полиции и заключается в том, чтобы искать и устанавливать связи.

— Ну а в чем конкретно может заключаться эта связь? — продолжал допытываться Данила.

— Ты задаешь слишком много вопросов, — оборвала его Раиса Павловна, — следователю виднее. Я и мой муж, вся наша семья всегда готовы помочь в расследовании. Если возникнут новые вопросы — не стесняйтесь, обращайтесь. Можете приезжать как сюда, ко мне домой, так и в мой офис в отеле «Москва». Это приемная нашего инициативного комитета.

Глава 44
ПОД ОХРАНОЙ

Катя устала безмерно. От всего — и от того, что вела большую чужую роскошную машину, и от того, что узнала от подруги. Многие знания — многие печали...

Со штрафстоянки они ехали с Женей через весь город к Первой Градской больнице, куда поместили Геннадия. Женя нервничала, торопилась. Она сказала, что оставила мужа с психологом, его пригласил лечащий врач. Но ей не терпелось вернуться к мужу как можно скорее.

— Я Генку сейчас оставлять надолго не могу. Я должна все время быть с ним, — твердила она Кате.

Та думала, что машину они перегонят обратно в Прибрежный. Но Женя сказала:

— Нет, нет, я туда не вернусь. И как только Гену выпишут, мы... я не знаю, где мы устроимся. В нашей квартире все еще ремонт, там даже сантехники пока нет. Возможно, поживем у Данилы, если он разрешит. У него ведь тоже своя квартира. Он тебя туда не приглашал?

Катя качала головой — нет, нет, подружка, он меня туда не приглашал, не успел.

То, что ты, Женя, мне сейчас сообщила о своем брате... О том, что он во всем предпочитает разнообразие...

Ах, ну как же так...

Этот вкус поцелуя разбитых губ там, у вашего дома над рекой...

И тот выстрел в ночи из темных кустов.

Пока ехали в больницу, Катя все ожидала — вот-вот на мобильный Жени раздастся звонок от Данилы. Но не звонил своей сестре, о которой вроде так беспокоился.

И Катя терялась в догадках.

Они с Женей пригнали «Ауди» на охраняемую стоянку у Первой Градской больницы. Женя горячо поблагодарила и побежала в корпус — к мужу.

Катя осталась одна в темноте осеннего вечера и побрела в сторону Ленинского проспекта, чтобы поймать такси и ехать домой.

Она ощущала себя опустошенной до предела. Все эти события, покушение, ночные гости, ночные поездки...

Тот поцелуй разбитых губ и...

Можно совсем пасть духом, если воспринимать все это вот так — близко к сердцу.

Но и воспринимать это бесстрастно, отстраненно уже не получится. Она увязла в этом деле, как глупая муха в меду.

Медом это, правда, тоже трудно назвать...

Она попросила таксиста подвезти ее прямо к подъезду. Вышла, расплатившись. И таксист, мигнув фарами, сразу уехал. А она начала набирать на панели домофона код, но сенсорная панель что-то плохо реагировала. И Катя начала искать в сумке ключи, чтобы открыть дверь подъезда магнитной «таблеткой».

И вдруг...

Затылок стянуло...

Она почувствовала чье-то присутствие.

Кто-то неслышно подошел и встал сзади.

Катя в панике обернулась и...

Маленькая коренастая фигурка в свете фонаря.

Это была Лиля Белоручка.

— Лиля, у меня чуть инфаркт...

— Ох, прости, не хотела тебя пугать. Я только что подъехала, я сейчас от них. Видела, как ты из такси вышла.

— Ты подкрадываешься неслышно, как кошка.

— Привычка. — Лиля покачала головой. — Извини, я не рассчитала. На тебе лица нет. А я идиотка. Я ведь тебя охранять приехала.

— Меня охранять?

— Давай-ка в квартиру поднимемся. Я у тебя останусь ночевать. Я мужа своего уже предупредила.

— Милости прошу и ужасно рада. — Катя и точно обрадовалась. — Я просто тебя не ждала.

— И я не собиралась, а потом решила — поеду к тебе. И останусь. Мне что-то тревожно. — Лиля вызвала лифт. — И есть новости.

— И у меня новости.

— О ком?

— О Даниле, — сказала Катя.

Они продолжили разговор уже на Катиной кухне, когда вместе начали готовить нехитрый ужин.

— Значит, все три жертвы находились в интимных отношениях с нашим красавцем, — подытожила Лиля, выслушав Катины новости и закончив излагать свои. — Он времени зря не теряет, живет полной жизнью. Это другие умирают.

— Он при мне постоянно звонил Жене, у той телефон был отключен. А позже, когда мы машину перегоняли, Женя жаловалась, что сама ему не могла дозвониться. И при мне не было ни одного звонка. Так вот я не понимаю — напоказ, что ли, он звонил? Если хотел помочь сестре, почему так и не помог? — Катя пожала плечами.

— Он сейчас в Прибрежном, с отцом и теткой.

— Женя предположила, что это тетка ему не позволила после скандала. Что же это, он так тетку слушается? Когда я у них была, у меня впечатление сложилось как раз обратное.

— Мы пока в потемках, Катя. — Лиля глянула в темное окно кухни. — Очень много информации, а сама суть ее от нас до сих пор скрыта. Вот и с гильзами так же, и с той давней аварией.

— Женя мне про аварию говорила и ни разу не упомянула, что в ее отца тогда стреляли.

— Не все чужим людям скажешь, а вы все же с подругой давно не виделись. — Лиля размышляла вслух. — В той аварии-покушении есть одна деталь... только вот какая... Что-то меня там настораживает, а начинаю в голове прокручивать — никак не улавливаю. Один факт непреложный — гильзы совпали. Если убийца собирал гильзы с мест наших убийств, он делал это для того, чтобы следствие не смогло установить связь нынешних убийств с давним покушением на Петра Кочергина. И почерк, почерк — очень схож. Как Петр Кочергин рассказывает — внезапный выстрел, когда он остановился на светофоре. И в тебя стреляли внезапно из кустов. И точно так же убили и тех троих. Теперь давай порассуждаем — кому была выгодна смерть Петра Кочергина? В то время он был женат. Но... его жена сама в аварии погибла. Его вторая жена — Раиса Лопырева. Какие у нее могли быть тогда причины покушаться на жизнь мужа своей сестры? Никаких. Она вышла за него потом замуж. Но она от смерти своей сестры выгоды особо не получила. Ей муж достался инвалид, в кресле, финансовую часть вопроса она сама вытягивала, помогала, сейчас вон весь дом их содержит, в том числе и Данилу, и Женю с ее мужем, орет на них, как хозяйка. Дальше идем в своих предположениях — кому могла быть выгодна смерть отца?

— Детям. Даниле и Жене, — тихо сказала Катя.

— Теоретически да, классическая версия. Еще кому?

— Женя обмолвилась, что ее мать — а я помню Марину, редкая была красавица, — изменяла ее отцу. Они даже одно время хотели развестись. Если предположить, что у матери в то время имелся любовник...

— Молодой любовник, — сказала Лиля. — Кстати, а что мы знаем о Германе Дорфе и его прошлом?

Катя вспомнила лицо Германа — вот здесь, на этой кухне.

Маленький такой местечковый ад...

— Лиля, я что-то совсем запуталась, я потерялась, — призналась она. — Я не знаю, как реагировать, как с ними общаться, как разговаривать и... ощущение постоянного вранья с моей стороны. И постоянных подозрений, что и мне они все врут.

— Мы должны раскрыть это дело, мы должны быть стойкими. — Лиля не хотела сдаваться. — Я сегодня ночую у тебя. Не знаю, в сердце подсказывает — надо побыть с тобой. Может, потому, что нам обеим сейчас тяжело, мы на распутье. И вообще, я же обещала тебя охранять.

Катя через силу улыбнулась подруге — Лилечка... ты в своем репертуаре. Но в глубине души теплилась радость — не одна, сегодня я не одна. Дружеское плечо в час сомнений и тревог — великое дело.

Глава 45
НЕТРАДИЦИОННАЯ СЕМЬЯ

Они были вместе этой ночью — Женя и ее муж Геннадий. Хотя в коммерческой палате имелась вторая кровать, Женя ею не воспользовалась.

Она сидела прислонившись к стене, а ее муж, которому сделали операцию на обеих руках, весь перебинтованный, приник к ней, своей жене, как ребенок приникает к телу матери.

Женя крепко обнимала его. Он прятал лицо на ее груди и шептал: прости, прости, прости меня...

— Все будет хорошо, — шептала ему Женя.

— Прости, прости меня за все.

— Все будет хорошо, слышишь? Мы вместе.

— Прости меня, Женечка.

— Ты все, что у меня есть, я люблю тебя. — Женя нежно гладила его по голове. — Ты — мой... Мы нетрадиционная семья. Это наш выбор. Мы все преодолеем, слышишь?

Геннадий целовал ее плечи и шею, зарывался лицом в ее тело.

— Прости, прости, я жизнь тебе ломаю... сломал...

— Нет, нет, не говори так, — Женя еще крепче обнимала его, успокаивая, удерживая, — нет, мой хороший. Пусть говорят что хотят. Мы нетрадиционная семья, и мы будем жить. Мы с тобой будем жить. Это все пройдет, только обещай мне — больше никогда так меня не пугать... Подумай, что будет со мной, если тебя не станет?

— Женька, моя Женька...

— Я твоя, а ты мой. А все остальное не важно.

— Так уж и не важно?

Женя смотрела в темноту, в эту больничную темноту. Она вспоминала иные ночи. Огонь в глазах Фархада, васильковые очи томного капризного Васеньки. Жар их тел, что не предназначался ей в ночи любви, но который она все равно ощущала, находясь с ними в одной постели.

Огонь в глазах Фархада, шофера... Он так хотел, так желал ее — она знала это, она чувствовала это. Но ничто в ее душе и теле не отвечало на его внутренний жар и молчаливый восторг. Он был лишь инструмент для достижения той цели, которую они стремились достичь с мужем. Женя размышляла над этим — может, все дело в ней и она порочна или фригидна? И поэтому ее устраивают такие вот отношения, такой вот расклад?

Нет, она не фригидна. В те моменты, когда Геннадий ласкал ее, она трепетала и вся раскрывалась навстречу его ласке.

Увы, для ласки нужен был стимул.

Гибкое мускулистое тело шофера Фархада.

Томные, сладкие стоны-охи жеманного Васеньки.

Но это ведь все плоть, желание, а оно преходяще. Главное-то совсем другое. Что?

Ребенок, которого они так и не зачали с мужем.

— Важно лишь то, что мы вместе, — прошептала Женя мужу. — Ты только обещай, что не покинешь меня.

— Я не покину тебя.

— А это мы переживем, мы справимся, — уверяла Женя. — Ты лишь верь мне, как я верю тебе. Им не понять того, что мы имеем с тобой. Это только наше. Это — между нами, между мной и тобой. Мы такая семья.

— Мы такая семья, — покорно повторил Геннадий и поцеловал плечо жены.

Не губы, плечо — как послушный верный вассал.

— Но есть одна проблема, — сказала Женя.

— Жить негде? Ремонт в квартире скоро закончится, и мы переедем туда, в свой дом.

— Я не об этом, Гена. Я о том, что полиция подозревает нас в убийствах. С этим надо что-то делать.

Геннадий молчал.

— Мы не проявили должной осторожности, — тихо сказала Женя. — Мы слишком были заняты собой и нашим будущим ребенком.

— Погоди, вот руки у меня немного заживут...

«И что?» — подумала Женя. Но не сказала этого вслух, лишь снова нежно погладила мужа по волосам.

Они спали в объятиях друг друга всю ночь. Рано утром их разбудил молоденький медбрат, пришедший брать у Геннадия анализ крови.

Глава 46
АГРЕГАТ

В этот вечер бородатая Кора и карлица Маришка, как обычно, приехали на такси на Ленинградский проспект к клубу «Шарада» — работа не ждет.

Возле арки впереди них остановилось еще одно желтое такси, из него вывалилась компания трансвеститов, ярких, как бабочки, кокетливых и оживленных. Таксист — тот самый, кому Кора звонила накануне, наводя справки, увидев такси, дернул Кору за рукав.

— Э, гляди-ка, вон тот самый водила, что Марту Монро часто возит, о нем ты меня спрашивала.

Бородатая Кора заспешила к такси. Марты среди приехавших в клуб «сотрудников» не оказалось, но Кора хотела переговорить с шофером. Тот был улыбчивый, снисходительный, в полной расслабухе за рулем. Но при виде бородатой Коры глаза его округлились.

— Ого!

— Привет, — Кора открыла дверь со стороны водителя.

— Такси свободно, прошу.

— Да мы только что приехали с подружкой.

— Жаль, а то бы прокатил. Борода настоящая?

— Родная, — Кора вздохнула. Она привыкла к подобным расспросам в клубе. Пусть спрашивают, лишь бы не били...

— Круто выглядишь, — шофер скользил глазами по фигуре Коры. — Да, ничего не скажешь, крутая ты.

— Чего Марту не привез? — в упор спросила Кора.

— Не заказывает меня.

— Несколько дней ее в клубе не видно.

— Ну, в Москве ведь не только одна «Шарада». Тусется где-то на стороне.

— А она все там, на Планетной у «Динамо»?

— Возил ее оттуда и туда. Она квартиру на первом этаже снимает.

— На первом? — Кора решила, что запомнит это. — Слушай, у нас в клубе гадают — она не это... ну, не как эти пташки-канарейки?

— Кто вас разберет, — усмехнулся шофер. Он был вполне толерантен и с неподдельным интересом взирал на бороду Коры. — Платье напялите, а чего у вас там под платьем — сразу и не поймешь. — Он подмигнул. — У Марты задница во! — Он широко раздвинул руки. — Заглядеться можно, аж голова кругом. Эти-то все диету блюдут, тощие, как вобла, а Марта — баба в теле.

— Толстая она, — хмыкнула Кора.

— Есть за что ухватиться. — Шофер прыснул и достал мобильный. — Глянь, я ее сфоткал, когда она наклонилась.

Он протянул смартфон ближе к Коре, и та увидела снимок — в ярком свете фар такси — широкий женский зад, обтянутый розовым.

— Вон, видишь, из лужи поднимает. Мы уже ехать собрались, как вдруг она мне — стоп, я одну вещь дома забыла. И пошла снова к подъезду. Потом вышла — в руках что-то в бумагу завернуто. И оступилась у самой машины, уронила сверток в лужу. Стала поднимать. Ну тут я не выдержал, сердце ведь не камень — такой вид открывается, такое раздолье. — Шофер откровенно ржал и демонстрировал Коре новые снимки в смартфоне.

На снимках — толстый женский зад. А вот в другом ракурсе — Марта Монро выпрямилась.

— А что у нее в руках? — спросила Кора. — На совок похоже с ручкой.

— Агрегат, — ответил шофер. — Она его прям в лужу и давай бумагу мокрую сдирать, потому что там же кнопки, электроника.

— Электроника?

— Ну да, он же компьютерный. Я ее спросил — чего это, а она мне — это специальный массажер. Чего, мол, смеешься, сам бы такой массажер попробовал.

— Это тот, что мужики по Интернету заказывают для услады взасос? — хмыкнула Кора.

— Ну так, Марта Монро в этих делах на компьютер ставит, на высокие технологии.

Кора пожелала таксисту доброго пути и глянула на номер машины, когда такси развернулось. В клубе она записала номер такси на клочок бумаги, решив позвонить этой майорше из полиции утром. В клубе ждала работа. Кора не считала свой звонок очень уж важным — ведь Марта так в «Шараде» и не появилась. А с водилой успеется. В «Шараде» в этот вечер было битком, диджей был хорош, как никогда.

Глава 47

ЗАГАДКИ БАЛЛИСТИКА

Утром Катя отправилась в главк — в Пресс-центре накопились срочные дела, надо было сделать несколько публикаций для интернет-изданий на криминальную тематику. Лиля поехала к себе в Прибрежный ОВД. Они договорились созваниваться.

От этого дня Катя не ждала особых новостей, однако позже выяснилось, что она в очередной раз ошиблась. Новости пришли. И какие!

Бородатая Кора позвонила Лиле около полудня, как только проснулась после трудового вечера в клубе, и сообщила номер машины шофера, подвозившего Марту Монро. Рассказала она и про снимки в его смартфоне. Лиля не придала этому особого значения — приняла к сведению. Она поручила сотрудникам выяснить фамилию водителя и привезти его в ОВД на беседу — возможно, он знает что-то об этой клубной тусовщице Марте Монро, которую необходимо допросить.

Пока Лиля Белоручка раздавала указания, к ней в кабинет зашли два эксперта:

— То давнее ДТП на набережной и гильза...

— Да, я вас слушаю. — Лиля тут же отложила все дела. — Есть что-то в этой аварии, что меня настораживает, беспокоит, но я никак не могу понять, точнее сформулировать. Даже после допроса в доме Петра Кочергина я не могу...

— Во-первых, чего он поехал к Устьинскому мосту? — спросил один из экспертов. — Он откуда ехал? Из Театра эстрады и куда? К себе домой в Прибрежное, они ведь уже тут жили тогда. Чего проще — разворот под Каменным мостом и через Тверскую, через Ленинградский проспект. Пробок в это время уже почти нет, они ведь после окончания спектакля ехали, после десяти часов. Зачем делать такой крюк по набережной?

— Может, Манежную перекрывали, Каменный мост стоял? — спросила Лиля. — Надо это у Кочергина уточнить.

— А во-вторых, мы с коллегой провели небольшой эксперимент, когда стреляную гильзу исследовали. Так вот — в «Мерседесе» Кочергина гильзу нашли внутри машины.

— Совершенно верно, это из справки банка данных следует.

— А вам он заявил на допросе, что в тот вечер шел дождь, они остановились на светофоре и все окна его машины были закрыты.

— Да, он так сказал. Я, правда, не уточняла.

— Мы следственный эксперимент провели — в любом случае при стрельбе снаружи по машине с закрытыми стеклами пуля стекло либо пробивает, либо разбивает. А вот гильза отлетает наружу, а не внутрь. Если преступник находился снаружи и стрелял снаружи.

Лиля слушала экспертов с напряженным вниманием.

— Вы хотите сказать, что стреляли внутри машины? В салоне?

— Нет. Этого мы не утверждаем. Просто для того, чтобы гильза при выстреле снаружи с близкого расстояния оказалась в салоне машины, надо, чтобы стекло с той стороны, откуда производился выстрел, было опущено. Следственный эксперимент категорически это подтверждает.

— То есть, если кто-то подошел к остановившейся машине на светофоре и выстрелил, и гильза залетела в салон, — пояснил второй эксперт, — значит, окно машины находилось в открытом состоянии. В «Мерседесе», что принадлежал Кочергину, опустить стекло снаружи невозможно, это делается из салона водителем.

— Но убийца мог дверь распахнуть и выстрелить, — сказала Лиля.

— Мог. Тогда бы гильза оказалась в салоне, внутри, а не снаружи. Но ведь Петр Кочергин вам такого не сказал.

— Может, он просто позабыл? Там ведь такая авария случилась страшная, он пострадал. Может, он путает обстоятельства, не помнит? — Лиля смотрела на экспертов.

Те пожали плечами — все возможно. Но факт остается фактом. Данные следственного эксперимента и баллистической экспертизы вступили в противоречие с показаниями потерпевшего.

— Это надо уточнить. Я еще раз поеду к Петру Кочергину.

— И про выбор маршрута тоже не забудьте спросить, — напомнил эксперт. — Эти вопросы тогда при расследовании ДТП никто не поднимал, никто не обратил на это внимания. Потому что даже сам выстрел ставился под сомнение. И от выстрела ведь никто не пострадал. Причины смерти жены Кочергина, его увечья — авария. Но сейчас, когда у нас в наличии вторая гильза, аналогичная той, прежней, эти вопросы надо прояснять.

Лиля записала все в свой блокнот. Она решила в который уж раз навестить дом у реки. Но сделать это она хотела позже. Надо еще подумать, как сформулировать вопросы.

В этом деле — сплошные нестыковки, и их становится все больше и больше. И вот нате — еще и эта загадка от баллистиков.

А тут как раз позвонили оперативники — они установили по номеру такси таксопарк и фамилию водителя Марты Монро. Он только что сдал свою смену напарнику, и они везли его в Прибрежный ОВД на беседу.

— Вы Сергей Шуляков, водитель фирмы «Ночное такси»? — уточнила Лиля Белоручка, когда таксиста доставили в Прибрежный.

— Он самый, а в чем дело? Я что, правила дорожные нарушил или штраф не уплатил, так вот хочу заявить...

— Нет, нет, это не по поводу штрафа. Мы просто хотели с вами проконсультироваться. Вы обслуживаете клуб «Шарада» на Ленинградском проспекте?

— Я всю Москву ночную обслуживаю, кто из ночных меня закажет, туда и еду.

— Вы знаете некую Марту Монро?

— Да, — таксист кивнул, — заказывает меня иногда.

— А куда она ездит обычно, где бывает?

— Заказ всегда один и тот же — с ее квартиры у «Динамо» в «Шараду», и обычно это либо пятница, либо суббота. Никогда в воскресенье меня не заказывала и в понедельник тоже.

— И обратно?

— И обратно, но не всегда.

— Скажите, Марта Монро — проститутка?

— Скорее бандерша, — таксист хмыкнул, — для путанки она того, не годится уже, путанок все молоденьких ищут клиенты. Хотя есть любители и зрелых дам.

— Говорят, она трансвестит?

— Кто их разберет? Столько штукатурки на ней, парик этот ее под Мэрилин Монро. Но я особо не вникаю. Я всяких вожу — народ разный. И я ни к кому никаких претензий не имею, лишь бы деньги платили.

— Марта платит вам или фирме?

Таксист хитро прищурился и пожал плечами.

— Ясно, — сказала Лиля. — Когда вы видели Марту Монро последний раз?

— Три дня назад. И не договаривались вроде. А вечером, уже после одиннадцати, она мне звонит на мобильный — мол, подъезжай ко мне на Планетную, поедем в «Шараду». Но обратно меня уже не заказала.

— Значит, у вас есть ее телефон?

— Естественно.

— Продиктуйте, я запишу.

— Да пожалуйста, — таксист достал из кармана куртки смартфон и продиктовал номер Марты Монро. — А можно вопрос встречный?

— Да.

— А чего она натворила, что ею полиция вдруг заинтересовалась? Пьяного, что ли, ограбила?

— Нет, у нас к ней просто возникли вопросы. Но в клубе она не появляется. А еще какие места она посещает?

— Я ее только в «Шараду» вожу, — ответил таксист.

— Пожалуйста, смартфон не убирайте, — попросила Лиля. — Нет ли у вас там фотографий этой Марты?

Таксист пристально взглянул на майора Белоручку, усмехнулся — мол, все понятно с вами, полицейские. И нашел фотки.

— С вашего позволения мы сейчас перекачаем их на наш компьютер, — сказала Лиля и позвонила эксперту.

Тот пришел и забрал телефон — минутное дело.

Таксист ждал в коридоре, когда ему вернут смартфон. А Лиля тут же позвонила на номер Марты Монро. Но — «абонент временно недоступен».

Она звонила по этому номеру еще несколько раз после того, как таксист уже уехал. И каждый раз одно и то же — «абонент временно недоступен». Телефон Марты был отключен.

Внезапно снова позвонил эксперт и попросил зайти к нему. Лиля пошла в кримлабораторию — туда, где она некогда допрашивала Данилу и Геннадия Савина, оставив Катю подслушивать в смежном кабинете.

Эксперт вывел снимки из смартфона таксиста на экран компьютера.

Лиля увидела перед собой увесистый женский зад, обтянутый розовым платьем.

— Да уж... селфи... по этой фотографии мы никогда не...

— Тут есть еще одна фотография, — эксперт вывел на экран новый снимок.

Лиля увидела изображение полной грудастой женщины в профиль — лица особо не разобрать, но парик — яркий, цвета платины, действительно как у незабвенной Мэрилин. А вот лицо в тени — в свете фар такси выделялся лишь какой-то небольшой предмет, который Марта держала в руках.

Лиля вспомнила, как ей Кора говорила — мол, это тот самый эротический массажер, что Марта уронила в лужу. Пьяная, что ли, была?

— Видите, что у нее в руках? — спросил эксперт.

— Да, это что, какая-то штука из секс-шопа?

Эксперт начал колдовать над изображением, выделяя, укрупняя этот самый фрагмент на снимке. Наводил контраст, резкость, делая изображение все четче, четче и...

Затем он резко поменял файл, выводя на экран уже заранее подготовленный сайт из Интернета.

— Эта штука не из секс-шопа, а вот с подобных сайтов. Такими вещами обычно черные археологи пользуются. Это очень дорогая вещь, продвинутая. Используется в том числе и ультразвук. И все очень компактно.

— Да что это такое?

— Поисковик-металлоискатель, — объявил эксперт, — и не такой, как у нас в полиции, а более мощный. Программа распознавания на все металлы.

— С ним что, археологи золото, что ли, ищут?

— Золото. Но такой штуке стреляную гильзу в темноте, в грязи, в луже обнаружить — пара пустяков.

Лиля смотрела на экран.

Она чувствовала, что...

Вот, вот тот самый гвоздь, на котором в этом деле все и держится, однако...

— Никакой ошибки? — спросила она.

Эксперт покачал головой. Он был серьезен и уверен.

Лиля смотрела на снимок — толстая женщина в розовом платье, в белесом парике, лица которой не различить.

Через пять минут на Планетную улицу в районе «Динамо» уже выехали оперативники. Они проверили квартиры первого этажа — ведь именно о первом упоминала Кора. На первом их всего две. Но ни в одной из них двери не открыли. Оперативный пост остался дежурить в машине во дворе дома на случай, если Марта Монро объявится по указанному адресу.

Глава 48
НОВЫЙ ФИГУРАНТ

— В нашем деле — новый фигурант. Я всегда подозревала, что есть какой-то подвох с этими гильзами, — сказала Лиля Белоручка.

Катя смотрела снимки из смартфона таксиста в компьютере. Весь вчерашний день она провела в главке, разбираясь с накопившейся за эти дни в Пресс-центре текучкой, написала несколько кратких репортажей для интернет-изданий на криминальные темы. Но мысли ее занимал лишь Прибрежный и его обитатели. А вечером позвонила Лиля с новостями и сказала — утром приезжай в ОВД.

И Катя отправилась снова туда. И вот — фотографии. Марта Монро. И эта штука в ее руках — сверхсовременный компактный поисковик, для которого гильзу обнаружить — во тьме, в грязи, на безлюдной аллее у станции, и на асфальте возле ночного клуба, и в пустом дворе у незаселенного дома на Ленинском, и на Фрунзенской набережной у гаража — проще пареной репы.

— Получается, мы уперлись в версию о киллере. Кто-то из них нанял киллера? Но не похожа эта Марта Монро на профессионального киллера. — Катя мучительно вспоминала, как видела эту Марту Монро там, в «Шараде». Нет, лица не вспомнить. А вот фигура похожа на грушу с широкими бедрами, с увесистым тазом, груди как арбузы.

— Киллером может быть кто угодно, главное, чтобы пистолет умел держать и стрелять, — заметила Лиля. — Мы привыкли считать, что киллер — это некто в куртке с капюшоном и прошлым в виде занятий биатлоном или стажировки в войсках. Это стереотип.

— Клоунский вид, — Катя смотрела на снимок, — все слишком нарочито — и этот парик, и розовый прикид.

— Поисковик у нее в руках. Я и так и этак крутила — нет, по руке не понять, кто это, женщина или трансвестит. Тут на фото не видно.

— И я на ее руки там в клубе не смотрела. Да я и видела ее минуту всего, — сказала Катя.

— На Планетной у дома я оставила постоянный пост наблюдения. Но Марта не появлялась ни вчера, ни сегодня утром, и телефон ее выключен. — Лиля вздохнула. — Мы выясняем, кому принадлежат квартиры на первом этаже, постараемся узнать через единый расчетный центр.

— Марту необходимо задержать. — Катя перелистала снимки в компьютере — зад, зад, увесистый зад.

— Я всю ночь не спала, голову ломала, — призналась Лиля, — как связана эта информация о Марте и то, что мне сказали баллистики?

— По поводу стекол в «Мерседесе» Петра Кочергина? — спросила Катя.

— Какую бы версию мы ни выдвигали, у нас постоянно что-то не складывается. И тут тоже. Никак. Давай опять по порядку примерять каждого из них. Наши убийства и покушение на тебя по гильзам связаны с тем старым покушением перед аварией на набережной. Марта Монро — или как там ее настоящее имя — и тогда уже могла принять заказ на убийство. Логично?

— Логично, — кивнула Катя, — только она тогда не выполнила заказ до конца.

— Осечка, как и с покушением на тебя, когда ее спугнул случайный прохожий-собачник. — Лиля чертила что-то на листе бумаги. — Кто из них мог ее нанять?

— Все они.

— Начнем с твоего красавца, с Данилы. Он имел связь со всеми тремя жертвами — и парни, и Анна Левченко были его любовниками и любовницей. По теории вероятности он мог заказать убийство и своего отца, Петра Кочергина. Что ему мешало нанять киллера — вот эту Марту — и тогда и сейчас? Они до сих пор пересекаются в одном и том же месте — в клубе «Шарада», контакт не прерван. Опять же по теории вероятности он мог заказать Марте и тебя, несмотря на...

Катя смотрела в монитор, а видела...

А чувствовала...

Тот поцелуй у ворот их дома...

— Но есть две нестыковки, — продолжала Лиля. — Допустим, он в те времена заказал родного отца, но отец-то жив остался. Они живут все вместе в одном доме. И в отношении покушения на тебя. Зачем ему тебя убивать? Или он маньяк, убивающий всех своих любовников и любовниц?

— Данила — маньяк? — Катя задала этот риторический вопрос сама себе.

— Теперь его сестра, твоя подруга Женя. Отца она тоже могла заказать. Как, впрочем, и Василия Саянова и шофера Фархада, если ревновала к ним своего мужа, в чем она нам не признается. Она могла заказать и тебя, потому что узнала: ты беседовала с их горничной и та тебе что-то выболтала, как и оказалось на деле. Однако...

Катя видела перед собой бледное личико Жени — там, в пустом отеле «Мэриотт — Аврора» и на штрафстоянке, когда они перегоняли машину. Ах, Женька...

— Но опять не сходится, — сказала Лиля. — Как и с Данилой, если заказывала отца родного, чего же они сейчас вместе живут? И потом, зачем ей убивать Анну Левченко? Муж ее женщинами не интересуется вообще. Теперь о ее муже Геннадии. Заказать отца Жени он не мог по той причине, что в то время они с Женей еще даже знакомы не были. Но вполне вероятно Женя ему все рассказала, они ведь преданны друг другу, очень преданны. — Лиля вздохнула. — Они вдвоем могли заказать убийства Саянова и Фархада. Однако Анна Левченко снова выпадает. Теперь возьмем Лопыреву Раису Павловну. Могла она заказать Петра Кочергина Марте Монро? Зачем? Она позже вышла за него замуж и получила в связи с этим кучу проблем — мужа-инвалида и его финансовые неурядицы, а также своих племянников на полное содержание. Могла ли она заказать Саянова и Фархада? Вполне, потому что она ярая гомофобка. И явно опасается позора и огласки. Она могла заказать и тебя после твоего разговора с горничной.

— А как она об этом узнала?

— Ну, например, муж, Петр Кочергин, ей сообщил, что ты подвозила горничную.

— Выходит, они с мужем действуют...

— Погоди, о Кочергине речь впереди. — Лиля постукивала шариковой ручкой по бумаге. — Анна Левченко опять выпадает из этого списка жертв. Да, она там чего-то писала про Лопыреву, про ее инициативы, но ничего разоблачительного в этих публикациях не содержалось, ты сама мне об этом сказала. Герман Дорф... Вот фигурант, который у меня вызывает сильные подозрения.

— Почему? — спросила Катя.

— А потому что он вроде как и ни при чем совсем, а? Какие у него могли быть мотивы убийств Саянова, Левченко и шофера Фархада? Очевидных — никаких. То же самое и с покушением на тебя. Теоретически он мог желать смерти Петру Кочергину, если в свое время был любовником его покойной жены. Был ли? Как мы это узнаем? На Германе вообще ничего не сходится, не пересекается, и меня это крайне настораживает. Может, есть какой-то скрытый мотив, тайная пружина всего происшедшего, которую мы до сих пор не видим, не замечаем.

Катя вспомнила и Германа.

Последняя соломинка...

А вы пошли бы за меня замуж?

Я так и знал...

Катя ощутила, как ее сердце снова медленно сжимается в груди, словно кто-то взял его в ладонь и начал давить, давить, давить...

— Ну и теперь о Петре Кочергине. О человеке в инвалидном кресле, — продолжала Лиля задумчиво. — В общем-то, мы с тобой мало на него внимания обращали. Но мы не знали о том, что гильзы совпадут, и аварию в расчет не брали. А теперь давай поговорим о той аварии. Он мне на допросе рассказал — все или не все? Самый важный факт тот, что он был тогда за рулем «Мерседеса». Я смотрела по навигатору — а действительно, зачем он поехал по набережной, когда прямая и короткая дорога ему через Каменный мост? Теперь о машине его, остановившейся на светофоре у Устьинского моста, — именно там его поджидал киллер. Выходит, знал про этот маршрут необычный? Одно дело, если Петр Кочергин не помнит и путает, другое же, если он скрывает и недоговаривает.

— Его жена могла находиться в сговоре с любовником, нанявшим киллера, — ту же Марту, если любовником был Герман. И именно жена уговорила Кочергина ехать по набережной под благовидным предлогом — любым, — тут же парировала Катя. — Логично?

— Логично. И это опять удручает и запутывает. Теперь о стеклах в машине или об открытой двери. Петр Кочергин не сказал мне ни о том, ни о другом. Он вроде как утверждает, что стекла в «Мерседесе», когда тот остановился, были закрыты — шел дождь. И киллер выстрелил через окно. А гильза в таком случае не могла оказаться в салоне. И давай на миг предположим, что он лжет нам — все было не так.

— А как?

— Он поехал на набережную специально. В условленном месте на светофоре его ждал киллер, которого сам он и нанял. Остановившись на светофоре, Петр Кочергин опустил стекло в машине, и тут киллер подбежал и выстрелил почти в упор.

— В самого Кочергина, что ли? — Катя хмыкнула. — Он заказал свое убийство?

— Киллер стрелял в его жену, в Марину Кочергину, — сказала Лиля, — он заказал ее.

— Но она погибла в результате аварии.

— Что-то у них пошло не так. Киллер промахнулся. Марта промахнулась, как и в случае с тобой у гаража.

Катя смотрела на подругу.

— Теперь рассуждаем дальше — Петр Кочергин сейчас инвалид. Я не беру детективную версию о том, что он тайно от всех способен ходить. Нет, в это я не верю. Я верю в то, что инвалиду, если он задумал и дальше убивать, киллер просто необходим. Наша таинственная Марта Монро... Мог Петр Кочергин заказать ей Саянова и Фархада? Теоретически мог. Мотив — тот же, что мы и к его жене Лопыревой сейчас примеряли — боязнь огласки и позора. Он же постоянно дома торчит, игры дочери и ее мужа, сына с парнями в постели могли его ой как сердить. Вполне вероятно, он заказал и тебя, когда увидел, что ты разговариваешь с их горничной.

— Но Анна Левченко ему зачем? — спросила Катя. — Непонятно, знал ли он вообще о ее существовании и их короткой связи с Данилой?

— Чем больше я думаю об этой блогерше Анне, тем... Понимаешь, Катя, у нее был прямой контакт с Мартой

Монро, с самой Мартой Монро. Об этом Кора нам сообщила: Анна Левченко — журналист и блогер — заинтересовалась Мартой, говорила с ней, даже хотела что-то писать о ней. Что она хотела писать? Может, она что-то заподозрила? Ведь в клубе все шушукались об убийстве Василия Саянова. А где сплетни, там и подозрения. Допустим, Анна Левченко заподозрила Марту. А та могла под каким-то предлогом заманить ее во двор незаселенного дома и прикончить. Возможно, как раз это убийство Марта совершила не по заказу, а по своей собственной инициативе, чтобы обезопасить саму себя.

Катя снова «перелистала» снимки в компьютере.

— Мы вроде все с тобой, Лилечка, перебрали, все варианты.

— Я так не думаю. — Лиля покачала головой.

— Нет?

— Меня беспокоит Герман Дорф. Возможно, есть какой-то скрытый мотив, тайная пружина всего происходящего. И она от нас, несмотря на все обилие версий, фактов и догадок, ускользает.

— Надо во что бы то ни стало разыскать эту Марту Монро, — сказала Катя.

— Или подождать, как будут развиваться события.

— Когда еще кого-то убьют? — спросила Катя.

Лиля выключила компьютер. И снова позвонила на номер Марты Монро.

Абонент временно недоступен.

Глава 49
ПЛОТЬ

Данила стоял у окна и смотрел в темный сад, волнуемый северным ветром, налетавшим с реки. Кривые голые сучья деревьев на фоне порванных в клочья туч. В саду кое-где включилась подсветка, но от этого темные углы казались еще мрачнее, напоминая черные кляксы на нарисованном тушью пейзаже.

Пейзаж с ветром...

Пейзаж с темнотой...

Пейзаж с фигурой у окна.

Данила протянул руку и прикоснулся к холодному стеклу. Он думал о сестре, о Жене. И еще о том, что вот теперь все ее привычки и его привычки, ее маленькие капризы и его подколы, ее великое терпение и тот хаос, что царит в его душе и вокруг — уже не важны.

Пустой, гулкий отель «Мэриотт — Аврора», место, где можно прятаться от проблем...

Уроки латыни и стихи римских поэтов...

Женькина нежность и его безалаберность — те качества, что они унаследовали от матери, которой нет...

Вся эта жизнь в их доме...

Все это похоже на сад в ночи, на ветер, что развеивает все прахом.

Если приходится разрываться на части между...

Между чем и чем?

Данила стянул через голову серую толстовку, пропахшую потом. Побрел в ванную, разделся там догола.

Смотрел на свое великолепное мускулистое сильное тело — удары на ринге ему нипочем.

Нипочем и это вот — алые следы на шее, на груди, на бедрах. Следы жадных жарких поцелуев взасос, как алая сыпь, как красный лишай.

Когда вас целуют от шеи до пяток, а вы лежите и позволяете делать это с собой, то...

Данила включил воду и встал под душ. А когда ванная наполнилась горячим паром, он протер полотенцем зеркало и улыбнулся себе.

Улыбнулся сам себе в мутном стекле.

Обернув полотенце вокруг бедер, он вышел из ванной и достал из кармана куртки мобильный. Включил его. На дисплее отразились неотвеченные звонки. Все от сестры, от Жени, сам он ей так и не позвонил.

Он нажал кнопку в одно касание, отыскивая номер.

Нет, в этот вечер, сдуваемый северным ветром, сулившим скорый снег и лютый мороз, он хотел звонить не сестре.

Он нашел номер Кати, ожидая, когда та ответит:

А, это ты...

Глава 50

СВЕТ В ОКНЕ

А, это ты...

Это я, и я у твоего дома...

Звонок застал Катю врасплох. Она недавно лишь вернулась домой с работы — до обеда в Прибрежном ОВД, а после обеда вернулась в главк, где задержалась почти до восьми.

И вот дома. И снова тьма за окном — огни, огни на Фрунзенской набережной. И голос Данилы в мобильном.

— И я у твоего дома. Опять забыл, какая квартира, какой этаж.

— Короткая память?

— Я ж под коксом был.

— Что тебе надо? — спросила Катя.

— Я хочу к тебе.

— Нет, Данила.

— Я очень хочу быть с тобой. Сейчас.

— Нет, — Катя подошла к окну: не видно, не видно его. Только голос в телефоне.

— Я хочу быть с тобой. Мне нужно это, — сказал Данила. — Ты же обещала сыграть роль доброй самаритянки.

— Я сыграла, — ответила Катя.

— Не до конца. Пожалуйста. Ну, хочешь, поедем ку-да-нибудь? Хочешь в «Мэриотт — Аврору»?

— Нет.

— Куда захочешь, туда и поедем. — Голос Данилы дрогнул. — Пожалуйста, будь со мной сейчас.

Катя... Она не знала, как поступить. Дать отбой, выключить мобильный? Но она ведь так увязла во всем этом деле, что не может вот так просто сейчас отшить его. Не может, потому что... нет, нет, дело вовсе не в том поцелуе... Нет, нет и еще раз нет, хотя... Лиля ведь сказала — надо ждать развития событий. И вот события опять развиваются. Данила снова приехал. Что сулит этот его внезапный порыв — внезапный ли? — для раскрытия дела?

И Катя подумала — может, воспользоваться этой ситуацией? Впоследствии она и так и этак оценивала эту мысль, что пришла ей в голову. Нет, озарением это нельзя было назвать. И предчувствием тоже. Это был просто следующий шаг в цепочке событий, которые уже подчинили их себе. Потому что события в этом деле шли своим чередом, как оказалось впоследствии, а они все просто этого не замечали.

— Подожди, я оденусь и выйду, — сказала Катя.

Она чувствовала безмерную усталость после рабочего дня, дня бесплодных усилий отгадать загадку, утомивших мозг. Но она переоделась, даже принарядилась — в узкие потертые серые джинсы и топ в форме корсета. Взяла из шкафа меховой жакет. Вот так лучше для голых плеч, а там, в клубе... в клубе жакет не понадобится.

Она вышла из подъезда. Данила оседлал свой «Харлей». Катя вспомнила — звук мотора отъезжающего мотоцикла, что она услышала после покушения у гаража... Это могло быть совпадение, а могло и...

— Спасибо, — сказал Данила.

— За что? — Катя улыбнулась.

— За роль доброй самаритянки.

— Давай поедем в тот ночной клуб.

— В «Шараду»?

— В «Шараду», — ответила Катя, оглядела мотоцикл, — только на мотоцикл я не сяду.

— Частника поймаем или такси. — Данила послушно слез с мотоцикла, вытащил ключ зажигания.

— У меня машина в гараже, — сказала Катя.

Она повела его к гаражу. Хотела снова взглянуть на его реакцию. И не видела никакой его реакции ни на это место, ни на кусты. Ну да, если он не сам стрелял, а нанял эту Марту Монро...

Она открыла гараж, села за руль и выгнала «Мерседес-Смарт». Данила уселся рядом с ней, как в тот раз.

Садовое кольцо встретило их огнями и потоком машин. Они ехали в сторону Триумфальной по ночному городу и дальше к Ленинградскому проспекту.

Катя вела машину аккуратно. Данила молчал, лишь смотрел на нее не отрываясь.

Двое оперативников сменили своих напарников на посту на Планетной улице у дома Марты Монро в семь вечера. Днем Марта дома так и не появилась.

Давно уже стемнело. Оперативники из машины наблюдали за подъездом. Народ возвращался с работы. Во дворе парковались авто. На детской площадке пищали дети. Но после восьми вечера людское движение начало постепенно стихать.

Из подъезда Марты вышла парочка, направилась через двор к автобусной остановке. Затем оттуда же, со стороны остановки, пошатываясь, приковылял алкаш с бутылкой пива в руке. Прошаркала старуха в мешковатом пальто, с сумкой, вошла в подъезд. Следом за ней через несколько минут в подъезд зашел высокий мужчина в черной куртке.

И вдруг...

— Смотри, свет зажегся, — сказал оперативник напарнику.

В одном из окон на первом этаже зажегся свет.

— Но обе квартиры пустые, мы же звонили, стучали.

— Мы эту Марту пропустить не могли. И дневной пост тоже не мог ее проворонить. Значит, она все время находилась дома. Просто не открывала и не отвечала на звонки.

Оперативник сунулся было выйти из машины, чтобы идти проверить квартиру, но напарник его удержал:

— Постой, подождем, что дальше.

А дальше, примерно через двадцать минут, во двор дома на Планетной въехало желтое такси, приткнулось на свободный пятачок во дворе.

— Это не «Ночной город», это обычное такси, — оперативники наблюдали за машиной.

И вот они увидели. Из подъезда дома вышла женщина странного вида — грудастая, полная, в ярко-розовом жакете, платье в блестках, черные чулки. На голове — копна волос цвета платины, явный парик. В руках— вечерний клатч и сумка дамская побольше.

— Берем ее, — оперативник жаждал действия.

Но его более опытный напарник снова удержал его:

— Сначала проверим, куда она направляется.

Марта Монро села в желтое такси. Оперативники последовали за ним. Уже минут через десять они поняли, что Марта направляется в сторону Ленинградского проспекта. Они срочно связались с майором Лилей Белоручкой.

В «Шараде» в этот вечер не так много народу на танцполе. Впрочем, еще не поздно, клуб обычно набивается битком лишь после полуночи. Катя увидела бородатую Кору на сцене — в черном кожаном платье в пол, на огромных каблуках. Улыбающееся бородатое создание пело ангельским голоском в микрофон. Снова не караоке, а под фонограмму — что-то нежное, латиноамериканское.

И Катя, конечно же, сказала: «Нет, останемся на танцполе», — когда Данила предложил подняться наверх, в VIP-зону.

Кора заметила Катю, но виду не подала — она улыбалась залу, как настоящая звезда. И пела, пела...

— Снова она, — сказала Катя Даниле.

— Здешний соловушка. Забавная она.

— Да, она забавная, — согласилась Катя.

— И храбрая, — Данила обнял ее в танце, — уважаю ее. Мужество нужно, чтобы выглядеть так. Сейчас вон в разных вонючих городишках собирается кодла — лесбиянок, геев мордуют, за волосы таскают, издеваются. И все это на телефончик снимают и в Сеть выкладывают. И никто ни гу-гу, ни одна телевизионная гнида про это не скажет.

— Это закончится. Данила, это закончится.

— Когда? Когда мы все сдохнем?

Он смотрел на Катю. Ждал ли он ответа от нее — тут, в этом клубе, где все они толклись, как ночные мотыльки под светом гаснущего фонаря, ловя последнее тепло, радость и утлую надежду?..

Он смотрел на Катю так, что... Поразительные вещи порой может явить человеческий взгляд... одновременно — бравада, растерянность, отчаяние, нежность... Катя обвила его шею руками и поцеловала в губы. Сама — на этот раз. Не из любви и не из жалости, а в ответ на то, что говорили, кричали его глаза.

Данила зарылся в ее волосы лицом и прижал к себе. И они медленно-медленно кружились на танцполе. А когда оторвались друг от друга, Катя увидела, что бородатая Кора сходит со сцены по ступенькам. Она смотрела куда-то поверх танцующих.

Вот она обернулась и показала Кате глазами — туда, туда.

И Катя тоже обернулась, но видела лишь танцующих и — стойку бара.

— Выпьем за...

— За что, Данила?

— За песню, что спел нам бородатый соловушка. — Данила повлек Катю к стойке бара. — Песенка о любви.

Он заказал Кате коктейль, а себе двойной бренди.

— Почему ты Жене не позвонил? — спросила Катя. — Я ей машину помогла перегнать со штрафстоянки.

— Я звонил ей, она не отвечала мне.

— Она же в больнице с мужем, она в палате телефон выключала, чтобы его не беспокоить.

— Да, Генку нельзя сейчас беспокоить.

— Так почему же ты ей так и не позвонил?

— Я был занят.

— Чем ты был занят? — спросила Катя.

И тут к ним подвалил юркий молодец с сережкой в ухе, очередной «продавец счастья», то есть кокса. И Данила...

— Подожди меня пару минут.

— Но я...

— Я быстро.

Катя смотрела, как он вместе с «торговцем счастьем» пересек танцпол и затерялся где-то в недрах клуба. Не наркоман... он сам так говорит — «я не наркоман»... Но ему уже все труднее и труднее это утверждать.

Она поискала глазами Кору — нет ее, и карлицы Маришки что-то тоже не видно.

К диджею подошел охранник и что-то ему прошептал. Тот на минуту прервал музыку.

— Послушайте, друзья! Кто владелец машины «Мерседес-Смарт» номер... сигнализация орет. Жильцы дома начнут выступать, на клуб и так наезжают постоянно. Выйдите, разберитесь с машиной, очень прошу!

Это же моя машина, — подумала Катя, — *что там еще?*

Не дожидаясь возвращения Данилы, она ринулась вон. Номерок от ее мехового жакета, сданного в гардероб, снова у Данилы, ну черт с ним, она лишь проверит крошку «Мерседес» и...

Громкий звук работающей сигнализации слышен даже в темном дворе у «Шарады». А машину она оставила на краю стоянки у дома, напротив арки. Катя через темный двор заспешила к машине.

В арке гулко отдаются ее шаги по асфальту — высокие каблуки.

Она подошла к «Мерседесу» и сразу заметила на двери глубокую вмятину. Сигнализация все работала, и она не смогла отключить ее с брелка. Тогда она открыла машину, села за руль, протянула руку, чтобы отключить сигнал на панели, и тут...

ОНО... или она возникло из темноты — нелепое существо в розовом, в белесом парике, накрашенное так, что лицо казалось белой маской с угольно-черными бровями, пухлыми щеками и ярко-алым, намазанным помадой ртом.

Почти видение...

Дикая ненависть в глазах...

Марта Монро появилась рядом с машиной, точно выросла из-под земли.

Доли секунды...

Они смотрели друг на друга доли секунды...

А затем Катя увидела в руке Марты Монро пистолет с глушителем и...

Выстрел!

Марта стреляла почти в упор и наверняка бы с такого близкого расстояния не промахнулась, убила бы Катю.

Но вместе с ее выстрелом одновременно — бах! — в ночи прозвучал еще один.

Словно что-то толкнуло Марту в бок с большой силой, и ее рука с пистолетом дернулась — пуля от ее выстрела попала в подголовник сиденья, а не в висок Кати.

Бах! Выстрел!

Марту снова будто что-то сильно толкнуло, и она не удержалась на ногах, упала.

— На руку ей наступи! — услышала Катя женский крик.

Она что есть силы шарахнула барахтавшуюся возле машины Марту дверью, выскочила из машины и попыталась ногой выбить из ее руки пистолет, который та все еще цепко сжимала.

Но не тут-то было! Марта, хрипло взвизгнув, схватила ее за щиколотку и резко дернула.

Катя упала на асфальт. Марта навалилась на нее всем своим грузным телом. Пыталась высвободить руку с пистолетом, а локтем другой давила на Катино горло.

— Тварь.... Хочешь забрать его у меня... не отдам... убью... Он мой, и только мой... ни ты, никто его у меня не заберет...

Этот голос...

Боже мой...

Этот голос...

Катя уже задыхалась, потому что локоть, впиваясь в горло, норовил сломать ей гортань...

Все плыло перед глазами... топот... кто-то бежит...

— Отпусти ее! Бросай ствол! Ну! Одно движение — и я стреляю! Мой пистолет у твоего затылка!

Голос Лили Белоручки...

Сдавленный хрип...

Когда вы, полузадушенная, валяетесь на асфальте, а вокруг вас вся эта суета с задержанием...

Оперативники обезоружили Марту Монро, оттащили ее от Кати.

Лиля Белоручка — с пистолетом. Она наклонилась.

— Ты как? Цела?

Катя повернулась, опираясь ладонями на асфальт, попыталась подняться. Лиля ей помогла. Катя от пережитого шока еще плохо соображала.

— «Скорую» вызывайте! Она ранена! Я в нее две пули засадила!

Лиля скомандовала это, но...

Оперативники попытались осмотреть, ощупать Марту, ища, куда попали две пули, выпущенные майором Белоручкой. Но Марта лишь визжала и с бешенством отбивалась.

— Аааааааааааааааааааааааа!

— У нее ноги мокрые! Посветите! Дайте спецпакет перевязочный, она тут кровью истечет, пока врачи приедут!

— Да это не кровь! Это же...

— Да она обоссалась!

В воздухе — терпкий запах мочи...

— Я в нее дважды попала, — сказала Лиля. — Я стреляла ниже пояса, в бедро и...

— Да у нее тут... ох, взгляните сами, пощупайте, у нее тут везде накладки! Она не ранена. Пули в накладках застряли, это как театральный костюм, сплошной полимер!

Катя еще ничего не могла понять. А Лиля сориентировалась быстрее. Упирающуюся Марту Монро поволокли к полицейской машине.

— Ты тут с ним? — спросила она.

— С Данилой.

Лиля послала оперативников в «Шараду».

Затем она ринулась к полицейской машине. Там оперативники крепко держали Марту. Лиля стащила с ее головы платиновый парик.

Катя смотрела.

Круглая, как шар, голова в специальной сетке телесного цвета с оттопыренными ушами.

Эти оттопыренные уши...

Лиля содрала с головы Марты и сетку.

Под ней — жидкие, коротко стриженные волосы... рыжие.

Оперативник подал Лиле скомканный бинт из аптечки, намоченный минеральной водой из бутылки, что полицейские возили с собой. Лиля грубо, уже нисколько не церемонясь, схватила Марту за скулы, сжала и начала возить мокрым бинтом по ее лицу-маске, накрашенному, наштукатуренному, смывая, уничтожая грим и...

Марта закашлялась и выплюнула что-то изо рта.

Это что-то упало на подол розового платья с блестками.

Лиля отняла бинт от ее лица и...

— И тут накладки, точнее, подкладки за обе щеки, — сказал оперативник.

Лицо, это лицо, потеряв пухлость щек и толстый театральный грим, менялось...

Грим сползал, оставляя грязные потеки...

Лиля содрала с висков театральные пластыри телесного цвета, утягивающие кожу и изменяющие разрез глаз и форму бровей.

Лицо изменилось и...

Стало лицом той, кто...

— Раиса Павловна Лопырева, — сказала Лиля. — Нет и не было никакой Марты Монро... Раиса Павловна, вот мы и встретились с вами опять, уже здесь.

Катя не верила глазам своим.

Раиса Лопырева что-то прошипела и попыталась плюнуть оперативнику в лицо.

Из «Шарады» оперативники вывели Данилу.

— По машинам, — скомандовала Лиля, — тут, на месте, для осмотра остается только опергруппа.

Глава 52
СЕМЕЙНЫЙ КРУГ

Три момента запомнились Кате надолго из этой длинной безумной ночи.

Первое: майор Лиля Белоручка попыталась сразу минимизировать риск для клуба «Шарада» и его чудных завсегдатаев. Никого из московских полицейских на место не вызвали, а сами постарались убраться оттуда как можно скорее, пока в самом клубе не начался шум и гам.

Стоянку быстро «отработали» эксперты. Сумку Марты Монро — Раисы Лопыревой с портативным поисковиком-металлоискателем гильз они обнаружили возле Катиной машины. Саму машину осмотрели и тут же отогнали в Прибрежный ОВД. Стреляную гильзу нашли.

Второе, что запомнила Катя, — это лицо Данилы, когда он увидел в полицейской машине Раису Лопыреву в нелепом обличье.

— Да что тут происходит?

Его голос...

— Да скажите же мне! Катя, скажи мне — что здесь произошло?!

— Скажи ему, — велела Лиля Белоручка.

— Твоя тетка в меня стреляла. Хотела убить. — Катя... она еле могла говорить. Не от страха, нет, даже не от пережитого шока.

От холода — она ведь была полураздета, в джинсах, в топе с голыми плечами на ноябрьском ветру.

Данила содрал с плеч куртку и ринулся к ней, полицейские его удержали.

— Я только куртку ей! Она же вся окоченела!

Он укутал ее, хотел прижать к себе, но...

— Тварь, сними его куртку! Не смей лапать эту потаскуху! Все равно убью! Я тебе клялась, я убью всех твоих... Всех, всех!! Ты мой, и только мой! Навечно! Навсегда!

Вопль Лопыревой...

И третье, что так запомнилось и поразило Катю в ту ночь, — ход, что предприняла Лиля Белоручка. Ход, который обычно избегают профессиональные следователи, расследуя банальные дела. Но обожают дешевые детективы, вся эта занятная пестрая приключенческая книжная дребедень.

Лиля Белоручка, как и в случае со снимками из телефона, решила снова использовать семейный фактор.

Она не поехала со всей командой и задержанными в Прибрежный ОВД, как сначала думала Катя.

Нет, в эту ночь они все отправились в дом на реке — туда, в родовое гнездо.

Лиля послала двух оперативников в Первую Градскую больницу, чтобы привезти домой и Женю.

В Прибрежном...

Да, дом в Прибрежном не спал. Они постучали в ворота, им открыла испуганная горничная-филиппинка, и Петр Алексеевич Кочергин, облаченный в пижаму, выехал в своем инвалидном кресле в холл.

Из Первой Градской привезли не только Женю — ее муж Геннадий, с перебинтованными руками, бледный как полотно, едва на ногах еще стоящий, жену не бросил. Они приехали вместе.

Их лица, всей этой семьи, которую Катя когда-то знала, потом забыла, а теперь вот узнала вновь...

Их лица, когда они собрались все вместе в гостиной под надзором полиции.

Когда Лиля вытолкнула на середину комнаты это нелепое существо — с потеками грима на лице, в обмоченных чулках, с накладками из силикона на бедрах, на заду и на груди, так изменяющих фигуру.

На Раису Павловну Лопыреву было страшно смотреть. Но они смотрели и, боже мой, как менялись их лица!

Кате хотелось забиться куда-то в уголок, закрыть глаза, заткнуть уши, чтобы не слышать и не видеть...

Но все только начиналось. Как в детективах о приключениях Пуаро, когда все фигуранты собраны в одном месте и истина вот-вот явит себя...

— Да что же это такое... Я не понимаю..

Голос Петра Алексеевича — жалкий, такой жалкий...

— Только что у клуба «Шарада» на Ленинградском проспекте ваша жена Раиса Лопырева, загримированная и переодетая вот в это и это, — Лиля Белоручка швырнула на пол блондинистый парик и розовый нелепый жакет, — стреляла в Екатерину Петровскую, — она указала на Катю. — Мы задержали вашу супругу с поличным. Вот пистолет «ТТ» с глушителем, вот принадлежащая ей сумка с портативным металлоискателем для сбора гильз, там ее отпечатки пальцев, экспертиза это установит, и у нас есть фото. А до этого Раиса Лопырева совершила покушение на убийство на нее же, — Лиля кивнула в сторону

Кати, — у гаража на Фрунзенской набережной, где мы нашли стреляную гильзу от этого пистолета, экспертиза это опять же подтвердит. А еще раньше Раиса Лопырева убила из этого же пистолета на стоянке возле клуба «Шарада» Василия Саянова, у дома на Ленинском проспекте Анну Левченко и шофера Фархада Велиханова, тут неподалеку от вашего дома, — трех человек, которые имели интимную связь с ее племянником и... любовником Данилой Кочергиным.

— Тетя!!

Голос Данилы... хриплый... так ворон каркает... так раненый хрипит...

— Я говорила тебе — я убью их всех, всех, с кем ты путаешься! Я клялась тебе. Ты мой, и только мой! Ты не верил, ты смеялся... Так вот я доказала тебе! Я доказала, как сильно я люблю тебя. Никто у меня тебя не отнимет, и делить тебя я не стану ни с кем. Я их всех уничтожила, слышишь? Ты мой навсегда, и никто тебя у меня не заберет!!

Лопырева... она не отрицала, не скрывала, в бешеной истерике она кричала это Даниле прямо в лицо.

А они все слушали ее — семья, муж, полицейские, Катя...

— Она — ваша любовница. — Лиля Белоручка не спрашивала это у Данилы, она констатировала факт.

— Я спал с ней. Я просто спал с ней.

— Ты! — Петр Алексеевич в инвалидном кресле сжал худые кулаки. — Ты, мой сын...

— Я спал с ней! Она сама этого хотела, она...

— Я люблю тебя, я так люблю тебя. — Из глаз Раисы Лопыревой неожиданно полились слезы, лицо превратилось в грязную маску. — Вся жизнь моя в тебе... я люблю тебя, я на все пойду, пошла ради тебя... Ради того, чтобы не делить тебя ни с кем, а владеть тобой.

— Но я не твоя вещь! Я не твой.

— Ты мой! — Лопырева топнула ногой. — Ты мой, слышите вы все — он мой. И ты слышишь меня, — она обернулась к Кате, — ты, оставшаяся в живых... Тебе просто повезло. Мечтаешь, что он останется с тобой? Не надейся. На день, на два, на неделю. А потом появится новая потаскуха или новый потаскун. Он так устроен. О, я знаю его, как никто. Он же наша кровь, он сын моей сестры.

— Кстати, о вашей сестре, — оборвала ее Лиля Белоручка, внимательно слушавшая и фиксировавшая все эти вопли — фактическое признание в убийствах на диктофон. — Кстати, о вашей сестре, о вашей жене, — она глянула в сторону Петра Алексеевича, — о вашей матери, — она обернулась к Даниле и Жене, — мы должны прояснить с вами и этот вопрос тоже.

Они все молчали, не реагировали.

— В салоне вашего «Мерседеса», Петр Алексеевич, была найдена гильза. Мы с вами об этом уже беседовали, и вы пытались рассказать мне... в общем, вы выдвинули свою версию покушения на вас. — Лиля кивнула оперативнику, и тот показал пистолет «ТТ», изъятый у Лопыревой. — Вот пистолет, из которого Раиса Павловна стреляла сегодня на наших глазах, из которого она убила трех человек. Гильзы совпали. Тот выстрел на набережной, когда вы, Петр Алексеевич, возвращались из театра, был сделан тоже вот из этого пистолета. Я обращаюсь к вам в присутствии вашего сына и вашей дочери, потерявших мать. Да, она погибла в результате аварии, не от выстрела. А вы стали калекой в результате той аварии. Вам уголовное преследование не грозит. Но ваша жена, Раиса Лопырева — убийца, на ее руках кровь троих. И она ответит за это по закону. И я обращаюсь к вам: скажите правду — вот сейчас скажите правду — даже не нам, полиции, нам уже, собственно, многое ясно, а своим детям, глядя им в глаза.

— Что я должен сказать? — спросил Петр Алексеевич.

— Расскажите правду о том, что произошло в тот вечер, когда ваша жена умерла.

— Папа! — воскликнула молчавшая доселе Женя. — Папа, пожалуйста!

— Отец! — крикнул Данила.

— Ты вообще молчи! Ты, мой сын, посмел... всю эту грязь...

— Отец, скажи нам правду.

— Папа! — Женя протянула руки умоляюще. — Папа, мы хотим знать, мы должны это узнать после всего, что узнали сейчас.

— Раиса Лопырева — убийца. А вы — калека. Вам ничего не будет, что бы вы ни совершили в прошлом, — сказала Лиля, — но ведь тяжко жить с этим, правда? Тяжелое бремя. Облегчите душу, Петр Алексеевич.

Кочергин молчал.

— Я помогу, если вам так трудно говорить самому. — Лиля подошла к инвалидному креслу. — Наводящие вопросы... Они порой нужны. В салоне «Мерседеса» в тот вечер этот пистолет был у вас в руках?

— Нет, — Петр Алексеевич покачал седой головой.

— Это в вас стреляли?

— Нет.

— Пистолет был в руках Раисы Павловны?

— Да.

Петр Алексеевич опустил голову — низко, пряча глаза.

— А в кого она выстрелила там, на светофоре, где вы остановились?

— В Марину, в мою жену, в свою сестру.

— Ах ты, старый подонок! — заорала Раиса Павловна Лопырева. Слезы в ее глазах мгновенно высохли, уступив место снова бешеной ярости. — Ах ты, старая мразь, предатель! А не ты ли сам этого хотел? Не ты ли мечтал избавиться от своей Мессалины, наставлявшей тебе рога с первым встречным? Не ты ли плакал, жаловался мне, что больше не можешь так жить, не можешь терпеть этот разврат, эту грязь, что она тянула в твой дом, позоря тебя?

— Я любил ее, я так любил ее, мою жену, а она не ставила меня ни в грош, она изменяла мне. — Петр Алексеевич закрыл глаза руками.

— Она дома не ночевала, у нее была куча любовников, а ты кипятком ссал из-за этого! — вопила Раиса Павловна. — И жаловался мне, и просил помочь, что-то сделать... Ведь это ты купил этот чертов пистолет! Где бы я, слабая женщина, приобрела оружие? Это ты купил этот пистолет. И попросил, на коленях умолял меня помочь избавиться от развратницы, это ты разработал тот план с остановкой на светофоре. А я... я тогда промахнулась. Понял ты? Я тогда промахнулась, и на мне нет ее крови. Ее кровь, ее смерть на тебе! И ты казнил меня за это все годы нашего брака. Бил меня... ты бил меня именно за это, за то, что я промахнулась и не убила, а ты убил ее — Марину.

— Я не убивал, все... эта авария... так вышло...

— Как вышло, Петр Алексеевич? — спросила Лиля. — Поведайте нам, как все было на самом деле.

— Я не могу.

— Папа, ты должен, — воскликнула Женя, — ты должен нам сказать.

— Я не могу... это так больно... все эти годы я... я так любил вашу мать... я просто был не в себе тогда, безумен! Я считал, пусть она лучше умрет, чем изменяет мне.

— Мама умерла, погибла в аварии. — Женя вся дрожала. — Папа, как все было? Ты рассказывал столько раз, и все это ложь? Скажи нам правду, мы должны знать.

— Я был не в себе тогда, — Петр Алексеевич говорил тихо, — мы хотели развестись мирно. Но надо было бизнес делить, имущество, этот дом, а я и так много потерял. Остались бы крохи и мне и ей, и мы решили жить вместе. Но... господи, она никак не могла удержаться, у нее постоянно были новые любовники, а я должен был мириться с этим? Она мне лгала, она постоянно лгала мне. И я... да, я жаловался тебе, — он глянула на Раису Лопыреву, — а ты никогда не любила Марину. Ты завидовала ей, ее красоте, уму, ее успехам, ее любовникам, ты завидовала, что она вышла замуж, а ты так и осталась старой девой.

— Я вышла замуж за тебя! — крикнула Раиса Павловна.

— Да... ты вышла за меня, — Петр Алексеевич кивнул. — А с вашей матерью я не мог больше терпеть эту ложь. И развод был невозможен и... да и сама мысль, что она... что она будет с другим строить свою жизнь без меня, без вас, детей. Я думал тогда — пусть она лучше умрет. Так легче, быть вдовцом легче, чем рогатым или брошенным мужем. Я жаловался Рае, я просил ее помочь. И она... она согласилась — из ненависти к сестре; возможно, из любви ко мне, если она меня тогда любила...

Лопырева молчала.

— Я купил этот пистолет, достал... Где — это уже сейчас не важно. И я придумал план — остановка на светофоре и выстрел — один в нее и один в меня, куда-нибудь в плечо.

— Вы остановились на светофоре и опустили стекло в машине? — спросила Лиля.

— Да, Рая ведь не бог весть какой снайпер, она должна была подойти к машине и выстрелить в упор в мою жену и в меня. Но... она промахнулась. Марина увидела ее, закричала и... Она схватилась за руль в панике, крутанула и сильно толкнула меня, а я от неожиданности нажал на педаль газа. И мы на полной скорости врезались в опору моста. Жена погибла на месте, а я повредил себе позвоночник.

— Вы толкнули Раису Павловну на путь убийств, — сказала Лиля. — Вы вложили пистолет ей в руки. Взгляните, что вы сделали с ней. В кого она превратилась после тех событий.

Петр Алексеевич глянул на Лопыреву. Она смотрела на него. Муж и жена...

Данила оттолкнул оперативника и шагнул к ней.

— Что, ударить хочешь? — спросила она. — Ну бей, бей, как твой отец. Он постоянно меня бил в спальне. Мстил мне за то, что... не я убила твою мать, свою сестру. Это сделал он! А я... я вышла за него замуж, за калеку, я выходила его, я помогала ему и вам жить, содержать этот дом, я... Ну что ты смотришь на меня, мой царевич? Ну, ударь меня... Бей!

Данила — огромный сильный, спрятал кулаки за спину.

— Время поговорить о духовности, Раиса Павловна? О здоровой нормальной семье? — произнесла Лиля. — Вы мужа-то не обвиняйте. Вы за свое должны ответить. За три человеческих жизни.

— У меня будут такие адвокаты, которые вам и не снились, — ответила Лопырева, — вы не знаете мои связи. Я так не сдамся.

— Мы сняли вас на камеру у клуба. Когда вы специально били по машине, чтобы вызвать Екатерину на улицу, — ловкий ход. А что, если бы она вышла не одна, а с вашим любовником, с Данилой? Вы и тогда бы стреляли? Мы сняли вас на камеру, с пистолетом в руках в момент выстрела и борьбы. Я вам задницу дважды прострелила, а она фальшивой оказалась. Фальшивая, как и вы вся.

— Когда вам стукнет столько лет, сколько мне... — Раиса Лопырева оскалила зубы, — вы... да что вы знаете, соплячки, обо всем этом... Когда вам стукнет столько, сколько мне сейчас, и вдруг найдется такой вот... как он, — с такими вот глазами, с такими вот мускулами, с такой вот бешеной силой — неистовый, горячий, который всю ночь с вас не слезет... Интересно, что скажете вы тогда. Если полюбите всем своим сердцем.

— Если полюбите всем сердцем? — переспросила Лиля, словно не веря ушам своим.

— Да, да, сорок тысяч раз да! — крикнула Лопырева. — Если полюбите, как я его. Если сгорите полностью так, что... ничего уже не важно... если не захотите его отдать никому... Никому... Если захотите владеть им безраздельно до самой смерти.

— Вы убили троих, — сказала Лиля. — На тех доказательствах, что мы собрали и соберем, вас осудят. Вы никогда не выйдете на свободу.

Глава 53
ЕГО ГЛАЗАМИ

— Возьми куртку.

— Оставь. Холодно здесь.

Катя и Данила — одни в темном патио. В доме начался обыск, привезли понятых.

Катя — все в той же куртке Данилы, что ей так велика.

— Я не знал, — сказал он. — Я не знал, что она вытворяла.

— Она же клялась тебе, что прикончит всех твоих.

— Я думал, что это истерика или злость или она шутит так.

— Шутит? — спросила Катя. — Ты так плохо знал свою тетку, деля с ней одну постель?

— Я... Да, я спал с ней, — Данила смотрел в темноту. — Я просто проводил с ней время. А она пыталась убить мою мать...

— А она убила двух твоих любовников и любовницу. Ее адвокат в суде станет настаивать, что эти убийства совершены по страсти и из ревности.

— Да не были они моими любовниками, так — случайные связи, я не хотел... Я вообще не думал...

— Не думал? О них?

— В последние дни я думал только о тебе.

— Твоя тетка и меня бы убила. — Катя через силу улыбнулась ему. — Вот была бы потеха...

— Послушай меня...

— Что?

— Я не могу это объяснить. Вот сейчас. Что я чувствую. Что внутри меня.

Он все смотрел в темноту ночи, как и Герман тогда, как и Катя порой. Тьма поздней осени, высасывающая из нас силы и дух. Разрушающая нас до основания.

Он смотрел и вспоминал...

Тетка — в телевизоре дает очередное интервью, разглагольствуя на тему крепкой семьи и торжества духовных скреп. И у нее такое выражение при этом...

Такое выражение лица, такой голос, такая благостная деловитая официозная фальшь в нем, что он ее ненавидит...

Внутри словно поднимается душная темная волна...

Никакой кокаин тут уже не поможет...

А потом ночью тетка украдкой проскальзывает к нему в комнату и...

Последняя степень унижения, почти апофеоз — вот она падает перед ним обнаженным на колени, поклоняясь ему, как своему обожаемому идолу. Ее жадные руки скользят по его телу, гладят, ласкают торс, она горячими губами ищет, хватает, целует его плоть, и он — ненавидя и презирая ее — позволяет ей делать с собой все что угодно. Ее унижение, ее страсть, ее возраст, ее почти безобразная внешность лишь подхлестывают, подогревают его пыл. И он ставит тетку раком и...

Все эти ее вопли, когда он дает ей почувствовать, кто ее истинный хозяин.

Все эти ее придушенные вопли блаженства.

И это только добавляет остроты.

Во все.

— Ты должен разобраться с этим сам, — сказала Катя. — Сам с собой разобраться.

— Я уже не могу, — прошептал Данила.

Катя повернулась и, еле волоча ноги, направилась через их темный сад к воротам.

Она покидала дом в Прибрежном, как ей казалось, — навсегда. В его куртке, оставленной как память.

Глава 54
ГЛАЗАМИ ПОЛИЦЕЙСКОГО

Для некоторых вещей необходимо время. Чтобы прошло, утекло как песок сквозь пальцы. Как осенние облака, что довлели с высоты, а потом исчезли, рассеянные порывами ветра. Или как призрачная колесница, сотканная из мгновений, минут, часов, лет. Колесница времени, мчащаяся из прошлого в будущее, но порой по чьей-то прихоти или злой воле резко меняющая направление, так что возникает чувство, будто оно повернуло назад, в прошлое, хотя колесница времени все летит как на быстрых крыльях. О время, время, если бы и правда ты было похоже на сверкающую солнечную колесницу, а не на химеру разочарований и обманутых надежд!

Ноябрь миновал, но декабрь не принес ни света, ни солнца. Лиля Белоручка приехала в главк по делам, и они сидели с Катей в кабинете Пресс-центра. Конечно же, они обсуждали ЭТО ДЕЛО, а что же еще?

— Следователь обыски проводил на квартире на Планетной и в офисе Раисы Лопыревой в отеле «Москва», — сообщила Лиля. — В офисе у нее из сейфа изъяли несколько папок с подробными отчетами от частных детективов. Она услугами разных частных детективных фирм пользовалась, и все ради одного — следить за своим племянником-любовником, за Данилой. Полный отчет ей присылали — куда пошел, с кем встретился, в каком баре завис, с кем выпивал, на каком ринге дрался. Причем отчеты доставлял ей курьер, лично, минуя секретаря. Она компьютером не пользовалась, не умела с ним обращаться.

— А металлоискатель? — спросила Катя. — Он же электронный.

— Техника сложная, а управление простейшее — всего три кнопки. Светодиод зажигался на металл, когда она гильзы собирала. Она его, кстати, тоже при помощи фирмы частных детективных услуг приобрела. Она никогда не контактировала с одной фирмой — всегда с разными. И телефонов сотовых имела несколько — два для себя, Лопыревой, настоящей, и два для Марты Монро. И еще поразительные вещи открылись в ее сейфе в офисе. Масса бумаг, писем, ходатайств для ее инициативного комитета. И на многих ее резолюция — к «рассмотрению». А на некоторых, на полях, рисуночки — мужской профиль, в котором можно различить черты обожаемого племянника, и... эрегированные фаллосы. Вот чем ее мозги были заняты, когда она все эти доносы читала. Мысли все вертелись, как ее Данила имел в постели. — Лиля усмехнулась криво. — Но слежки детективов за ним ей казалось мало. И она сама за ним следила в образе Марты Монро. Ее сжигала патологическая страсть, поздняя страсть. И дикая ревность. На безумства ее толкала.

— В Большом театре это она за нами следила? — спросила Катя. — Я чувствовала, я ощущала...

— Как раз нет, не она. Мы сотрудников детективного агентства допросили. Раиса Лопырева знала, что Данила тебя пригласил на балет. Домашним она сообщила, что на выходные отправляется в монастырь на духовные чтения. Сама же отправилась на съемную квартиру на Планетной. В Большой театр она вслед за Данилой не поехала. Она не могла: в образе Марты туда заявиться просто нереально. А как Раиса Лопырева ей светиться не хотелось. Она ведь узнаваемая медийная персона. Поэтому послала следить детектива за вами с ярусов. А когда вы отправились из театра в клуб, тот ей позвонил, и она преобразилась в Марту Монро и появилась в «Шараде». Чтобы взглянуть на вас лично.

— Да, она появилась где-то после полуночи, — сказала Катя.

— Нет, все же талант у нее недюжинный. И на что только женщины в страсти, в ревности способны бывают! Ведь театральный грим освоить очень сложно, а она справилась. Приобрела в театральных магазинах весь этот прикид под Мэрилин Монро, научилась, можно сказать, профессионально делать накладки на бюст и зад, все эти подкладки за щеки, утяжку пластырями, грим на лицо. Она намеренно гримировалась чрезвычайно сильно и грубо, и это сработало. Она была неузнаваема в образе клубного фрика. И в ночные клубы ее пускали в таком виде, не только в «Шараду», но и в другие, куда Данила ходил. Но он в последнее время предпочитал «Шараду», и Раиса Лопырева там присутствовала лично в дни больших вечеринок, чтобы не спускать с него глаз, смотреть, с кем он знакомится, с кем вступает в контакт. И в клубе с самой Лопыревой происходили поразительные метаморфозы. Ведь Раиса Лопырева — настоящая — одевается неброско, косметикой не пользуется, а Марта? Все наоборот — кричащие тряпки, почти бандерша. Лопырева не употребляет алкоголь. А Марта пила в баре клуба, это бармен подтверждает. Каким-то перерождением, раздвоением личности это нельзя назвать. Это была осознанная метаморфоза, камуфляж, к которому она прибегала, чтобы полностью контролировать жизнь Данилы. Потому что отчеты детективов ее уже не удовлетворяли. Она хотела видеть все сама.

— Как он ей изменяет с другими? — спросила Катя.

— Как он живет без нее вне дома. И да, как он ей изменяет. Ведь их связь началась не вчера. А Марта появилась в принципе не так давно. Что стало причиной? На допросе она утверждала, будто сначала реагировала на «распутство» племянника только тем, что устраивала ему сцены ревности. Но ее буквально подкосил его неожиданный роман с Василием Саяновым.

— С первой жертвой?

— С парнем. Вот этого она стерпеть просто не могла. Раиса Лопырева говорит, что она застала Данилу вместе с Саяновым в доме, в Прибрежном. И с этого момента отчеты детективов ее перестали устраивать. Она и раньше преображалась в Марту, и квартиру на Планетной уже снимала в ее образе, но именно тогда, когда Данила начал общаться с Саяновым, Марта Монро извлекла из старого домашнего тайника пистолет «ТТ». Ее сжигала похоть к племяннику, ее душили злоба и ревность. Она ведь ярая гомофобка. Знаешь, она о том, что убила Саянова, даже не сожалеет. Он проводил вечер в «Шараде», она его там и подстерегла. Когда он собрался уезжать, она его убила у машины. Два выстрела. Она всегда делала два выстрела.

— Потому что помнила, как промахнулась тогда на набережной?

— Конечно, она этого не забыла. И того, что в «Мерседесе» осталась стреляная гильза, которую нашли гаишники. Раиса Павловна Лопырева умная баба. Она пыталась просчитать свои шаги. Хотя ей это удавалось не всегда. Страсть, похоть — плохие советчики. После Василия Саянова Данила имел интрижку с Анной Левченко. Бурный роман, даже в туалете клуба любви предавались. А Марта-Лопырева их через стенку из соседней кабины подслушивала. Мы допросили бармена клуба, при нем разговор Марты с Анной Левченко состоялся в баре — Анна хотела писать репортаж для «Живого журнала» о жизни клубных фриков. Ну и Марта-Лопырева обещала ей рассказать о себе и показать свою квартиру. Якобы в том доме на Ленинском проспекте... Она место то знает — назначила Анне встречу там, во дворе, дескать, приезжай, потолкуем у меня дома. И убила.

— Мне коллега-журналист высказывал мысль, что Анне кто-то там назначил встречу.

— Так и есть. Раиса Лопырева, совершая убийства, убирала соперников и соперниц. Когда Данила сошелся с их шофером Фархадом Велихановым — так, от скуки, она решила устранить и его. Она уже не могла остановиться, все это нарастало как снежный ком. Ревность, страсть, с одной стороны, и безнаказанность — с другой. Ее ведь никто не подозревал, ее не поймали. И она уверовала, что так будет всегда. Она отлично знала, когда Фархад машину из сервиса будет перегонять в Прибрежный, а потом, вечером на станцию поедет на велосипеде по той аллее. А там никого нет. Его она убила не в образе Марты Монро. Просто подкараулила на шоссе, ехала на своей машине следом за ним. И на аллее догнала, вышла из машины и выстрелила велосипедисту в спину. Затем сделала контрольный выстрел. И металлоискатель помог найти гильзы там, в грязи. Ну а вскоре на горизонте Данилы объявилась ты. — Лиля посмотрела на Катю. — Мы, конечно, не проявили в этом деле должной осторожности. И это я виновата. Я подвергла тебя риску.

— Я сама взялась тебе помочь.

— Благодаря тебе мы взяли Лопыреву с поличным. — Лиля вздохнула. — Она тебя люто ненавидит. За то, что снова промахнулась. Причем дважды. После того как вы с Данилой посетили Большой театр и ночь провели в «Шараде», она даже не раздумывала, ничего человеческого в ней уже не оставалось — одни слепые инстинкты. Ревность и жажда убийства новой соперницы. Она сразу схватилась за пистолет, выследила тебя и подстерегла возле гаража. Но не получилось убить тебя. А Данила не унялся. После бокса Герман Дорф привез его к тебе, Лопырева снова от ревности сходила с ума — вы же ночь провели под одной крышей, утром ты его в Прибрежный привезла сама. Лопырева это видела, она дома находилась.

Катя вспомнила поцелуй у ворот.

— Ее даже то не остановило в ослеплении ревности и злобы, что Данила ни словом не обмолвился о том, что в тебя стреляли.

— Но я же ему не говорила.

— Вот именно. И разве это не странно, не подозрительно? В человека стреляли, а он молчит. Ты молчишь, другая бы всем растрезвонила. Но Раиса Лопырева такие детали мимо себя пропускала — подозрения, риск. Данила из дома от нее снова к тебе отправился в тот вечер.

— Он так и не позвонил Жене в больницу, потому что был с теткой?

— Она его в постель затащила, завладела им. А он опять к тебе сбежал вечером. И вот этого уже она стерпеть не могла. Она сразу позвонила в детективное агентство, те выслали машину — следить, куда он поехал. Так и есть — к тебе на Фрунзенскую. А затем вы отправились в «Шараду». Когда Лопырева узнала это от детектива, она сама кинулась на «Динамо» преображаться в Марту.

И появилась в «Шараде». Наши ее вели от самой квартиры на Планетной. — Лиля усмехнулась. — Коллеги мои, кто за квартирой наблюдал, никак в толк не могли взять — как же она попала в квартиру? Они ведь не видели в тот вечер Марту. Оказалось, Раиса вот что придумала: она никогда не входила в тот дом в своем нормальном образе. Чтобы остаться неузнанной, она приезжала на «Динамо», оставляла свою машину на стоянке в двух кварталах. В машине всегда возила с собой старое пальто, шляпу, даже сумку свою дорогущую прятала в кошелку старушечью. Переодевалась. И так в образе старухи ковыляла к дому. Наши, из Прибрежного, старуху заметили, а потом в квартире зажегся свет. И оттуда вышла уже Марта Монро. Я когда к «Шараде» приехала, хотела задержать ее сразу. Но... она так странно вела себя. Сначала вышла, осмотрела стоянку. Потом ушла в клуб. Затем снова вышла, подошла к твоей машине и как саданет по ней ногой. Сигнализация включилась, а она еще и еще. И я решила — дождемся развязки этой истории. Ты уж прости меня, Катя... опасно все вышло. Она ведь в тот раз могла уже не промахнуться.

— Ты же ее на мушке держала, Лилечка. — Катя через силу улыбнулась. — Зато мы ее взяли.

— Зато взяли. У нее сейчас адвокат. Советы ей дает... Сокрушается, что она всего предусмотреть не могла — много наследила. Вроде осторожничала, переодевалась и гримировалась. А проколов полно — и эти ее детективные агентства, и показания работников «Шарады», пистолет «ТТ» с ее отпечатками, гильзы, металлоискатель и показания таксиста, что ее возил. Она же не в вакууме существовала. Свидетелей, как только мы начали копать, оказалось достаточно. Она не профессиональный киллер, а спятившая от ревности и злобы баба. Так что массу проколов совершила. И это все сейчас лишь на пользу делу, против нее.

— А то давнее происшествие на набережной? — спросила Катя.

— Там же нет убийства. Но суд примет к сведению и то дело. Она вот сейчас утверждает, что инициатором покушения на Марину был ее муж Петр Алексеевич, а она... мол, уже тогда выступала против разврата, за крепкий брак, за здоровую семью. И не могла простить распутства своей сестре. Ей казалось, что так будет лучше, если Петр Алексеевич освободится от своей жены. Дико звучит, но это ее показания: «Я ратовала за брак без обмана и измен». Сестру Марину она называет Мессалиной. Она многие годы ненавидела ее за красоту, завидовала ей — я так считаю. И потом она имела виды на Петра Алексеевича. Все это варилось у них там, в их семейном кипящем бульоне. И вылилось в план убийства сестры. Причем Петр Алексеевич просил все представить так, что это якобы на него покушение — Раиса должна была сестру убить, а его ранить. Но все пошло не так, как они планировали. В результате аварии Петр Кочергин превратился в калеку. А Лопырева на допросах подчеркивает, что не бросила его, вышла за него, выходила его, помогла финансово. И это правда. Это ведь правда, Катя. Тут мы к ней никаких претензий предъявить не можем. Она терпела от мужа побои и не бросала его.

— Они же были связаны общей тайной.

— Можно и так сказать. Но Раиса Лопырева с пеной у рта отстаивает то, что брак для нее — таинство святое. И при этом она спала со своим племянником. Ложь на лжи! И даже правда в ее устах превращается в ложь.

— А что говорит семья на допросах? — спросила Катя.

— Тебя Данила интересует?

— Нет.

— Твоя подружка Женя? — Лиля вздохнула. — Она говорит — они с мужем подозревали, что у Лопыревой — любовник. Такое ведь не скроешь, бабе под шестьдесят... у нее на лице написано, когда она удовлетворена в постели. Только сначала они думали, что это Герман Дорф. Он вообще занятная личность, хотя и оказался ни при чем. Он возит с собой, как выяснилось, пневматический пистолет. На допросе повторном сказал мне, что для самозащиты. Все официально зарегистрировано, мы проверили. Спрашивал меня на допросе — можно ли застрелиться из пневматики... Я ему ответила — если уж очень постараться и если совсем жизнь допечет. Он теперь не у дел, потерял свою работодательницу. Он утверждает, что не догадывался об отношениях Раисы Павловны и ее племянника.

Лопырева долгое время с Данилой вне дома встречалась, у него на квартире. Она и квартиру на «Динамо» сняла именно для встреч. Но когда она совершила первое убийство... Когда убила Саянова, все в ней пошло вразнос. Она к племяннику начала ходить по ночам уже и дома. В общем, твоя Женя догадалась, что брат спит с теткой. А вот насчет убийств они все гнали эти мысли от себя. Тут она, да и они все — Геннадий Савин, Данила, Петр Алексеевич, вполне искренни. К тому же об убийстве Анны Левченко они вообще ничего не знали. И Данила не знал. Он встретился с Анной несколько раз ради секса, потом все связи оборвал и не звонил, не интересовался. Вычеркнул из жизни девчонку. А та своей жизнью расплатилась за то, что они, пусть и недолго, были вместе. Все очень непросто у них в этом доме в Прибрежном. В суде будет о чем поговорить, если суд, конечно, захочет выслушать все и всех... Три человека убиты. Три жизни оборваны, — Лиля покачала головой. — Ревность и страсть — причина и мотив. Так говорит ее адвокат. Ложь и фальшь, чудовищное лицемерие — так я говорю. Только я ведь полицейский. Захочет ли нынешний суд меня слушать? Знаешь, Катя...

— Что?

Что, Лилечка, моя милая подруга... Что?

— Я вот смотрю на все, что сейчас творится, глазами полицейского. И глаза бы мои на это не глядели. Но и закрывать глаза на происходящее я тоже не могу. Ложь, фальшь, лицемерие. И таких, как Раиса Лопырева, полно. Они словно черви из тухлых яиц сейчас повылупились и расплодились. Говорят одно, делают другое. Тотальное вранье. И они перед убийствами не остановятся, нет... Ложь все разъедает, как проказа. И я вот что думаю. Какое-то время мы еще все это потерпим. Как жвачку для мозгов. А потом...

Катя смотрела на подругу. Они сидели в кабинете Пресс-центра. Через час Лиля должна была ехать к судье. Нет, не по делу Раисы Павловны Лопыревой. Там уже крутились шестеренки правосудия — со скрипом, но крутились.

Лиля отправлялась к судье по делу задержанного из Лиги кротких против Содома. Того, о ком как-то уже все подзабыли. Она хотела продлить ему срок содержания под стражей до суда.

— Хочешь, я поеду с тобой? — спросила Катя.

— Нет, там я сама должна. А ты лучше позвони своей подруге.

— Жене?

— Они с мужем возвращаются в Прибрежный, ее отец без присмотра остался. Так что... семья есть семья... Даже вот такая.

— Я позвоню, — пообещала Катя.

Она знала, что сдержит обещание.

Глава 55
У СУДЬИ

— Тот ваш свидетель, Мамин-десантник... он уже отказался от своих первоначальных показаний. Он не видел никакого нападения.

— Но женщин избили. Свидетель лжет.

В кабинете судьи майор Лиля Белоручка в полицейском мундире стояла перед столом, за которым в кожаном кресле сидела женщина-судья, старше Лили этак лет на двадцать.

— Ваш свидетель отказался.

— Подозреваемый бил женщину ногой в грудь, издевался. Я настаиваю на том, чтобы он оставался под стражей до суда. Ему будет предъявлено обвинение в хулиганстве.

— У меня ходатайство от его адвоката об освобождении из-под стражи.

— Это поощрение к безнаказанности, — сказала Лиля. — Завтра он и его стая из этой Лиги кротких нападут и изобьют еще кого-нибудь.

Судья молчала.

— Ну, эти потерпевшие из ночного клуба... они ведь тоже не ангелы, — сказала она после паузы. — По сути, это злачное место.

— Но факт хулиганства доказан, женщин избили, обе женщины имеют физический недостаток. При чем тут место, где они работают? Они — потерпевшая сторона. — Лиля смотрела на судью. — Меня в академии учили, что я прежде всего служу закону. А закон есть закон. И любая жертва преступления нуждается в защите и в правосудии. Любой униженный, измордованный, избитый, облитый этой чертовой зеленкой, искалеченный, оскорбленный — любая жертва, невзирая на свою расовую, половую принадлежность, свои политические убеждения или сексуальную ориентацию. Меня так учили, и я давала присягу. Если некому заступиться за потерпевших против этих скотов, избивающих людей, это сделаю я — сотрудник полиции. Меня учили, что в этом мой долг.

— Я с вами абсолютно согласна, — сказала судья и придвинула к себе лист бумаги.

Лиля ждала.

Судья написала что-то на листе и повернула к Лиле.

Выпускайте его из-под стражи, сейчас я ничего не могу сделать.

Через пять минут в здании суда...

Да, через пять минут после сцены в кабинете — уже в туалете «для судей и обслуживающего персонала» майор Лиля Белоручка стояла перед зеркалом над раковиной.

Она смотрела на себя в зеркало — так же, как когда-то и бородатая Кора и Данила — туда, в мутное стекло, отражающее наш мир.

Лиля не могла вспомнить момент, когда она плакала в последний раз. Нет слез для такого дела.

Она смотрела на себя в зеркало — на свой полицейский мундир с иголочки.

А потом с силой ударила кулаком по этой зеркальной глади.

Зеркало не разбилось. Пошли только трещины, трещины, трещины...

Что-то треснуло там, глубоко внутри.

И уже навсегда.

Глава 56

ВЕЧЕР В НАСТОЯЩЕМ

Время приближалось к девяти вечера, когда рыжего из Лиги кротких выпустили из-под стражи в Прибрежном ОВД. Оперативник вернул ему личные вещи, изъятые при досмотре. Среди прочего — мобильный.

Рыжий из Лиги кротких тут же попытался включить его, но за эти дни батарея без подзарядки села.

— Это, телефон мне дайте! Я позвоню, за мной приедут.

— Пошел вон, — сказал ему дежурный.

Рыжий из Лиги кротких выкатился наружу. Вечером заметно потеплело, и вместе с теплом к реке стянуло дождевые тучи. Дождь начал моросить, а потом хлынул как из ведра.

Рыжий из Лиги кротких шлепал по лужам, оглядывался, чертыхался. Он попытался поймать машину, но машины ехали мимо на большой скорости в дожде, обдавая его грязной водой.

Тогда, свирепея все больше, рыжий из Лиги кротких двинул к автобусной остановке. На общественном транспорте он не перемещался давно уже, предпочитая джипы, однако сейчас выбирать не приходилось.

Автобусы куда-то пропали из-за дождя. Рыжий из Лиги кротких стоял под навесом остановки, в нем закипала злоба.

Тускло светили фонари, прохожих никого, но нет, чьи-то шаги — шлеп, шлеп по лужам.

К автобусной остановке подвалила компания парней. Они возвращались из пивбара, где смотрели по телевизору футбольной матч своей команды. Команда, как обычно, продула, и болельщики, разгоряченные пивом, громко обсуждали моменты игры и от души матерились.

— Прекратите выражаться, молодые люди! — Рыжий из Лиги кротких тут же сделал им замечание.

— Чего?

— Посмотрите на себя — вы пьяные, на языке сплошной мат. На кого вы похожи?

— Да ты сам-то на кого похож, обезьяна рыжая? Чего вяжешься?

— Молчать, я сказал! — бешено крикнул рыжий из Лиги кротких. — Да вы знаете, кто я такой?

Парень, стоявший ближе всех к нему, молча размахнулся и звезданул его под дых. Не вдаваясь уже ни в какие детали, они повалили его и начали бить ногами. Рыжий из Лиги кротких дико орал, а они продолжали бить его, входя в раж все больше и больше от его криков.

Потом, катя его ногами, как футбольный мяч, они спихнули его в лужу на проезжую часть.

Один из парней поставил ему ногу в кроссовке на шею и начал топить его в луже. Рыжий из Лиги кротких захлебывался грязной жижей, он уже не кричал.

И в этот момент возле остановки автобуса притормозило желтое такси, ослепляя фарами нападавших.

— Атас! — крикнул самый молодой из них, и, закрывая лица от света, они разбежались.

Рыжий из Лиги кротких пускал пузыри, он оцепенел от боли и почти уже захлебнулся.

— Да тут драка, вон мужик валяется, — сообщил таксист, обернувшись к своим пассажиркам.

Бородатая Кора и карлица Маришка... да, да, это были они; как обычно по вечерам, они ехали со своей улицы Космонавтов на Ленинградский, в клуб «Шарада» — так вот, они вытягивали шеи, чтобы лучше рассмотреть...

— Тоже избили, — сказала Маришка, — как нас.

— Надо помочь. — Бородатая Кора решительно открыла дверь такси и полезла наружу, под дождь.

Маришка последовала за подругой.

— Ох, да он в воде, он же так захлебнется, ну-ка тащи его за ноги!

С усилием они оттащили мужика от лужи, попытались поднять. Тяжелый боров. Но бородатая Кора была сильной женщиной. И через какое-то время они подняли его — мычащего, грязного, окровавленного — на ноги и, увидев недалеко от остановки автобуса зеленый крестик аптеки, поволокли его туда.

И только уже в аптеке при ярких лампах они обе узнали его.

Рыжий из Лиги кротких сидел на стуле, стонал от боли, вокруг него суетились два фармацевта.

Мутными, заплывшими от побоев глазами он взирал на тех, кто не позволил ему умереть в эту ночь...

Бородатая женщина...

Женщина-карлица...

Он промычал что-то и выплюнул выбитые зубы на пол.

Такси с улицы посигналило — Кора и Маришка опаздывали в клуб, но...

Они не торопились уходить. У рыжего из Лиги кротких были перебиты руки. Ему могла потребоваться помощь, фармацевты из аптеки одни бы не справились, и даже когда приехала «Скорая», лишняя помощь все равно бы понадобилась — ему, этому «кроткому», ратовавшему за «мораль и идеальный порядок», ненавидевшему всех несогласных и вот ставшему по прихоти изменчивой судьбы, в мгновение ока, стонущей обузой.

Бородатая Кора и карлица Маришка это понимали. И дело было вовсе не в каком-то там милосердии или всепрощении, просто они испытали подобное на собственной шкуре. И знали, почем фунт лиха, когда поступают с людьми бесчеловечно.

Оглавление

Литературно-художественное издание

Следствие ведет профессионал. Детективы Т. Степановой

Степанова Татьяна Юрьевна

КОЛЕСНИЦА ВРЕМЕНИ

Ответственный редактор *О. Рубис*
Редактор *Т. Другова*
Художественный редактор *С. Груздев*
Технический редактор *О. Лёвкин*
Компьютерная верстка *Г. Ражикова*
Корректор *Ю. Иванова*

ООО «Издательство «Эксмо»
123308, Москва, ул. Зорге, д. 1. Тел. 8 (495) 411-68-86, 8 (495) 956-39-21.
Home page: **www.eksmo.ru** E-mail: **info@eksmo.ru**

Өндіруші: «ЭКСМО» АҚБ Баспасы, 123308, Мәскеу, Ресей, Зорге көшесі, 1 үй.
Тел. 8 (495) 411-68-86, 8 (495) 956-39-21
Home page: www.eksmo.ru E-mail: info@eksmo.ru.
Тауар белгісі: «Эксмо»
Қазақстан Республикасында дистрибьютор және өнім бойынша
арыз-талаптарды қабылдаушының
өкілі «РДЦ-Алматы» ЖШС, Алматы қ., Домбровский көш., 3«а», литер Б, офис 1.
Тел.: 8 (727) 2 51 59 89,90,91,92, факс: 8 (727) 251 58 12 вн. 107; E-mail: RDC-Almaty@eksmo.kz
Өнімнің жарамдылық мерзімі шектелмеген.
Сертификация туралы ақпарат сайтта: www.eksmo.ru/certification

Сведения о подтверждении соответствия издания согласно законодательству
РФ о техническом регулировании можно получить по адресу:
http://eksmo.ru/certification/
Өндірген мемлекет: Ресей
Сертификация қарастырылмаған

Подписано в печать 28.04.2015. Формат 84x108 ¹/₃₂.
Гарнитура «Ньютон». Печать офсетная. Усл. печ. л. 16,8.
Тираж 11 500 экз. Заказ № 7868.

Отпечатано в ОАО «Можайский полиграфический комбинат».
143200, г. Можайск, ул. Мира, 93.
www.oaompk.ru, www.оаомпк.рф тел.: (495) 745-84-28, (49638) 20-685

ISBN 978-5-699-79454-6

АННА И СЕРГЕЙ
ЛИТВИНОВЫ

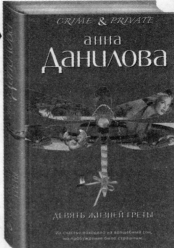

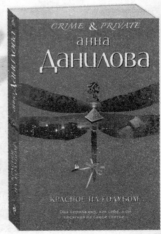